High Top

2권

물리학 II

이 책의 구성과 특징

지금껏 선생님들과 학생들로부터 고등 과학의 바이블로 명성을 이어온 하이탑의 자랑거리는 바로,

- 기초부터 심화까지 이어지는 튼실한 내용 체계
- 백과사전처럼 자세하고 빈틈없는 개념 설명
- 내용의 이해를 돕기 위한 풍부한 자료
- 과학적 사고를 훈련시키는 논리정연한 문장

이었습니다. 이러한 전통과 장점을 이 책에 이어 담았습니다.

1 개념과 원리를 익히는 단계

●개념 정리
여러 출판사의 교과서에서 다루는 개념들을 체계적으로 다시 정리하여 구성하였습니다.

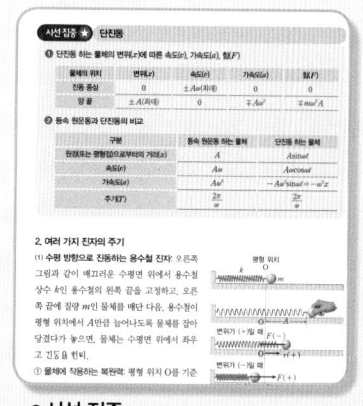

●시선 집중
중요한 자료를 더 자세히 분석하거나 개념을 더 잘 이해할 수 있도록 추가로 설명하였습니다.

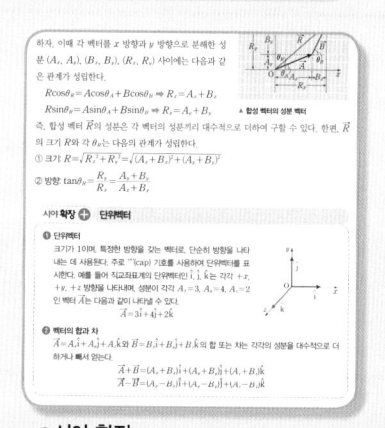

●시야 확장
심도 깊은 내용을 이해하기 쉽도록 원리나 개념을 자세히 설명하였습니다.

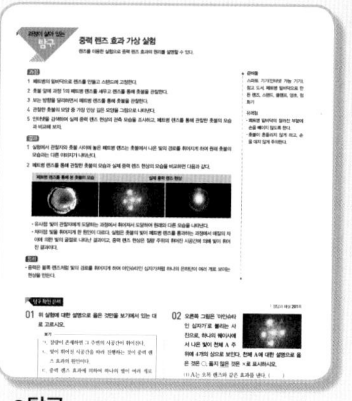

●탐구
교과서에서 다루는 탐구 활동 중에서 가장 중요한 주제를 선별하여 수록하고, 과정과 결과를 철저히 분석하였습니다.

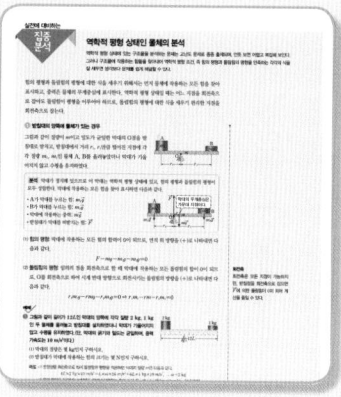

●집중 분석
출제 빈도가 높은 주요 주제를 집중적으로 분석하고, 유제를 통해 실제 시험에 대비할 수 있도록 하였습니다.

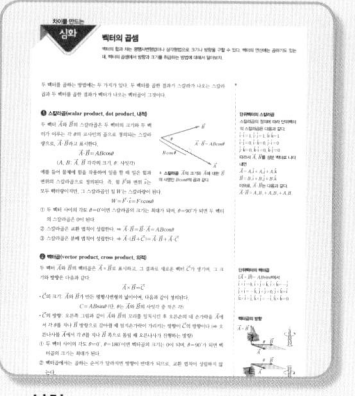

●심화
깊이 있게 이해할 필요가 있는 개념은 따로 발췌하여 심화 학습할 수 있도록 자세히 설명하고 분석하였습니다.

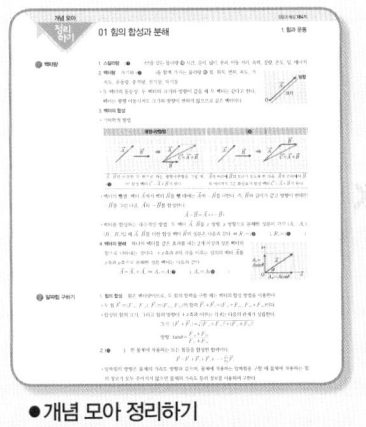

● **개념 모아 정리하기**
각 단원에서 배운 핵심 내용을 빈칸에 채워 나가면서 스스로 정리하는 코너입니다.

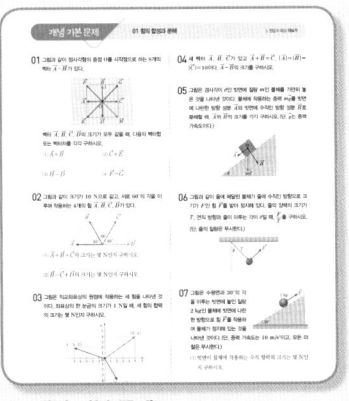

● **개념 기본 문제**
각 단원의 기본적이고 핵심적인 내용의 이해 여부를 평가하기 위한 코너입니다.

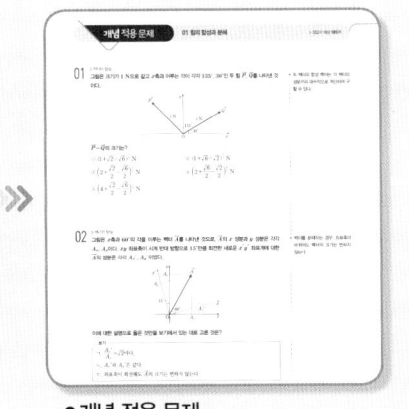

● **개념 적용 문제**
기출 문제 유형의 문제들로 구성된 코너입니다. '고난도 문제'도 수록하였습니다.

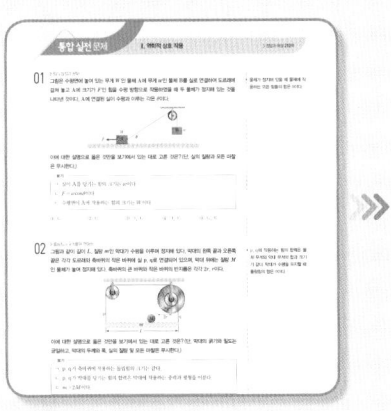

● **통합 실전 문제**
대단원별로 통합된 개념의 이해 여부를 확인함으로써 실전을 대비할 수 있도록 구성하였습니다.

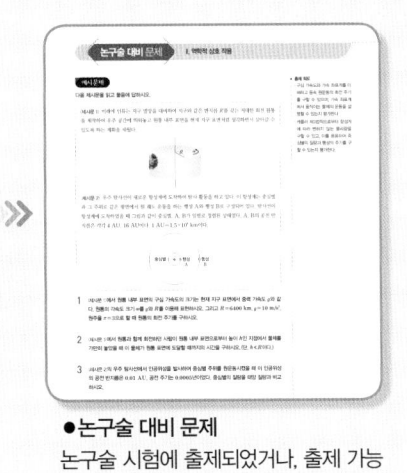

● **사고력 확장 문제**
창의력, 문제 해결력 등 한층 높은 수준의 사고력을 요하는 서술형 문제들로 구성하였습니다.

● **논구술 대비 문제**
논구술 시험에 출제되었거나, 출제 가능성이 높은 예상 문제로서, 답변 요령 및 예시 답안과 함께 제시하였습니다.

● **정답과 해설**
정답과 오답의 이유를 쉽게 이해할 수 있도록 자세하고 친절한 해설을 담았습니다.

> ❝
> 하이탑은
> 과학에 대한 열정을 지닌 독자님의
> 실력이 더욱 향상되길 기원합니다.
> ❞

1권

역학적 상호 작용

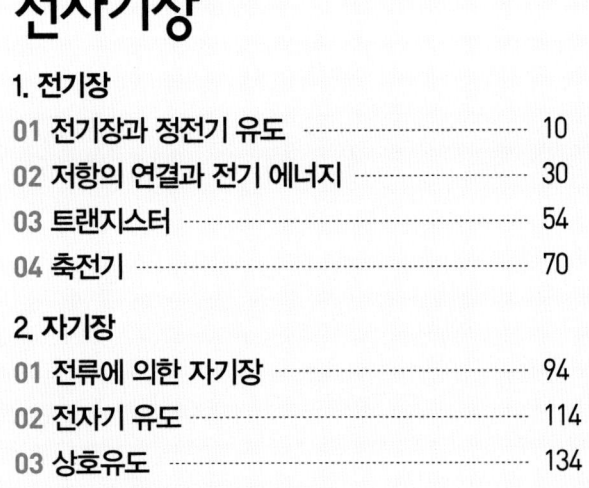

전자기장

파동과 물질의 성질

II

전자기장

1
전기장

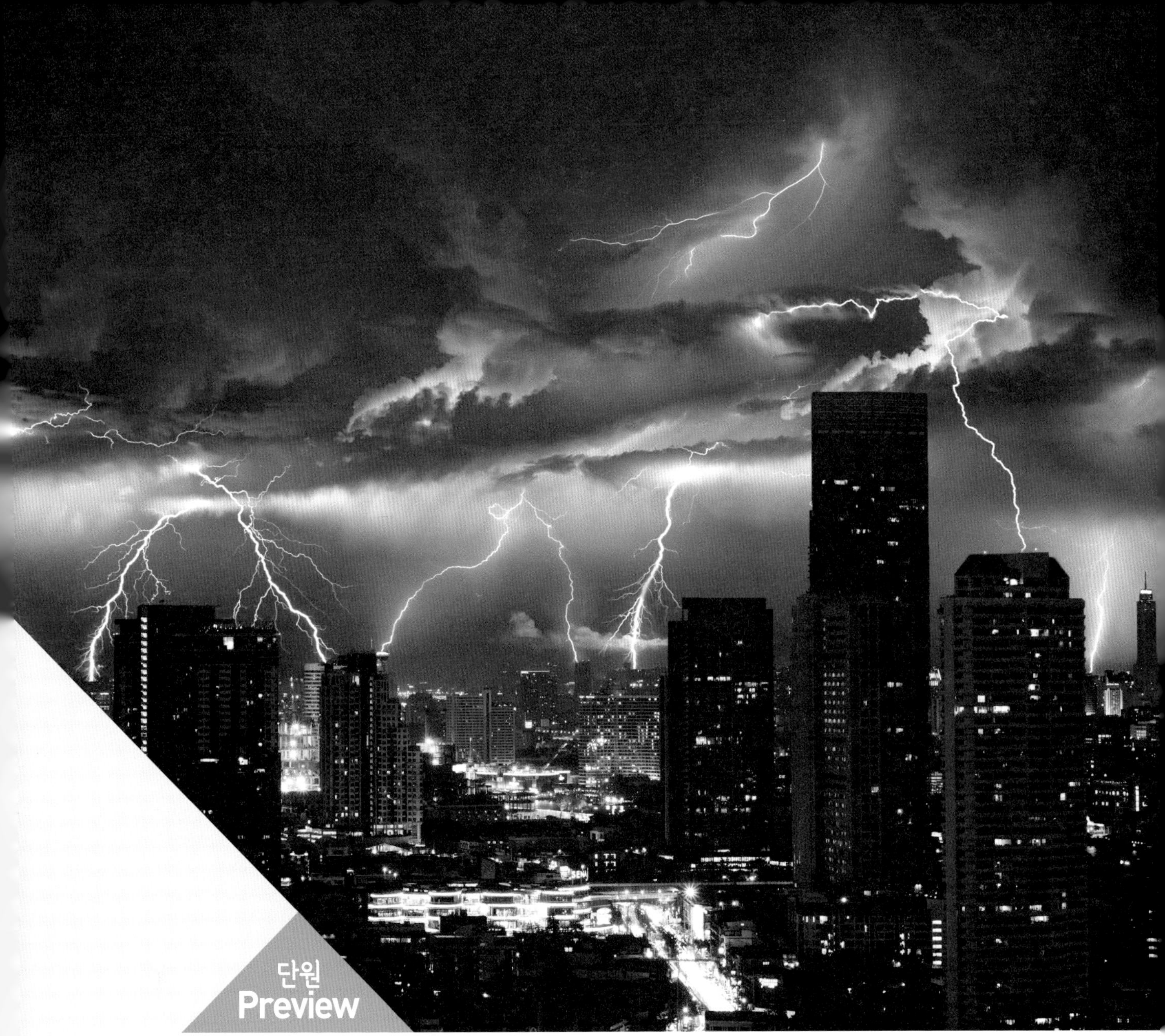

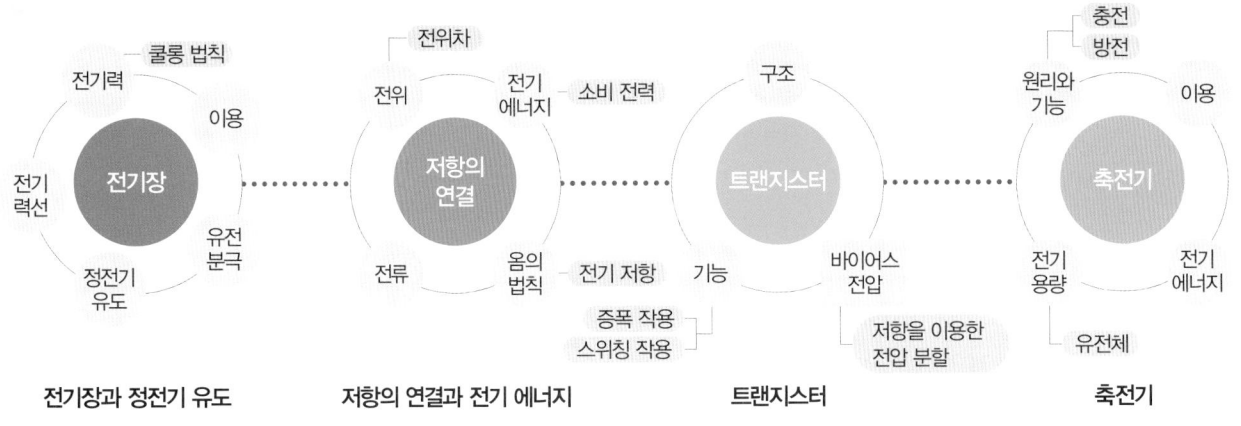

단원 Preview

전기장과 정전기 유도
- 전기장
  - 전기력: 쿨롱 법칙
  - 이용
  - 유전 분극
  - 정전기 유도
  - 전기 력선

저항의 연결과 전기 에너지
- 저항의 연결
  - 전위: 전위차
  - 전기 에너지: 소비 전력
  - 옴의 법칙: 전기 저항
  - 전류

트랜지스터
- 트랜지스터
  - 구조
  - 바이어스 전압: 저항을 이용한 전압 분할
  - 기능: 증폭 작용, 스위칭 작용

축전기
- 축전기
  - 원리와 기능: 충전, 방전
  - 이용
  - 전기 에너지
  - 전기 용량: 유전체

01 전기장과 정전기 유도

학습 Point 쿨롱 법칙 〉 전기장과 전기력선 〉 정전기 유도 〉 유전 분극

쿨롱 법칙

물체가 전기를 띠는 현상을 대전이라고 하며, 대전된 물체를 대전체라고 한다. 두 대전체 사이에는 서로 밀어내거나 끌어당기는 힘인 전기력이 작용하며, 이 힘은 다양한 전기 현상의 원인이 된다. 이러한 전기력의 성질을 일반화한 법칙을 쿨롱 법칙이라고 하며, 이 쿨롱 법칙의 발견은 전기학의 발전에 중요한 계기가 되었다.

1. 전하

(1) **전하:** 전기 현상을 일으키는 원인으로, 전하의 종류에는 (+)전하와 (−)전하가 있다.

(2) **전하량:** 물체가 띠는 전하의 양을 전하량이라고 하며, 단위로는 C(쿨롬)을 사용한다. 1 C은 1 A의 전류가 흐르는 도선의 단면을 1초 동안 지나간 전하량으로, 약 6.25×10^{18}개의 전자가 갖는 전하량과 같다.

(3) **전하량 보존 법칙:** 마찰 전기의 발생에서와 같이 두 물체를 마찰시켰을 때 두 물체가 띠는 전하는 두 물체를 마찰하는 과정에서 전자를 서로 주거나 받기 때문에 생기는 것으로, 물체에 전하가 새로 생성되거나 소멸되는 것이 아니다. 일반적으로 전하는 어떤 반응 전후에도 그 총량은 변하지 않으며, 이를 전하량 보존 법칙이라고 한다.

2. 쿨롱 법칙 (심화) 20쪽~22쪽

(1) **전기력:** 전하 사이에 작용하는 힘을 전기력이라고 한다. 이때 같은 종류의 전하 사이에는 서로 밀어내는 힘인 척력이 작용하고, 다른 종류의 전하 사이에는 서로 끌어당기는 힘인 인력이 작용한다.

(2) **쿨롱의 실험:** 1785년 쿨롱(Coulomb, C. A., 1736~1806, 프랑스)은 그림과 같이 비틀림 저울에서 대전된 금속구 A를 가는 수정실에 매단 가벼운 절연 막대의 끝에 놓고, 대전된 금속구 B를 가까이 가져갔을 때 수정실이 비틀린 각도를 측정하여 전기력의 크기를 구하였다. 또 두 금속구의 전하량과 두 금속구 사이의 거리를 변화시켜 전하량 및 거리와 전기력의 크기 사이의 관계를 구하였다.

이 실험을 통해 쿨롱은 두 전하 사이에 작용하는 전기력의 크기는 두 전하량의 곱에 비례하고, 두 전하 사이의 거리의 제곱에 반비례한다는 사실을 알아내었다.

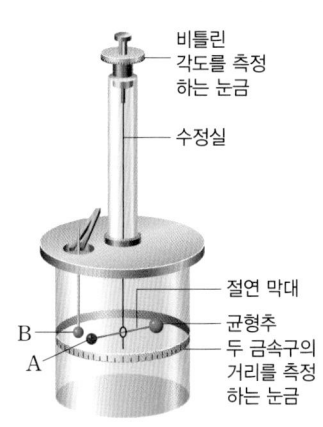

▲ **비틀림 저울을 이용한 전기력 측정 실험**

기본 전하량 e

전자 1개가 가지는 전하량을 기본 전하량 e라고 한다.

$$e = 1.6 \times 10^{-19} \text{ C}$$

물체의 대전은 전자의 이동으로 일어나는 현상이므로, 모든 대전체의 전하량은 기본 전하량 e의 정수배로 존재한다.

(3) **쿨롱 법칙:** 쿨롱의 실험으로부터 두 전하 사이에 작용하는 전기력의 성질을 일반화할 수 있으며, 이를 쿨롱 법칙이라고 한다. 전하량이 각각 q_1, q_2인 두 전하가 거리 r만큼 떨어져 있을 때 두 전하 사이에 작용하는 전기력의 크기 F는 다음과 같다. ($F > 0$ 이면 척력, $F < 0$이면 인력이다.)

▲ 쿨롱 법칙

$$F = k\frac{q_1 q_2}{r^2} \text{ (단위: N)}$$

이때 비례 상수 k는 두 전하 사이의 공간을 채우는 물질의 유전율에 의해 결정되는 값으로, 진공에서는 약 $9.0 \times 10^9 \text{ N·m}^2/\text{C}^2$이다. 두 전하 사이에 작용하는 전기력은 두 전하를 잇는 직선상에서 작용하며, 작용 반작용 관계이므로 각 전하에 작용하는 힘의 크기는 같고 힘의 방향은 반대이다.

비례 상수(쿨롱 상수) k
진공의 유전율이 $\varepsilon_0 (= 8.85 \times 10^{-12} \text{ F/m})$일 때 $k = \dfrac{1}{4\pi\varepsilon_0} \fallingdotseq 9.0 \times 10^9 \text{ N·m}^2/\text{C}^2$이다. 공기의 유전율은 진공의 유전율의 1.00059배로 진공과 거의 비슷하다.

유전율
절연체(유전체)의 전기적인 특성을 나타내는 물리량을 유전율이라고 한다. 전하 사이에 전기장이 작용할 때 그 전하 사이의 매질이 전기장에 미치는 영향을 나타낸다.
➡ 74쪽에서 자세히 다룬다.

2 전기장과 전기력선

전하 주위에 만들어지는 전기장은 전하량과 거리에 따라 크기와 방향이 결정되는 3차원 공간에 형성되는 벡터이다. 19세기 전기장의 개념을 도입한 패러데이(Faraday, M., 1791~1867, 영국)는 전기력선이라는 개념을 고안하여 전기장의 모양을 시각적으로 표현하였다.

1. 전기장

(심화) 20쪽~22쪽

어떤 공간에 전하 Q가 놓여 있을 때 이 전하 주위에 다른 전하 q를 놓으면 전하 q는 전기력을 받는다. 이는 전하 Q 주위에 전기장이 형성되어 다른 전하에 전기력을 작용하기 때문이다.

(1) **전기장:** 전기력이 작용하는 공간으로, 크기와 방향을 모두 가지는 벡터량이다. 전기장 내의 한 점에 단위 양전하($+1$ C)를 놓았을 때 이 전하에 작용하는 전기력을 그 지점에서의 전기장으로 정의한다. 따라서 전기장 내에 전하량이 $+q$인 전하

▲ 전기장과 전기력

를 놓았을 때 이 전하에 전기력 $\vec{F}$가 작용한다면 그 지점에서의 전기장 $\vec{E}$는 다음과 같다.

$$\vec{E} = \frac{\vec{F}}{q} \text{ (단위: N/C)}$$

반대로 생각하면, 전기장이 $\vec{E}$인 곳에 전하량이 $+q$인 전하를 놓았을 때 이 전하에 작용하는 전기력 $\vec{F} = q\vec{E}$이다.

전기장의 세기

대전체	전기장의 세기 (N/C)
우라늄 핵의 표면	3×10^{21}
수소 원자의 전자 궤도 내부	5×10^{11}
대기 중에서 일어나는 방전	3×10^6
복사기의 대전된 드럼	10^5
대전된 플라스틱 빗 근처	10^3
가전 제품 회로의 구리선 안	10^{-2}

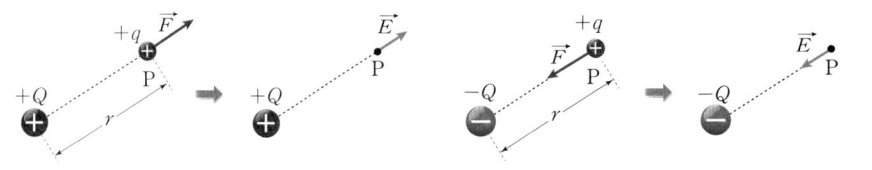

(가) ($+$)전하 주위의 한 점인 P점에서의 전기장 　　　(나) ($-$)전하 주위의 한 점인 P점에서의 전기장

▲ **전기장의 방향** 전기장 내에 놓인 단위 양전하($+1$ C)에 작용하는 힘의 방향이 그 지점에서의 전기장의 방향이다.

(2) 점전하에 의한 전기장

① **점전하에 의한 전기장의 세기**: 전하량이 Q인 점전하로부터 거리 r만큼 떨어진 곳에 전하량이 q인 전하를 놓았을 때 이 전하에 작용하는 전기력의 크기 $F = k\dfrac{Qq}{r^2}$이므로, 이 위치에서 전기장의 세기 E는 다음과 같다.

$$E = \frac{F}{q} = k\frac{Q}{r^2}$$

즉, 점전하에 의한 전기장의 세기는 전하량에 비례하고, 거리의 제곱에 반비례한다.

② **점전하에 의한 전기장의 방향**: (+)전하 주위의 전기장의 방향은 전하에서 나가는 방향이고, (−)전하 주위의 전기장의 방향은 전하로 들어가는 방향이다.

③ 그림과 같이 전기장을 벡터로 표시하면 전기장의 세기는 화살표의 길이로, 전기장의 방향은 화살표의 방향으로 표시한다.

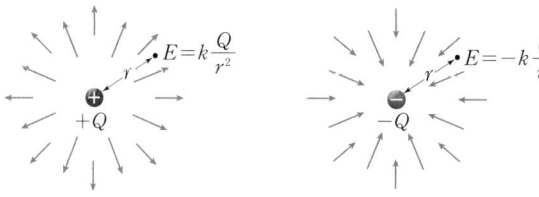

(가) (+)전하 주위의 전기장   (나) (−)전하 주위의 전기장

▲ **점전하에 의한 전기장의 세기와 방향**

(3) 합성 전기장

전기장도 전기력과 같이 벡터량이므로 중첩 원리가 적용된다. 따라서 여러 개의 점전하가 만드는 합성 전기장을 구하기 위해서는 각각의 점전하가 만드는 전기장 벡터를 구하여 벡터의 합으로 표현해야 한다.

그림과 같이 임의의 P점에서 전하량이 각각 $+Q$, $-Q$인 두 점전하가 만드는 전기장을 구해 보자. P점에 전하량이 $+q$인 전하를 놓았을 때 이 전하에 작용하는 알짜힘 $\vec{F}$는 두 점전하 $+Q$와 $-Q$가 전하 $+q$에 작용하는 전기력 $\vec{F_1}$과 $\vec{F_2}$의 합력이다. 즉, 알짜힘 $\vec{F} = \vec{F_1} + \vec{F_2}$이다. 따라서 P점에서의 합성 전기장 $\vec{E}$는 다음과 같다.

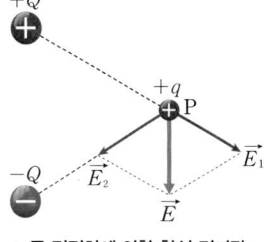

▲ **두 점전하에 의한 합성 전기장**

$$\vec{E} = \frac{\vec{F}}{q} = \frac{\vec{F_1} + \vec{F_2}}{q} = \vec{E_1} + \vec{E_2}$$

즉, 한 지점에서 두 점전하에 의한 전기장은 각 점전하에 의한 전기장 벡터의 합이다.

시야 확장 ➕ 전기 쌍극자

전하량은 같지만 부호가 반대인 두 전하가 일정한 거리만큼 떨어져 있을 때, 이 두 전하의 분포를 전기 쌍극자라고 한다. 전기 쌍극자의 전체 전하량은 0이므로, 전체적으로 전하를 띠지 않은 것과 같다. 하지만 전기 쌍극자는 (+)전하와 (−)전하가 떨어져 있기 때문에 전기장을 형성한다. 전기 쌍극자를 나타내는 대표적 물질로 물(H_2O)이 있다. 그림과 같이 물 분자 내의 전자들은 산소 쪽에 더 가깝게 분포함으로써 수소 쪽이 (+)전하를, 산소 쪽이 (−)전하를 띠어 물 분자는 전기 쌍극자가 된다.

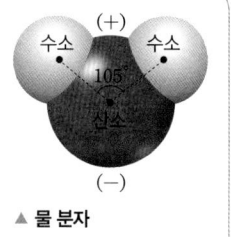

▲ **물 분자**

점전하

하나의 점으로 취급할 수 있는 전하를 점전하라고 한다. 이러한 점전하는 크기가 없고, 전하량만을 가진다.

1. 전하량이 각각 $+4$ C, -9 C인 점전하 A, B가 2 m 떨어져 놓여 있다. 이때 A, B에 의한 전기장의 세기가 0인 지점은 A로부터 몇 m 떨어진 곳인지 구하시오.

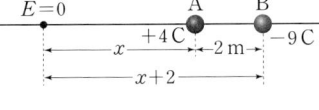

해설 두 점전하에 의한 전기장의 세기가 0인 지점에서는 두 점전하에 의한 전기력의 크기가 같고 방향이 반대이다. A로부터 전기장의 세기가 0이 되는 지점까지의 거리를 x라고 할 때, A, B에 의한 전기장의 세기는 각각 다음과 같다.

• A에 의한 전기장의 세기: $E_A = k\dfrac{4}{x^2}$

• B에 의한 전기장의 세기: $E_B = k\dfrac{9}{(x+2)^2}$

따라서 $k\dfrac{4}{x^2} = k\dfrac{9}{(x+2)^2}$에서 $x = 4$(m)이다.

정답 4 m

2. 그림과 같이 전하량이 각각 $+4$ C, $+16$ C인 점전하 A, B가 9 m 떨어져 놓여 있고, P점은 A와 B를 연결한 직선상에서 전기장의 세기가 0이 되는 점이다. 이때 P는 A에서 B 쪽으로 몇 m 떨어진 곳인지 구하시오.

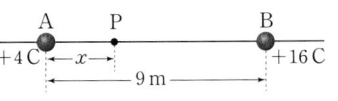

해설 P에서 A에 의한 전기장과 B에 의한 전기장의 방향이 반대이므로, 두 전기장의 세기가 같으면 두 점전하에 의한 전기장의 세기가 0이 된다. 따라서 P에서 A와 B에 의한 전기장의 세기는 각각 다음과 같다.

• A에 의한 전기장의 세기: $E_A = k\dfrac{4}{x^2}$

• B에 의한 전기장의 세기: $E_B = k\dfrac{16}{(9-x)^2}$

따라서 $k\dfrac{4}{x^2} = k\dfrac{16}{(9-x)^2}$에서 $x = 3$(m)이다.

정답 3 m

3. 그림은 전하량이 각각 $+q$, $-q$인 점전하 A, B가 원점 O에서 같은 거리 d만큼 떨어져 x축 위에 고정되어 있는 모습을 나타낸 것이다.

(1) O에서 거리 d만큼 떨어진 y축 위의 P점에서의 전기장의 세기와 방향을 구하시오.

(2) P점에 전하량이 $-\sqrt{2}q$인 점전하 X를 놓았을 때, X에 작용하는 전기력의 크기와 방향을 구하시오.

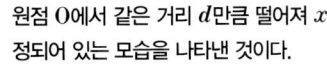

해설 (1) A, B로부터 P까지의 거리는 $\sqrt{2}d$로 같으므로, P에서 A, B에 의한 전기장의 세기는 각각 다음과 같다.

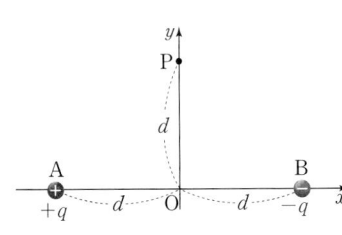

• A에 의한 전기장의 세기: $E_A = k\dfrac{q}{(\sqrt{2}d)^2}$

• B에 의한 전기장의 세기: $E_B = k\dfrac{q}{(\sqrt{2}d)^2}$

P에서 A와 B에 의한 합성 전기장의 세기는 다음과 같다.

$$E = E_A\cos45° + E_B\cos45° = \dfrac{\sqrt{2}kq}{2d^2}$$

따라서 P에서 전기장의 세기는 $\dfrac{\sqrt{2}kq}{2d^2}$이고, 방향은 $+x$ 방향이다.

(2) X의 전하량이 $-\sqrt{2}q$이므로, $F = qE$에서 X에 작용하는 전기력 $F = -\sqrt{2}q \times \dfrac{\sqrt{2}kq}{2d^2} = -\dfrac{kq^2}{d^2}$이다. 따라서 X에 작용하는 전기력의 크기는 $\dfrac{kq^2}{d^2}$이고, 방향은 $-x$ 방향이다.

정답 (1) $\dfrac{\sqrt{2}kq}{2d^2}$, $+x$ 방향 (2) $\dfrac{kq^2}{d^2}$, $-x$ 방향

두 점전하에 의한 전기장의 세기가 0이 되는 지점

• 두 점전하의 전하의 종류와 전하량의 크기가 같을 때: 두 점전하 사이의 중간 지점이 전기장의 세기가 0이 되는 지점이다.

• 두 점전하의 전하의 종류가 같고 전하량의 크기가 다를 때: 두 점전하 사이에서 전하량의 크기가 작은 점전하에 가까운 쪽에 전기장의 세기가 0이 되는 지점이 있다.

• 두 점전하의 전하의 종류와 전하량의 크기가 다를 때: 두 점전하를 잇는 직선상에서 전하량의 크기가 작은 점전하의 바깥쪽에 전기장의 세기가 0이 되는 지점이 있다.

2. 전기력선

전하 주위의 전기장의 모양을 전기력선으로 나타내면 전기장을 시각적으로 이해할 수 있어 편리하다.

(1) **전기력선:** 전기장을 표현하는 가상의 선으로 한 점에서 접선 방향이 전기장의 방향이 되도록 이은 선이다. 즉, 전기장 내에 (+)전하를 놓았을 때 (+)전하가 받는 전기력의 방향을 연속적으로 이은 선을 전기력선이라고 한다.

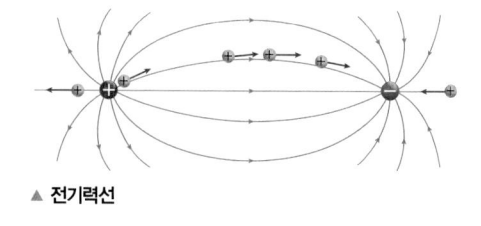

▲ 전기력선

① 전기력선 위의 한 점에서 그은 접선 방향이 그 점에서의 전기장의 방향이다.

② 전기력선에 수직인 단위 면적을 지나는 전기력선의 수는 전기장의 세기에 비례한다. 즉, 전기력선이 조밀할수록 그 위치에서 전기장의 세기가 세다.

③ 그림은 면 A, B를 지나는 전기력선을 나타낸 것이다. 이때 전기력선은 각각 다른 방향을 향하고 있으므로, 전기장의 방향은 일정하지 않다. 또 면 A를 지나는 전기력선의 밀도가 면 B를 지나는 전기력선의 밀도보다 더 크므로, 전기장의 세기는 A에서가 B에서보다 세다.

▲ 전기장과 전기력선

전기력선과 전기장의 세기

전하량이 Q인 전하 주위의 전기장을 전기력선으로 나타내면 전하 Q로부터 거리 r인 위치의 같은 면적을 지나는 전기력선의 개수는 $\frac{1}{r^2}$에 비례한다. 또 쿨롱 법칙을 이용하여 구한 전기장의 세기도 $\frac{1}{r^2}$에 비례한다. 따라서 전기력선의 밀도로 전기장의 세기를 나타낼 수 있다.

(2) **전기력선의 특징**

① 전기력선은 (+)전하에서 나오고 (−)전하로 들어간다. ➡ 그림 (가), (나), (다), (라)

② 전기력선은 중간에 분리되거나 교차되지 않는다.

③ 전하량이 클수록 나오거나 들어가는 전기력선의 수가 많다. ➡ 그림 (마)

④ 전기력선은 도체 표면에서 수직으로 나오거나 들어가고, 도체 안에는 존재하지 않는다.

➡ 그림 (바), (사), (아)

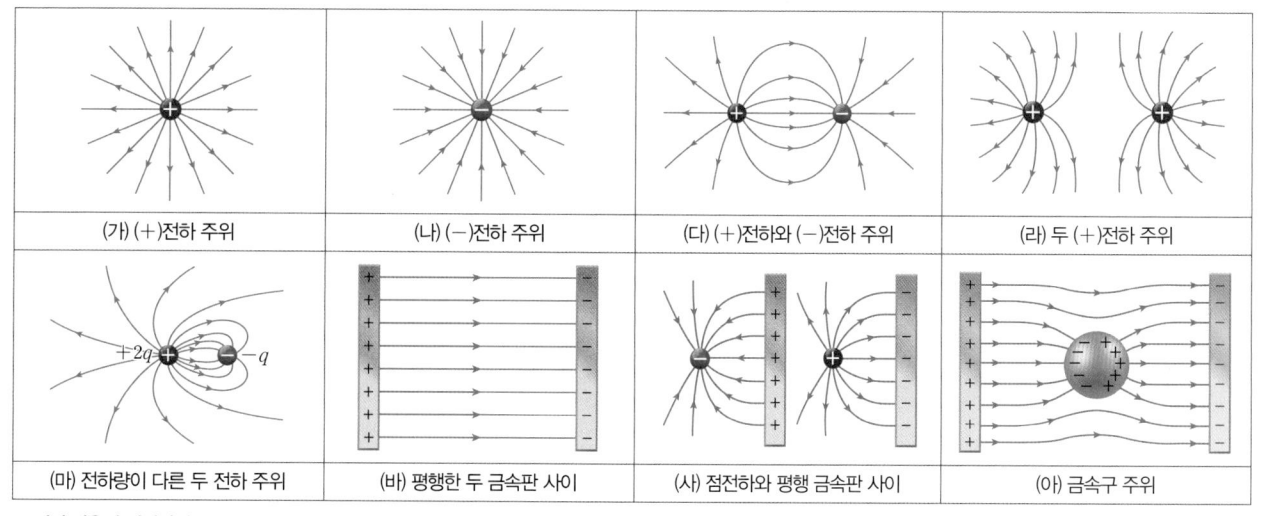

(가) (+)전하 주위	(나) (−)전하 주위	(다) (+)전하와 (−)전하 주위	(라) 두 (+)전하 주위
(마) 전하량이 다른 두 전하 주위	(바) 평행한 두 금속판 사이	(사) 점전하와 평행 금속판 사이	(아) 금속구 주위

▲ 여러 경우의 전기력선

③ 정전기 유도와 유전 분극

자유 전자가 많은 도체에 대전체를 가까이 가져가면 도체의 자유 전자가 전기력을 받아 이동하게 된다. 또 자유 전자가 없는 절연체에 대전체를 가까이 가져가면 절연체의 원자나 분자 내 전하들의 재배열이 일어나게 된다.

1. 정전기 유도

탐구 19쪽

그림과 같이 알루미늄 깡통에 (−)전하를 띤 플라스틱 막대를 가까이 가져가면 알루미늄 깡통이 플라스틱 막대 쪽으로 이동하게 된다. 이는 플라스틱 막대의 (−)전하와 알루미늄 깡통 내부의 자유 전자 사이에 서로 밀어내는 전기력이 작용하여 알루미늄 깡통 내부의 자유 전자가 플라스틱 막대에 먼 쪽으로 이동하기 때문이다.

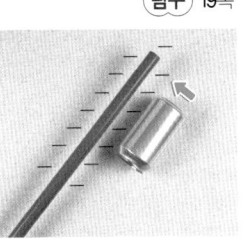

▲ 정전기 유도

(1) **정전기 유도**: 전기적으로 중성인 도체에 대전체를 가까이 가져갈 때 도체에서 대전체와 가까운 쪽은 대전체와 다른 종류의 전하를 띠고, 대전체와 먼 쪽은 대전체와 같은 종류의 전하를 띠는 현상이 나타나며, 이와 같은 현상을 정전기 유도라고 한다.

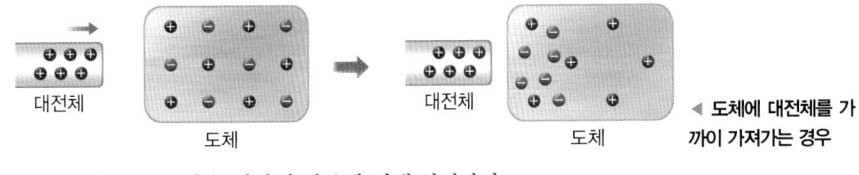

◀ 도체에 대전체를 가까이 가져가는 경우

① 정전기 유도는 자유 전자의 이동에 의해 일어난다.
② 도체에 대전체를 가까이 가져갈 때 도체에 유도되는 (+)전하량과 (−)전하량은 서로 같다.
③ 정전기 유도에서 도체를 양분하면 (+)전하와 (−)전하로 분리된다.

(2) **정전기 유도와 전기력**: 정전기 유도가 일어나면 도체에서 대전체와 가까운 쪽에는 대전체와 다른 종류의 전하가 유도되므로 서로 끌어당기는 전기력인 인력이 작용하고, 대전체와 먼 쪽에는 대전체와 같은

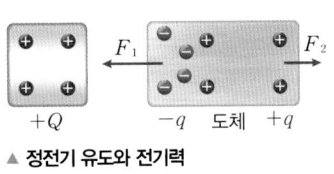

▲ 정전기 유도와 전기력

종류의 전하가 유도되므로 서로 밀어내는 전기력인 척력이 작용한다. 전기력의 크기는 전하 사이의 거리가 가까운 쪽이 더 크므로, 인력(F_1)이 척력(F_2)보다 크다. 따라서 도체에서 정전기 유도가 일어날 때 도체와 대전체 사이에는 인력이 작용한다.

(3) **도체와 전기장**: 그림과 같이 도체에 외부 전기장이 가해졌을 때 도체에는 정전기 유도가 일어나 외부 전기장과 반대 방향으로 도체 내부에 전기장이 형성된다. 외부 전기장과 내부 전기장의 합이 0이 될 때까지 전자의 이동이 이루어지며, 두 전기장의 합이 0이 되

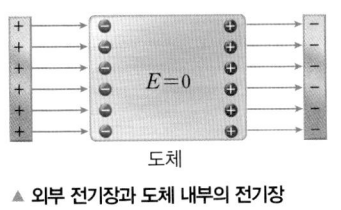

▲ 외부 전기장과 도체 내부의 전기장

는 순간 더 이상 전자가 이동하지 않게 된다. 따라서 도체 내부의 알짜 전기장은 0이 된다.

정전기 유도와 전자의 이동

도체에 대전체를 가까이 가져갈 때 (+)전하를 띠는 원자핵과 (−)전하를 띠는 전자는 서로 반대 방향으로 전기력을 받는다. 그러나 원자핵이 전자에 비해 질량이 훨씬 크므로, 상대적으로 가벼운 전자가 이동하게 된다.

정전기 유도에서 (+)전하와 (−)전하 분리

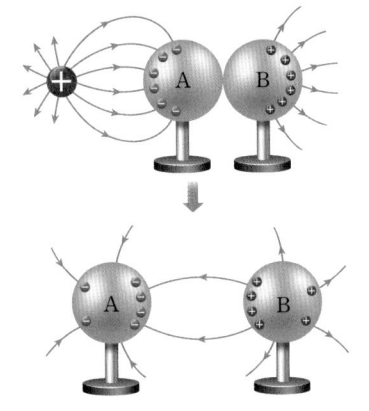

동일한 두 금속구 A와 B를 접촉시켜 놓고, (+)전하를 가까이 가져가면 A는 (−)전하를, B는 (+)전하를 띠게 된다. 이때 도체를 양분하면 (−)전하와 (+)전하를 분리시킬 수 있다.

(+)전하를 도체 내부에 주입한 경우

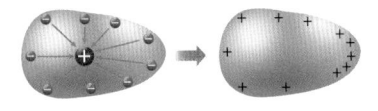

도체 내부에 (+)전하를 주입하는 것은 실제로 도체로부터 같은 양의 (−)전하인 전자를 외부로 분리시키는 것과 같다. 그림과 같이 도체 내부에 (+)전하를 주입하면 전자들이 전기력에 의해 도체 내부의 알짜 전하량이 0이 될 때까지 (+)전하 쪽으로 이동하여 정전기적 평형을 이루게 된다. 이때 주입된 전하량만큼의 전자들이 전기력에 의해 내부의 (+)전하 쪽으로 이동하기 때문에 도체 표면에는 결국 주입한 만큼의 알짜 (+)전하가 분포하게 된다.

2. 유전 분극

그림과 같이 종잇조각에 (+)전하를 띤 풍선을 가까이 가져 가면 자유 전자가 없는 종잇조각도 풍선 쪽으로 이동하게 된다. 이는 풍선의 (+)전하와 종잇조각 내부의 원자 내 전하들 사이에 서로 끌어당기는 전기력이 작용하여 종잇조각 내부의 원자 내 전하들이 재배열하기 때문이다. **유전 분극 ▶**

(1) **분극:** 대부분의 중성 원자나 분자는 (+)전하와 (−)전하의 중심이 일치한다. 그러나 외부 전기장이 가해지면 (+)전하와 (−)전하의 중심이 약간 이동하게 되어 한쪽은 (+)전하로, 다른 쪽은 (−)전하로 대전되는 결과가 나타나며, 이를 분극이라고 한다.

(2) **유전 분극:** 절연체에 대전체를 가까이 가져가면 절연체 내부의 원자나 분자 내 전하들이 재배열하여 절연체 내부의 (+)전하와 (−)전하는 서로 상쇄되지만, 양쪽 표면의 전하들은 서로 상쇄될 것이 없으므로 표면에 (+)전하와 (−)전하가 분포하게 된다. 이처럼 절연체에 대전체를 가까이 가져갈 때 절연체에서 대전체와 가까운 쪽은 대전체와 다른 종류의 전하를 띠고, 대전체와 먼 쪽은 대전체와 같은 종류의 전하를 띠는 현상이 나타나며, 이와 같은 현상을 유전 분극이라고 한다. 유전 분극은 원자나 분자 내 전하들의 재배열에 의해 일어나는 현상이므로, (+)전하와 (−)전하를 분리시킬 수 없다.

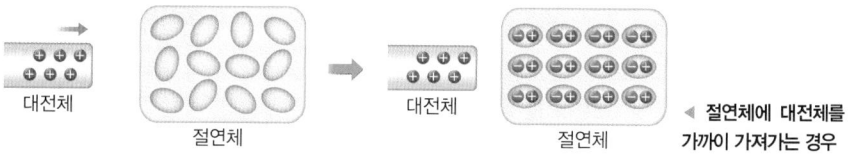

◀ 절연체에 대전체를 가까이 가져가는 경우

(3) **유전 분극과 전기력:** 유전 분극이 일어나면 절연체에서 대전체와 가까운 쪽에는 대전체와 다른 종류의 전하가 유도되므로, 절연체와 대전체 사이에는 인력이 작용한다.

(4) **절연체와 전기장:** 그림과 같이 절연체에 외부 전기장이 가해졌을 때 절연체에는 유전 분극이 일어나 외부 전기장과 반대 방향으로 절연체 내부에 전기장이 형성된다. 따라서 절연체 내부의 전기장의 세기는 절연체가 없을 때보다 작아진다. 즉, 유전 분극은 정전기 유도처럼 내부 전기장이 0이 되지는 않지만, 절연체 내부의 전기장의 세기를 작아지게 한다.

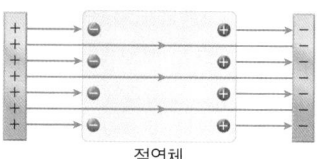
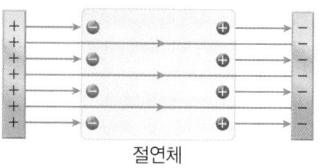

▲ 외부 전기장과 절연체 내부의 전기장

시야확장 ➕ 변위 분극과 방향성 분극

원자나 분자 등에서 분극을 일으키는 원인에 따라 변위 분극, 방향성 분극 등으로 구분한다.

	$E=0$	E	
변위 분극			전기장 내에 놓인 중성 원자나 분자 내에서 전하가 서로 반대 방향으로 밀려 나타나는 분극을 변위 분극이라고 한다. 외부 전기장이 중성 원자의 전자를 재배열하여 전기 쌍극자를 유도한다.
방향성 분극			전기장 내에 놓인 물질 내에 존재하는 영구 전기 쌍극자가 전기장의 방향으로 정렬하여 나타나는 분극을 방향성 분극이라고 한다.

정전기 유도와 유전 분극

넓은 의미에서 정전기 유도는 도체나 절연체 등의 물체에 대전체를 가까이 가져갔을 때 물체 표면에 전하가 유도되는 현상을 말한다. 이때 절연체에서의 정전기 유도를 유전 분극이라고 한다.

절연체와 유전체

유전체는 절연체와 같은 뜻으로, 절연체에서 유전 분극이 일어난다는 점을 강조한 용어이다.

절연체 내부의 전기장

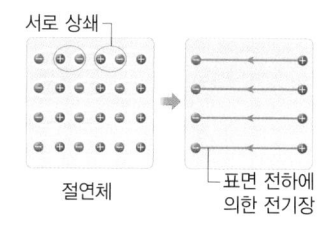

방향성 분극의 예

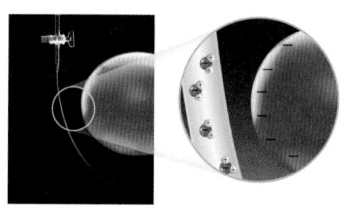

물 분자는 산소 원자 1개와 수소 원자 2개로 이루어져 있으며, 수소 원자 주위는 (+)전하를, 산소 원자 주위는 (−)전하를 띤다. 만약 흐르는 물에 (−)전하를 띤 풍선을 가까이 가져가면 방향성 분극으로 인해 물 분자가 정렬되므로, 물 분자와 풍선 사이에는 서로 끌어당기는 전기력이 작용하여 물줄기가 휘어지게 된다.

4 정전기 유도와 유전 분극의 이용

일상생활에서 우리는 다양한 정전기 유도와 유전 분극 현상을 경험한다. 이와 같은 전기 현상은 우리 생활에 많은 도움을 주기도 하지만, 불편함과 위험을 초래하기도 한다.

1. 랩

음식을 포장할 때 사용하는 랩은 이를 분리하는 과정에서 랩 표면이 대전된다. 그릇에 대전된 랩을 가까이 가져가면 유전 분극에 의해 그릇 표면에 대전된 랩과 다른 종류의 전하를 유도하여 랩과 그릇이 잘 달라붙게 한다. 또 대전된 랩은 정전기 유도에 의해 손가락에도 대전된 랩과 다른 종류의 전하를 유도하므로 랩이 손가락에도 잘 달라붙는다.

▲ 랩

2. 복사기

복사기의 드럼 표면에는 빛이 닿았을 때 그 부분의 전하를 잃게 되는 특정한 반도체 물질이 코팅되어 있다. 그림과 같이 검은 글자 '가'가 적혀 있는 종이에 빛을 비추면 검은 글자 부분에서는 빛을 흡수하고, 나머지 부분에서는 빛을 반사하여 (+)전하로 대전된 드럼 표면에 닿

▲ 복사기의 원리

는다. 이때 빛이 닿은 부분은 전하를 잃게 되므로 전기적으로 (−)전하를 띠는 토너가 드럼의 (+)전하로 대전된 글자 부분에 달라붙고, 드럼이 회전하면서 (+)전하를 띠는 종이에 토너가 달라붙어 글자가 인쇄된다.

3. 정전 도장

자동차나 금속 장난감과 같은 도체 표면을 도색하는 방법 중의 하나인 정전 도장은 그림과 같이 도색할 물체를 접지시킨 후 페인트를 뿌리는 분무 장치에 (−)극을 연결하여 페인트 입자를 (−)전하로 대전시켜 물체 표면에 페인트를 뿌리는 방법이다. (−)전하를 띤 페인트로 인해 물체 표면에는 (+)전하가 유도되며, 페인트 입자는 물체 표면에 유도된 전하로부터 서로 끌어당기는 전기력을 받아 페인트가 물체 표면에 골고루 달라붙는다. 이때 같은 종류의 전하를 띠고 있는 페인트 입자 사이에는 서로 밀어내는 전기력이 작용하므로, 페인트가 뭉치지 않고 고르게 도색될 수 있다.

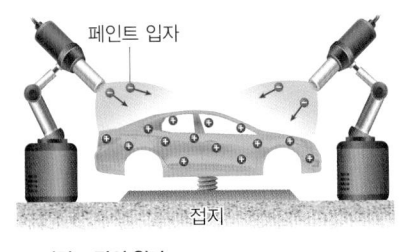
▲ 정전 도장의 원리

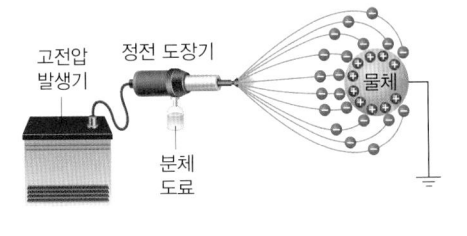

축전기

전하를 저장하는 장치를 축전기라고 하며, 대부분의 축전기에는 종이나 플라스틱과 같은 유전체가 들어 있다. 축전기를 대전하여 전기장이 형성되면 유전체에서 유전 분극이 일어나 전기 용량이 큰 축전기를 만들 수 있다.

➡ 75쪽에서 자세히 다룬다.

4. 강유전체

외부 전기장을 제거하여도 유전 분극이 발생한 상태를 어느 정도 안정되게 유지하는 물질을 강유전체라고 하며, 강유전체는 정보를 저장하는 비휘발성 메모리 소자로 활용된다. 또 강유전체는 일정 온도 이하에서 전하를 저장하는 효율이 매우 크기 때문에 초소형 컴퓨터의 축전기 부품으로도 이용된다.

▲ 강유전체를 활용한 컴퓨터 기판

5. 정전기 방지 패드

건조한 날 주유소에서 금속으로된 자동차의 문이나 주유기의 손잡이에 손을 가까이 가져가면 자동차의 문이나 주유기의 손잡이 쪽에는 손과 다른 종류의 전하가 유도되어 방전이 일어나게 된다. 인화성 물질을 다루는 주유소에서는 이러한 정전기 유도에 의한 방전 현상이 화재나 폭발 사고로 이어질 위험이 있으므로, 주유하기

▲ 정전기 방지 패드

전에 정전기 방지 패드에 손을 접촉하여 정전기 유도가 일어나는 것을 막아야 한다.

방전
전기를 띤 대전체가 전기적으로 중성이 되거나 공기와 같은 절연체를 통해 두 전극 사이에 전류가 흐르는 현상을 방전이라고 한다.

6. 피뢰침

그림과 같이 구름 내부의 물방울과 미세한 얼음 조각들 사이의 마찰에 의해 구름의 윗부분은 (+)전하를, 아랫부분은 (−)전하를 띠게 된다. 구름의 아랫부분이 (−)전하를 띠므로, 지면에는 (+)전하가 유도된다. 이때 구름과 지면 사이에 충분한 전압이 걸리면 구름과 지면 사이에 전자가 이동하면서 방전이

▲ 피뢰침의 원리

피뢰침

일어나게 되며, 이를 번개라고 한다. 번개로 인한 피해를 막기 위해 건물의 가장 높은 곳에 세우는 끝이 뾰족한 금속 막대를 피뢰침이라고 하며, 피뢰침은 도선으로 지면에 연결되어 있다. 번개가 칠 때 전류가 피뢰침을 따라 지면으로 흘러들어감으로써 건물과 인명 피해를 줄인다.

전기 방전

공기 중의 전기장의 세기가 어떤 특정한 값을 넘어서면 전기장이 공기 중의 원자에서 전자를 분리시키는 방전 현상이 일어난다. 분리된 전자들이 전기장에 의해 가속되어 운동하므로, 공기 중에 전류가 흐르게 된다. 이때 전자가 운동하면서 이동 경로에 있는 여러 원자들과 충돌하여 빛을 방출하게 된다.

시선 집중 ★ 검전기의 원리

정전기 유도를 이용하여 물체의 대전 상태를 알아보는 기구를 검전기라고 한다. 검전기의 금속판에 대전체를 가까이 가져가면 정전기 유도에 의해 금속판에는 대전체와 다른 종류의 전하가, 금속박에는 대전체와 같은 종류의 전하가 유도된다.

금속판 ++++

① 대전되지 않은 검전기의 금속판에 (−)전하로 대전된 플라스틱 막대를 가까이 가져간다.

② 검전기의 금속판에 있던 (−)전하를 띤 전자가 금속박으로 이동한다.

금속박

③ 검전기의 두 금속박이 (−)전하를 띠므로, 서로 밀어내는 전기력이 작용하여 금속박이 벌어진다.

검전기를 이용하여 대전체가 띠는 전하의 종류를 알아보는 방법
대전된 검전기의 금속판에 대전체를 가까이 가져갈 때 처음보다 금속박이 더 벌어지면 대전체는 검전기와 같은 종류의 전하로 대전된 것이고, 금속박이 오므라들면 대전체는 검전기와 다른 종류의 전하로 대전된 것이다.

검전기를 이용한 정전기 유도

검전기를 이용하여 정전기 유도 현상을 관찰하고, 설명할 수 있다.

과정

1 검전기의 금속판에 대전되지 않은 플라스틱 막대를 가까이 가져간다.
2 플라스틱 막대를 털가죽에 문질러 대전시킨 다음, 검전기의 금속판에 플라스틱 막대를 가까이 가져간다.
3 과정 **2**에서 금속판에 손가락을 갖다 댄다.
4 과정 **3**에서 손가락을 먼저 떼고, 플라스틱 막대를 멀리 한다.
5 과정 **3**에서 플라스틱 막대를 먼저 멀리 한 후, 손가락을 뗀다.

유의점
· 습도가 높은 날은 정전기 유도 실험이 잘 되지 않으므로, 건조한 날에 실시한다.
· 플라스틱 막대가 금속판에 닿지 않도록 한다.

결과 및 정리

검전기의 금속박의 모습을 분석한 결과는 다음과 같다.
· 과정 **1**에서 금속박은 오므라든 처음 상태를 유지한다.
· 과정 **2**에서 (−)전하로 대전된 플라스틱 막대로 인해 전자가 금속판에서 금속박으로 이동하여 금속판은 (+)전하를, 금속박은 (−)전하를 띤다.
· 과정 **3**에서 금속박의 전자가 손가락을 따라 검전기 밖으로 이동한다.
· 과정 **4**에서 손가락을 먼저 떼면 손가락을 따라 이동했던 전자가 검전기로 다시 돌아오지 못하므로, 검전기는 전체적으로 (+)전하를 띤다.
· 과정 **5**에서 플라스틱 막대를 먼저 멀리 하면 전자가 손가락을 따라 다시 검전기로 이동하므로, 검전기는 전하를 띠지 않는다.

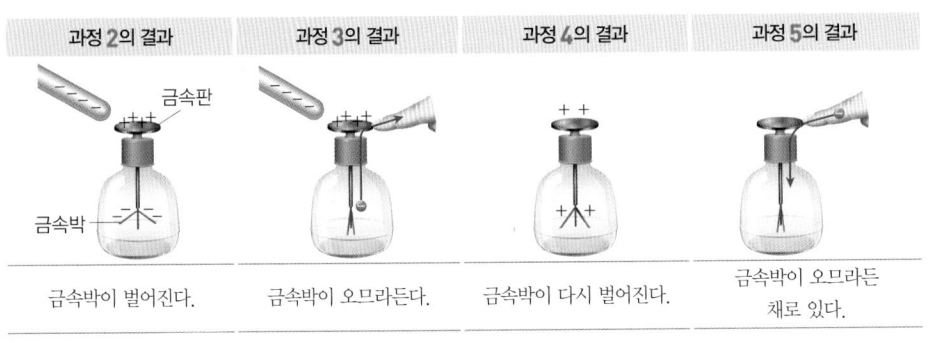

과정 **2**의 결과	과정 **3**의 결과	과정 **4**의 결과	과정 **5**의 결과
금속박이 벌어진다.	금속박이 오므라든다.	금속박이 다시 벌어진다.	금속박이 오므라든 채로 있다.

▶ 탐구 확인 문제   > 정답과 해설 **166**쪽

01 대전되지 않은 검전기의 금속판에 (+)전하로 대전된 물체를 가까이 가져갔을 때, 검전기의 변화에 대한 설명으로 옳은 것은?

① 금속박이 벌어진다.
② 금속판에는 (+)전하가 유도된다.
③ 검전기는 전체적으로 (−)전하를 띤다.
④ 두 금속박 사이에는 서로 끌어당기는 전기력이 작용한다.
⑤ 금속판에 손가락을 대면 금속박이 (−)전하를 띤다.

02 대전되지 않은 검전기의 금속판에 대전체를 접촉시켜 검전기를 (+)전하로 대전시켰다.

(1) 이때 금속박의 모습을 서술하시오.

(2) 이 검전기에 (−)전하로 대전된 물체를 가까이 가져가면 금속박의 모습은 어떻게 되는지 서술하시오.

(3) 이 검전기에 (+)전하로 대전된 물체를 가까이 가져가면 금속박의 모습은 어떻게 되는지 서술하시오.

가우스 법칙

쿨롱 법칙은 정전기학에서 널리 사용되지만, 대칭성이 있는 경우에는 가우스 법칙을 이용하여 쿨롱 법칙을 단순화시킬 수 있다. 가우스 법칙의 핵심인 가우스면이라는 가상의 폐곡면을 이용하여 전기장을 구해 보자.

❶ 전기 선속

전기장에 수직인 어떤 단면을 지나는 전기력선의 총 개수를 전기 선속(ϕ)이라고 한다.

그림 (가)는 어떤 영역에 걸쳐 세기와 방향이 균일한 전기장 $\vec{E}$를 나타낸 것이다. 이 전기장에 수직인 단면적 $\vec{A}$를 지나는 전기 선속 ϕ는 전기장의 세기 E와 단면적 A의 곱으로 정의된다.

$$\phi = \vec{E} \cdot \vec{A} = EA \ (\text{단위: N·m}^2\text{/C})$$

전기장의 세기는 전기력선에 수직인 단위 면적을 지나는 전기력선의 수에 비례하므로, 전기 선속은 전기력선에 수직인 단위 면적을 지나는 전기력선의 수에 비례한다.

그림 (나)와 같이 단면적 $\vec{A}$가 전기장 $\vec{E}$에 수직하지 않을 경우에는 전기장에 수직인 단면적 $A_\perp$를 지나는 전기 선속과 단면적 A를 지나는 전기 선속이 같다.

$$\phi = \vec{E} \cdot \vec{A} = EA\cos\theta$$

따라서 한 폐곡면을 지나는 전기 선속 ϕ는 다음과 같다.

$$\phi = \oint \vec{E} \cdot d\vec{A}$$

(가)

(나)

적분 기호 $\oint$

적분 기호 $\oint$는 전 폐곡면을 통해 적분이 이루어진다는 것을 의미한다.

❷ 가우스 법칙

가우스(Gauss, C. F., 1777~1855, 독일)가 공식화한 가우스 법칙은 쿨롱 법칙의 새로운 형태로, 가우스 법칙에서는 전하 분포를 포함하는 가상의 폐곡면이 핵심이 되며, 이를 가우스 면이라고 한다. 가우스면은 항상 폐곡면이어서 그 면의 내부와 외부의 구별이 명확해야 한다. 가우스 법칙은 가우스면의 전기장 E와 가우스면 내부의 전하량 q에만 관계가 있다.

그림과 같이 전하량이 q인 점전하를 중심으로 하고, 반지름이 r인 구면을 생각해 보자. 구면에서 전기장의 세기는 $\dfrac{kq}{r^2}$로 일정하고, 방향은 항상 구면에 수직이므로 구면을 지나는 전기 선속 ϕ는 다음과 같다.

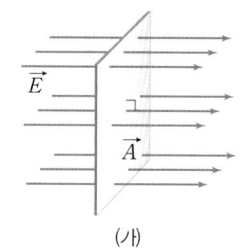

$$\phi = \oint \vec{E} \cdot d\vec{A} = \frac{kq}{r^2} \oint dA = 4\pi kq$$

이때 $k = \dfrac{1}{4\pi\varepsilon_0}$이므로, $\phi = \dfrac{q}{\varepsilon_0}$에서 $\varepsilon_0\phi = q$이다.

가우스 법칙은 가우스면을 지나는 전기 선속 ϕ와 가우스면에 의해 둘러싸인 알짜 전하 q 사이의 관계를 나타내는 식이므로, 다음과 같다.

$$\varepsilon_0 \oint \vec{E} \cdot d\vec{A} = q$$

◀ 가우스 법칙

그림과 같이 점전하 q_1, q_2가 가우스면 내부에 있고, 점전하 q_3이 가우스면 외부에 있는 경우를 생각해 보자.

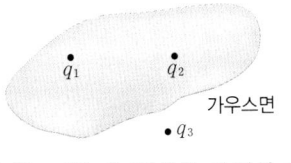

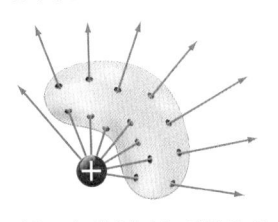

가우스면 외부에 있는 전하에 의한 전기력선

가우스면 외부에 있는 전하에 의한 전기력선은 가우스면의 한 점에 들어가면 다른 점으로 나간다.

q_3에서 나와 가우스면으로 들어가는 모든 전기력선은 이 면의 다른 점들을 지나 모두 나가기 때문에 q_3에 의해 가우스면을 지나는 전기 선속은 0이다. 즉, 가우스면 외부에 있는 전하가 만드는 전기장은 가우스면을 지나는 전기 선속에 기여하지 못한다. 따라서 가우스면 내부에 있는 q_1에 의한 전기 선속은 $4\pi k q_1$이고, q_2에 의한 전기 선속은 $4\pi k q_2$이므로, 이 면을 지나는 알짜 전기 선속 ϕ는 다음과 같다.

$$\phi = 4\pi k(q_1 + q_2)$$

❸ 가우스 법칙과 쿨롱 법칙

가우스 법칙과 쿨롱 법칙 모두 전기장과 전하량 사이의 관계를 나타내는 법칙이므로, 각각의 식으로부터 서로를 유도할 수 있어야 한다. 대칭성을 고려하여 가우스 법칙으로부터 쿨롱 법칙을 유도해 보자.

그림과 같이 전하량이 $+q$인 점전하를 중심으로 하고, 반지름이 r인 가우스면을 가정해 보자. 가우스면을 미소 면적 dA로 나누면 임의의 점에 대한 전기장 $\vec{E}$는 미소 면적 dA에 수직이고 내부에서 외부로 나가는 방향이다. 따라서 가우스 법칙은 다음과 같다.

$$\varepsilon_0 \oint \vec{E} \cdot d\vec{A} = q$$

전기장의 세기는 전하 $+q$와의 거리에 따라 변하지만, 반지름이 r인 가우스면의 모든 점에서 전기장의 세기는 같다. 따라서 E가 상수이므로, 가우스 법칙은 $\varepsilon_0 E \oint dA = q$로 나타낼 수 있다. 이때 $\oint dA$는 반지름이 r인 구 표면의 모든 미소 면적의 합과 같으므로, $4\pi r^2$이다. 이를 가우스 법칙에 대입하면 가우스 법칙은 다음과 같이 정리할 수 있다.

$$\varepsilon_0 E(4\pi r^2) = q$$

따라서 전기장의 세기 E는 다음과 같다.

$$E = \frac{1}{4\pi\varepsilon_0} \frac{q}{r^2}$$

만약 가우스면상에 전하량이 q'인 전하가 놓여 있다면 이 전하에 작용하는 전기력 F는 다음과 같다.

$$F = q'E = \frac{1}{4\pi\varepsilon_0} \frac{qq'}{r^2} = k\frac{qq'}{r^2} \left(k = \frac{1}{4\pi\varepsilon_0} \right)$$

이는 쿨롱 법칙을 사용하여 구한 것과 같다. 이와 같이 구 모양의 가우스면을 선택하면 $\vec{E}$와 $d\vec{A}$는 같은 방향이고, 구면 위의 모든 점에서 전기장의 세기가 같으므로 적분 계산을 간단하게 할 수 있다.

❹ 가우스 법칙의 응용

(1) **유전체 구**: 그림과 같이 반지름이 R인 유전체 구에 전체 전하 량 Q가 균일하게 분포하고 있을 때, 구 외부와 구 내부에서 전기장의 세기를 각각 E_1, E_2라고 하면, E_1과 E_2는 다음과 같이 구할 수 있다.

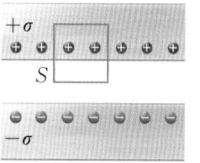

① **구 외부($r > R$)**: 반지름이 r_1인 가우스면 S_1을 가정해 보자. 이 경우 가우스면 안에 모든 전하가 놓여 있으므로, 마치 공의 중심에 점전하가 있는 것처럼 전기장이 형성된다. 따라서 가우스 법칙은 다음과 같다.

$$\varepsilon_0 \oint \vec{E_1} \cdot d\vec{A} = \varepsilon_0 E_1 (4\pi r_1^2) = Q$$

➡ 구 외부에서 전기장의 세기 $E_1 = \dfrac{1}{4\pi\varepsilon_0} \dfrac{Q}{r_1^2}$이다.

② **구 내부($r < R$)**: 반지름이 r_2인 가우스면 S_2를 가정해 보자. 가우스면 외부에 있는 전하가 만드는 전기장은 가우스면을 지나는 전기 선속에 기여하지 못하므로, 가우스면 내부의 전하량을 Q'이라고 할 때 가우스 법칙은 다음과 같다.

$$\varepsilon_0 \oint \vec{E_2} \cdot d\vec{A} = \varepsilon_0 E_2 (4\pi r_2^2) = Q'$$

➡ 전하량 $Q' = \dfrac{r_2^3}{R^3} Q$이므로, 구 내부에서 전기장의 세기 $E_2 = \dfrac{1}{4\pi\varepsilon_0} \dfrac{r_2 Q}{R^3}$이다.

(2) **평행한 두 도체판**: 그림과 같이 무한히 넓고 평행한 두 도체판이 각각 전하 밀도 $+\sigma$, $-\sigma$로 대전되어 있고, 두 도체판은 서로 마주보는 면에만 전하가 분포한다. 이때 두 도체판 사이와 두 도체판 외부에서 전기장의 세기를 각각 E_1, E_2라고 하면, E_1과 E_2는 다음과 같이 구할 수 있다.

> **전하 밀도 σ**
> 단위 면적당 전하량을 전하 밀도 σ라고 한다.
> $$\sigma = \frac{Q}{A}$$

① **두 도체판 사이**: 도체판을 수직으로 뚫는 단면적이 A인 정육면체 모양의 가우스면 S를 가정해 보자. 이 경우 옆면, 윗면, 아랫면으로 구분하여 생각하면 다음과 같다.

$$\varepsilon_0 \oint \vec{E} \cdot d\vec{A} = \varepsilon_0 \oint_{옆} \vec{E} \cdot d\vec{A} + \varepsilon_0 \oint_{위} \vec{E} \cdot d\vec{A} + \varepsilon_0 \oint_{아래} \vec{E} \cdot d\vec{A}$$

이때 가우스면의 옆면은 $\vec{E}$와 $d\vec{A}$가 서로 수직이므로 $\vec{E} \cdot d\vec{A} = 0$이고 윗면과 아랫면은 도체판에 균일하게 분포한 전하에 의해 균일한 전기장 E가 형성되므로 가우스 법칙은 다음과 같다.

$$\varepsilon_0 \oint \vec{E} \cdot d\vec{A} = \varepsilon_0 E(2A) = \sigma A$$

따라서 위쪽 도체판에 의해 형성되는 전기장의 세기 $E = \dfrac{\sigma}{2\varepsilon_0}$이고, 아래쪽 도체판에 의해 형성되는 전기장의 세기 E도 마찬가지 방법으로 구하면 $E = \dfrac{\sigma}{2\varepsilon_0}$이다. 두 도체판 사이에서는 위쪽 도체판과 아래쪽 도체판의 전하에 의한 전기장의 방향이 서로 같으므로, $E_1 = \dfrac{\sigma}{2\varepsilon_0} + \dfrac{\sigma}{2\varepsilon_0} = \dfrac{\sigma}{\varepsilon_0}$이다. ➡ 평행한 두 도체판 사이에서 전기장의 세기 $E_1 = \dfrac{\sigma}{\varepsilon_0}$이다.

② **두 도체판 외부**: 두 도체판 외부에서는 위쪽 도체판과 아래쪽 도체판의 전하에 의한 전기장의 방향이 서로 반대이고 크기가 같으므로 $E_2 = \dfrac{\sigma}{2\varepsilon_0} - \dfrac{\sigma}{2\varepsilon_0} = 0$이다.

➡ 평행한 두 도체판 외부에서 전기장의 세기 $E_2 = 0$이다.

개념 모아

정리 하기

01 전기장과 정전기 유도

1. 전기장

1 쿨롱 법칙

1. **전하** 전기 현상을 일으키는 원인으로, 전하의 종류에는 (+)전하와 (−)전하가 있다.

2. **전하량** 물체가 띠는 전하의 양으로, 단위로는 C(쿨롬)을 사용한다.

3. **전기력** 전하 사이에 작용하는 힘으로, 같은 종류의 전하 사이에는 서로 밀어내는 힘인 척력이 작용하고, 다른 종류의 전하 사이에는 서로 끌어당기는 힘인 (❶   )이 작용한다.

4. **쿨롱 법칙** 전하량이 각각 q_1, q_2인 두 전하가 거리 r만큼 떨어져 있을 때 두 전하 사이에 작용하는 전기력의 크기 F는 다음과 같다.

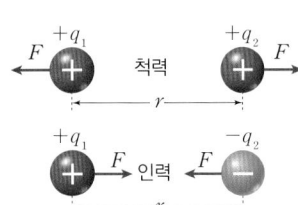

$$F = k\frac{q_1 q_2}{r^2} \text{ (단위: N)}$$

2 전기장과 전기력선

1. **전기장** (❷   )이 작용하는 공간으로, 크기와 방향을 모두 가지는 벡터량이다. 전기장 내에 전하량이 +q인 전하를 놓았을 때 이 전하에 전기력 $\vec{F}$가 작용한다면 그 지점에서의 전기장 $\vec{E}$는 다음과 같다.

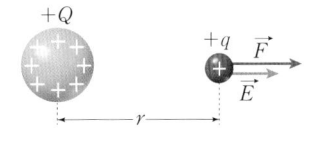

$$\vec{E} = \frac{\vec{F}}{q} \text{ (단위: N/C)}$$

2. **전기력선** 전기장 내에 (+)전하를 놓았을 때 (+)전하가 받는 전기력의 방향을 연속적으로 이은 선

• 전기력선 위의 한 점에서 그은 접선 방향이 그 점에서의 (❸   )의 방향이다.

• 전기력선에 수직인 단위 면적을 지나는 전기력선의 수는 전기장의 세기에 (❹   )한다.

• 전기력선은 (+)전하에서 나오고 (−)전하로 들어간다.

• 전기력선은 중간에 분리되거나 교차되지 않는다.

• 전하량이 클수록 나오거나 들어가는 전기력선의 수가 (❺   ).

• 전기력선은 도체 표면에서 수직으로 나오거나 들어가고, 도체 안에는 존재하지 않는다.

3 정전기 유도와 유전 분극

1. **정전기 유도** 전기적으로 중성인 도체에 대전체를 가까이 가져갈 때 도체에서 대전체와 가까운 쪽은 대전체와 (❻   ) 종류의 전하를 띠고, 대전체와 먼 쪽은 대전체와 같은 종류의 전하를 띠는 현상

대전체

도체

• 정전기 유도는 자유 전자의 이동에 의해 일어난다.

• 도체에 대전체를 가까이 가져갈 때 도체에 유도되는 (+)전하량과 (−)전하량은 서로 (❼   ).

• 정전기 유도에서 도체를 양분하면 (+)전하와 (−)전하로 분리된다.

2. (❽   ) 절연체에 대전체를 가까이 가져갈 때 절연체에서 대전체와 가까운 쪽은 대전체와 다른 종류의 전하를 띠고, 대전체와 먼 쪽은 대전체와 같은 종류의 전하를 띠는 현상

대전체

절연체

• 원자나 분자 내 전하들의 재배열에 의해 일어나는 현상으로, (+)전하와 (−)전하를 분리시킬 수 없다.

01 그림은 원점 O에서 같은 거리만큼 떨어져 x축 위에 고정되어 있는 점전하 P, R와 y축 위에 고정되어 있는 점전하 Q, S의 모습을 나타낸 것이다. 이때 P, Q, S의 전하량은 각각 -2 C, $+2$ C, $+2$ C이다.

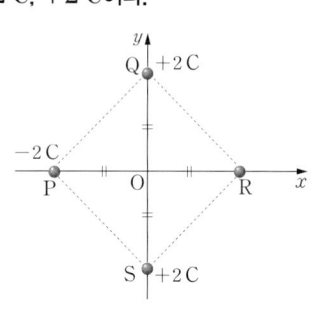

P에 작용하는 전기력이 0일 때, R의 전하량은 몇 C인지 구하시오.

02 다음은 대전된 금속구 사이에 작용하는 전기력의 크기를 알아보기 위한 실험 과정과 결과이다.

[실험 과정]
(가) 동일한 전하량으로 대전된 동일한 금속구 A와 B를 거리 d만큼 떨어뜨려 고정시킨 후 A와 B 사이에 작용하는 전기력의 크기를 측정한다.
(나) 대전되지 않은 동일한 금속구 C를 A에 접촉시켰다가 뗀 후 B에 접촉시킨다.
(다) C를 제거하고, A와 B 사이에 작용하는 전기력의 크기를 측정한다.

[실험 결과]
과정 (가)에서 A와 B 사이에 작용하는 전기력의 크기는 F이고, 서로 끌어당기는 전기력이 작용한다.

과정 (다)의 결과 A가 B에 작용하는 전기력의 크기를 구하시오.

03 그림과 같이 전하량이 q, 질량이 m인 동일한 두 금속구 A와 B를 유리관에 넣었더니, B가 A보다 높이 h만큼 위에 정지해 있었다.

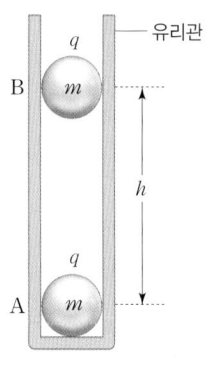

쿨롱 법칙을 이용하여 전하량 q를 구하시오. (단, 중력 가속도는 g, 쿨롱 상수는 k이고, 모든 마찰과 유리관에서의 유전 분극은 무시한다.)

04 그림은 수평 방향의 균일한 전기장 내에서 전하량이 $+q$, 질량이 m인 금속구가 절연된 실에 매달려 연직 방향과 $45°$를 이루며 정지해 있는 모습을 나타낸 것이다.

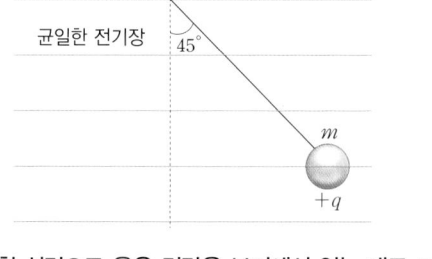

이에 대한 설명으로 옳은 것만을 보기에서 있는 대로 고르시오. (단, 중력 가속도는 g이고, 실의 질량은 무시한다.)

보기
ㄱ. 전기장의 방향은 오른쪽이다.
ㄴ. 전기장의 세기는 $\dfrac{mg}{q}$이다.
ㄷ. 실이 금속구에 작용하는 힘의 크기와 금속구에 작용하는 중력의 크기는 같다.

05 그림과 같이 전하량이 각각 $+2Q$, $-Q$인 두 점전하가 x축 상의 $x=-1$, $x=+1$인 점에 각각 고정되어 있다.

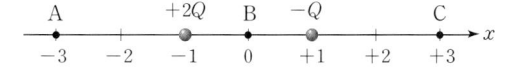

(1) A, B, C점에서 전기장의 세기를 각각 E_A, E_B, E_C 라고 할 때, $E_A : E_B : E_C$를 구하시오.

(2) x축상에서 전기장이 0인 곳의 위치를 쓰시오.

06 그림은 정사각형의 네 꼭 지점에 고정된 점전하 A, B, C, D에 의한 전기장을 전기력선으로 나타낸 것이 다. 이때 p점은 정사각형의 중점이고, 전기력선은 대칭 적이다.

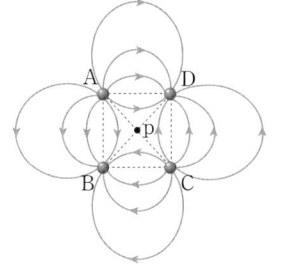

이에 대한 설명으로 옳은 것만을 보기에서 있는 대로 고르 시오.

보기
ㄱ. 전하량의 크기는 A와 B가 같다.
ㄴ. C와 D는 서로 같은 종류의 전하이다.
ㄷ. p에서의 전기장은 0이다.

07 금속박이 벌어진 상태로 있는 검전기의 금속판에 $(-)$전하 로 대전된 플라스틱 막대를 가까이 가져갔더니 금속박이 더 벌어졌다.

플라스틱 막대를 가까이 가져가기 전 금속판과 금속박은 각각 어떤 전하로 대전되어 있었는지 쓰시오.

08 다음은 금속구를 이용한 정전기 유도 실험 과정이다.

[실험 과정]
(가) 대전되지 않은 동일한 금속구 A와 B를 접촉시켜 놓고, $(-)$전하로 대전된 물체 C를 B에 가까이 가져간다.
(나) A에 손가락을 갖다 댄다.
(다) 손가락을 먼저 떼고 C를 멀리 한 후, A와 B를 분리한다.

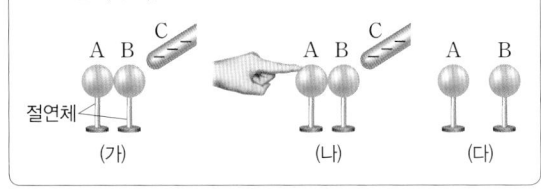

(1) 과정 (가)에서 A와 B에 유도되는 전하의 종류를 각 각 쓰시오.

(2) 과정 (다)에서 A에 작용하는 전기력의 방향을 쓰시오.

09 그림 (가), (나)는 절연된 실에 매달린 대전되지 않은 물체 A, B에 각각 $(-)$전하로 대전된 에보나이트 막대를 가까이 가져갔을 때 A는 막대에 끌려와 붙었다가 밀려나 정지한 모습, B는 막대에 끌려와 붙어 정지한 모습을 나타낸 것이다.

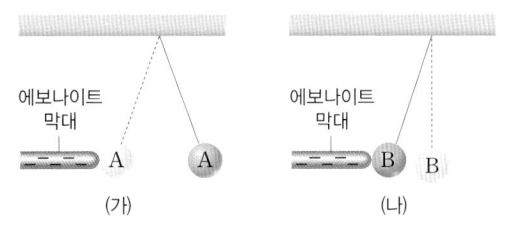

이에 대한 설명으로 옳은 것만을 보기에서 있는 대로 고르 시오.

보기
ㄱ. (가)의 에보나이트 막대에서 A로 전자가 이동하 였다.
ㄴ. (나)의 B에서 유전 분극이 일어났다.
ㄷ. 에보나이트 막대를 제거하고, A와 B를 서로 가 까이 하면 A와 B 사이에는 서로 끌어당기는 전 기력이 작용한다.

01 ▶ 점전하에 의한 전기장

그림 (가)는 정삼각형의 꼭지점에 전하량이 $+q$인 점전하 A, B, C가 고정되어 있는 모습을 나타낸 것이다. 이때 p점은 B와 C의 중점이다. 그림 (나)는 (가)에서 C를 전하량이 $-q$인 점전하 D로 바꾼 모습을 나타낸 것이다.

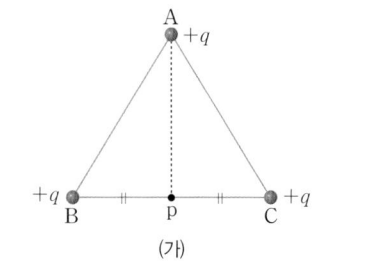
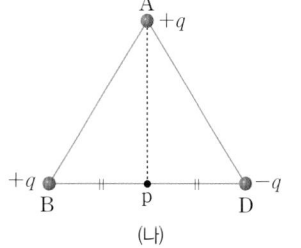

(가)   (나)

• 어떤 지점에서의 알짜 전기장은 각 점전하에 의한 전기장의 벡터 합이다.

이에 대한 설명으로 옳은 것만을 보기에서 있는 대로 고른 것은?

┌─ 보기 ─────────────────────────────────────┐
ㄱ. (가)의 p에서 전기장의 세기는 0이다.

ㄴ. (나)에서 A와 B에 작용하는 전기력의 크기는 같다.

ㄷ. A가 고정된 지점에서의 전기장의 세기는 (가)에서가 (나)에서의 $\sqrt{3}$배이다.
└──┘

① ㄱ   ② ㄷ   ③ ㄱ, ㄴ   ④ ㄱ, ㄷ   ⑤ ㄴ, ㄷ

02 ▶ 연속적인 전하 분포에 의한 전기장

그림 (가), (나)와 같이 반원형 절연체 막대와 직선 절연체 막대의 x축 위쪽과 아래쪽 절반에 전하량 Q가 각각 균일하게 분포하고 있다. 이때 각 막대의 무게중심은 x축상에 있으며, A점은 원점이고, B점은 x축상의 점이다.

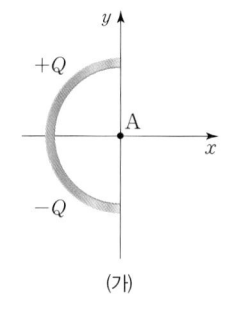
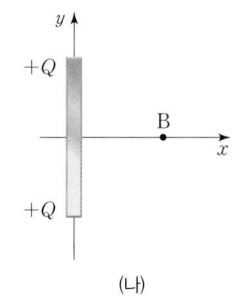

(가)   (나)

• 연속적인 전하 분포의 대칭성을 고려하여 전기장의 방향을 찾는다.

A와 B에서 전기장의 방향으로 옳은 것은?

	A	B		A	B
①	$+x$ 방향	$-y$ 방향	②	$-x$ 방향	$+x$ 방향
③	$+y$ 방향	$+x$ 방향	④	$-y$ 방향	$+x$ 방향
⑤	$-y$ 방향	$-x$ 방향			

03 ▸ 전기장 내에서 전하의 운동

그림은 전기장 내에서 점전하 P가 직선을 따라 운동하는 모습을 나타낸 것이다. P는 a점을 지나 b점에서 정지한 후 다시 a로 되돌아온다.

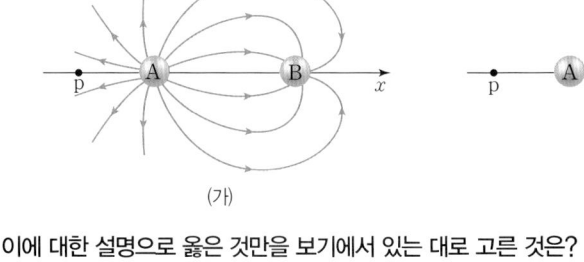

이에 대한 설명으로 옳은 것만을 보기에서 있는 대로 고른 것은?

보기
ㄱ. P는 (ㅡ)전하이다.
ㄴ. a와 b에서 전기장의 세기는 같다.
ㄷ. a와 b에서 P에 작용하는 전기력의 방향은 같다.

① ㄱ   ② ㄴ   ③ ㄷ   ④ ㄱ, ㄴ   ⑤ ㄱ, ㄷ

• 전기력선이 조밀할수록 그 위치에서 전기장의 세기가 세다.

고난도
04 ▸ 전기장과 전기력선

그림 (가)는 x축상에 고정되어 있는 서로 다른 종류의 전하로 대전된 동일한 금속구 A와 B 주위의 전기장을 전기력선으로 나타낸 것이다. 이때 p점은 x축상의 점이고, p에서 B까지의 거리는 p에서 A까지의 거리의 3배이다. 그림 (나)는 (가)에서 A와 B를 접촉시켰다가 다시 원래의 위치에 고정시킨 모습을 나타낸 것이다.

(가)   (나)

이에 대한 설명으로 옳은 것만을 보기에서 있는 대로 고른 것은?

보기
ㄱ. A의 전하량은 (가)에서가 (나)에서보다 크다.
ㄴ. (나)의 p에서 전기장의 방향은 $+x$ 방향이다.
ㄷ. p에서의 전기장의 세기는 (가)에서가 (나)에서보다 크다.

① ㄴ   ② ㄷ   ③ ㄱ, ㄴ   ④ ㄱ, ㄷ   ⑤ ㄱ, ㄴ, ㄷ

• 두 금속구를 접촉시켰다가 분리하면 전하량이 같아진다.

05 ❯ 전기장 내에서 전하의 운동

그림과 같이 평행한 두 금속판 사이에 형성된 세기가 E인 균일한 전기장 내에서 전기장에 수직인 방향으로 입사한 대전 입자가 전기력만 받아 운동하여 x축 방향으로 $4d$, y축 방향으로 d만큼 이동하여 금속판에 닿았다. 이때 대전 입자의 전하량은 $-q$, 질량은 m이다.

• 전기장 내에서 대전 입자는 가속도가 $\dfrac{qE}{m}$인 등가속도 운동을 한다.

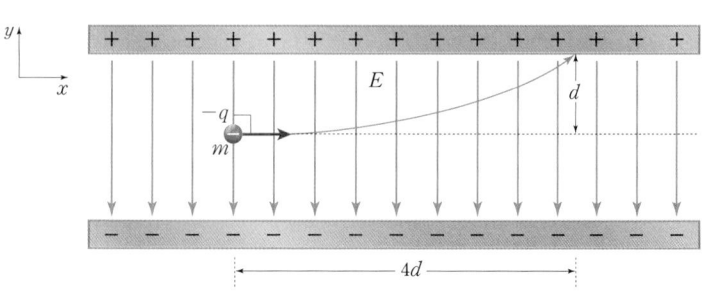

대전 입자가 전기장에 입사할 때의 속력은?

① $\sqrt{\dfrac{dqE}{2m}}$ ② $\sqrt{\dfrac{dqE}{m}}$ ③ $\sqrt{\dfrac{2dqE}{m}}$

④ $\sqrt{\dfrac{4dqE}{m}}$ ⑤ $\sqrt{\dfrac{8dqE}{m}}$

06 ❯ 정전기 유도와 전기력선

그림 (가)는 동일한 두 금속구 A와 B를 접촉시킨 모습을, (나)는 (가)에서 대전된 막대를 B 쪽에 가까이 가져간 모습을, (다)는 (나)에서 A와 B를 분리한 후 막대를 제거하였을 때 A와 B 주위의 전기장을 전기력선으로 나타낸 것이다.

• (다)에서 A와 B에 대전된 전하량이 다르므로, A와 B는 처음부터 대전되어 있었다.

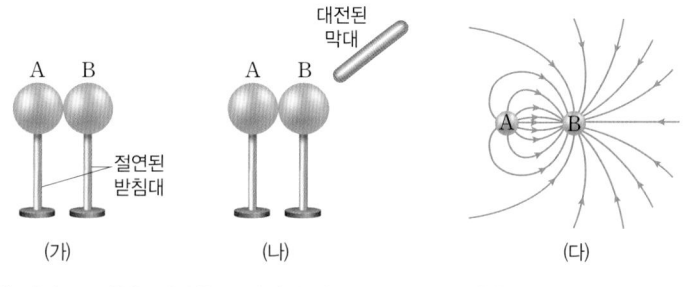

이에 대한 설명으로 옳은 것만을 보기에서 있는 대로 고른 것은?

보기
ㄱ. (가)에서 A와 B 사이에는 서로 밀어내는 전기력이 작용한다.
ㄴ. (나)에서 막대는 ($+$)전하로 대전되어 있다.
ㄷ. B에 대전된 전하량은 (나)에서가 (가)에서의 2배이다.

① ㄱ   ② ㄴ   ③ ㄱ, ㄴ   ④ ㄱ, ㄷ   ⑤ ㄴ, ㄷ

07 ▶ 정전기 유도와 유전 분극

그림 (가)는 절연된 실에 매달려 정지해 있던 대전되지 않은 물체 A와 B 사이에 (−)전하로 대전된 막대를 놓았을 때 A는 막대에 끌려와 붙어 정지하고, B는 막대에 끌려와 붙었다가 밀려나 정지한 모습을 나타낸 것이다. 그림 (나)는 (가)에서 정지한 B를 대전되지 않은 검전기의 금속판에 가까이 가져갔을 때 금속박이 벌어진 모습을 나타낸 것이다.

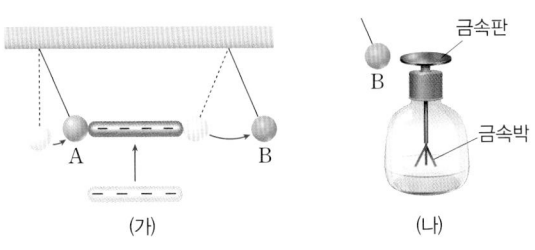

(가)   (나)

이에 대한 설명으로 옳은 것만을 보기에서 있는 대로 고른 것은?

보기

ㄱ. A는 도체이다.

ㄴ. (가) 상태에서 A와 B 사이에는 서로 밀어내는 전기력이 작용한다.

ㄷ. (나)에서 금속박은 (−)전하를 띤다.

① ㄴ   ② ㄷ   ③ ㄱ, ㄴ   ④ ㄱ, ㄷ   ⑤ ㄱ, ㄴ, ㄷ

● 대전체에 절연체를 접촉시키면 유전 분극이 일어난다.

08 ▶ 정전기 유도와 유전 분극의 활용

다음은 전기력을 이용하여 물체 표면을 도색하는 과정에 대한 설명이다.

자동차나 금속 장난감과 같은 도체 표면을 도색하는 방법 중의 하나인 정전 도장은 ((가))을/를 이용한다. 도색할 물체를 접지시킨 후 페인트를 뿌리는 분무 장치에 (−)극을 연결하여 페인트 입자를 (−)전하로 대전시킨 다음, 대전된 페인트 입자를 물체 표면에 뿌리면 물체 표면에는 ((나))이/가 유도된다. 따라서 페인트 입자와 물체 표면 사이에는 ((다))이/가 작용하여 페인트가 물체 표면에 골고루 달라붙는다. 이때 페인트 입자 사이에는 ((라))이/가 작용하여 페인트가 뭉치지 않고 고르게 도색된다.

고전압 발생기   정전 도장기   물체
분체 도료   이온화 구역 ((−)이온)   접지

이에 대한 설명으로 옳은 것만을 보기에서 있는 대로 고른 것은?

보기

ㄱ. (가)는 '정전기 유도'이다.

ㄴ. (나)는 '(+)전하'이다.

ㄷ. (다)와 (라)는 모두 '인력'이다.

① ㄱ   ② ㄷ   ③ ㄱ, ㄴ   ④ ㄴ, ㄷ   ⑤ ㄱ, ㄴ, ㄷ

● 정전 도장은 정전기 유도를 이용하여 도체 표면에 페인트를 균일하게 도색하는 방법이다.

02 저항의 연결과 전기 에너지

학습 Point 전위와 전위차 〉 전류 〉 옴의 법칙과 저항 〉 저항의 연결 방법에 따른 소비 전력

1 전위와 전위차

전기 회로에 전류가 흐르게 하기 위해서는 전하가 이동할 수 있도록 전기 에너지를 공급해 주어야 하는데, 이때 회로에 전기 에너지를 공급해 주는 장치를 전원이라고 한다. 물펌프가 수로에서 물의 높이차를 만들어 주는 것처럼 전원은 전기 회로에서 전위차를 만들어 준다.

1. 전기력에 의한 퍼텐셜 에너지

그림 (가)와 같이 중력장 내에서 질량이 m 인 물체를 높이 h만큼 들어올리기 위해서는 중력에 대하여 mgh만큼의 일을 해 주어야 한다. 이때 B점에 있는 물체를 A점까지 이동시키기 위해 외부에서 한 일만큼 A점에서 물체는 중력 퍼텐셜 에너지를 갖게 되고, A점에서 다시 B점으로 이동할 때 중력은 물체에 일을 하게 된다. 그림 (나)와 같이 전기장 내에서도 전하량이 $+q$인 전하를 전기장과 반대 방향으로 거리 d만큼

퍼텐셜 에너지: mgh

퍼텐셜 에너지: $qV(qEd)$

▲ **중력장과 전기장 내에서의 퍼텐셜 에너지 비교**

이동시키기 위해서는 전기력에 대하여 qEd만큼의 일을 해 주어야 한다. 이때 B점에 있는 전하를 A점까지 이동시키기 위해 외부에서 한 일만큼 A점에서 전하는 전기력에 의한 퍼텐셜 에너지를 갖게 된다. 즉, A점에서는 B점보다 전기력에 의한 퍼텐셜 에너지가 높다.

2. 전위

(1) **전위**: 전기장 내에서 단위 양전하($+1$ C)가 가지는 전기력에 의한 퍼텐셜 에너지를 전위라고 한다. 이는 전기장 내에서 기준점으로부터 어떤 한 지점까지 단위 양전하($+1$ C)를 이동시키는 데 필요한 일과 같다.

① **전위의 기준점**: 전위의 기준점은 중력장에서와 같이 임의로 선택할 수 있으며, 기준이 되는 점의 전위를 0으로 정한다. 따라서 기준점이 달라지면 각 지점의 전위는 달라지게 된다. 이론상으로는 대전체에서 무한히 멀리 떨어진 점(무한 원점)을 기준점으로 하지만, 실용적으로는 지면 또는 도체면을 기준점으로 정한다.

② **전하와 전기력**: (+)전하는 전위가 높은 곳에서 낮은 곳으로 전기력을 받고, (−)전하는 전위가 낮은 곳에서 높은 곳으로 전기력을 받는다.

기전력

전하의 흐름을 일정하게 유지시켜 주는 능력을 기전력이라고 하며, 전지나 발전기 등과 같이 기전력을 공급하는 장치를 전원이라고 한다. 전원은 전하의 흐름을 일정하게 유지시켜 주기 위해 전하에 전기력에 의한 퍼텐셜 에너지를 공급해 준다.

(2) **점전하에 의한 전위:** 그림과 같이 전하량이 $+q$ 인 점전하 A로부터 거리 r만큼 떨어진 지점에 전하 량이 $+1$ C인 점전하 B를 놓으면 B는 전기력을 받 아 멀어진다. 이때 B는 속력이 빨라지므로 운동 에 너지는 증가하지만, 전기력에 의한 퍼텐셜 에너지는

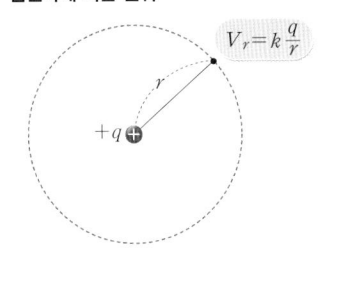

▲ **점전하에 의한 전기력과 전위**

감소한다. 또 A로부터 무한히 멀리 떨어진 지점에서 전기력은 0이 되므로 무한 원점을 전 위의 기준점으로 하고, A로부터 r만큼 떨어진 지점의 전위를 V_r라고 하면, V_r는 B를 무한 원점에서 r인 지점까지 이동시키는 데 필요한 일 W와 같다. 쿨롱 법칙에 의해 r만큼 떨어 진 지점에서 B가 받는 전기력 $F = k\dfrac{q \cdot 1}{r^2} = k\dfrac{q}{r^2}$이므로, W는 다음과 같이 나타낼 수 있다.

$$W = \int_{\infty}^{r} -F \cdot dr = \int_{r}^{\infty} k\frac{q}{r^2} \cdot dr = k\frac{q}{r}$$

따라서 V_r는 다음과 같다.

$$V_r = k\frac{q}{r}$$

이때 A로부터 r만큼 떨어진 지점은 원 모양으로 나타나므로, 반지름이 r인 원 위의 점들 은 전위가 모두 같다.

(3) **여러 개의 점전하에 의한 전위:** 전위는 스칼라량이므로, 여러 개의 점전하가 만드는 전위 를 구하기 위해서는 각각의 점전하가 만드는 전위를 구하여 더해야 한다. 즉, 전기장 내에 서 전하량이 각각 q_1, q_2, q_3, $\cdots$ q_n인 점전하로부터 거리가 각각 r_1, r_2, r_3, $\cdots$ r_n만큼 떨어 진 한 지점의 전위를 V라고 하면, V는 다음과 같다.

$$V = k\frac{q_1}{r_1} + k\frac{q_2}{r_2} + k\frac{q_3}{r_3} + \cdots + k\frac{q_n}{r_n} = \sum_{i=1}^{n} k\frac{q_i}{r_i}$$

3. 전위차

(1) **전위차:** 전기장 내에서 두 지점 사이의 전위의 차를 전위차 또는 전압이라고 한다. 전 기장 내에서 한 지점의 전위는 기준점에 따라 다르지만, 두 지점 사이의 전위차는 기준점 에 상관없이 일정하다.

(2) **점전하 주위에서의 전위차:** 그림과 같이 단위 양전 하($+1$ C)를 무한 원점에서 B점까지 이동시키는 것 보다 A점까지 이동시키는 데 더 많은 일을 필요로 한 다. 즉, ($+$)전하에 가까운 A점이 B점보다 전위가 높 다. 이때 전하량이 $+q$인 전하를 B점에서 A점까지

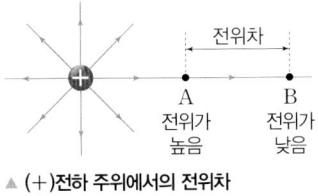

▲ **($+$)전하 주위에서의 전위차**

이동시키는 데 W만큼의 일을 했다면, A점과 B점 사이의 전위차 V는 다음과 같다.

$$V = \frac{W}{q} \text{ (단위: V)}$$

전위차의 단위로는 V(볼트)를 사용하며, 한 지점에서 어떤 한 지점까지 전하량이 $+1$ C 인 전하를 이동시키는 데 1 J의 일이 필요할 때 두 지점 사이의 전위차를 1 V라고 한다.

$$1 \text{ V} = 1 \text{ J/C}$$

점전하에 의한 전위

$$V_r = k\frac{q}{r}$$

전기력에 의한 퍼텐셜 에너지 차이와 전위차
균일한 전기장 내에서 두 지점의 전기력 에 의한 퍼텐셜 에너지 차이는 전하에 따라 달라지지만, 전위차는 전하로 단위 양전하 ($+1$ C)를 사용한 값이므로, 항상 일정하다.

전위와 전위차의 단위
전위의 단위도 전위차와 같은 V(볼트)를 사 용한다.

(3) **전위차와 일**: 그림 (가)는 산 꼭대기로 물건을 운반할 때처럼 전기장 내에서 (+)전하를 전위가 높은 곳으로 이동시키는 모습을 나타낸 것으로, 이때 외력이 하는 일은 (+)이다. 그림 (나)는 골짜기로 물건을 운반할 때처럼 전기장 내에서 (+)전하를 전위가 낮은 곳으로 이동시키는 모습을 나타낸 것으로, 이때 외력이 하는 일은 (−)이다.

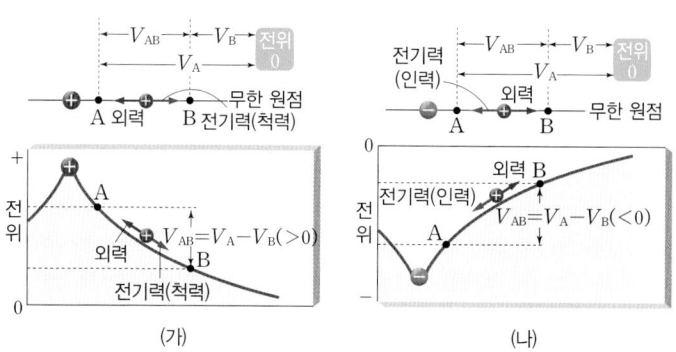

▲ 전기장 내에서 (+)전하를 이동시키는 데 필요한 일

① **전위차와 일**: 전기장 내에서 전위차가 V인 두 지점 사이에서 전하량이 $+1$ C인 전하를 이동시키는 데 V(J)의 일이 필요하다. 따라서 전위차가 V인 두 지점 사이에서 전하량이 q인 전하를 이동시키는 데 필요한 일 W는 다음과 같다.

$$W = qV \text{ (단위: J)}$$

② **전기력이 한 일**: 전하량이 $+q$인 전하를 전위가 높은 곳에서 가만히 놓으면 전하는 전기력을 받아 전위가 낮은 곳으로 이동한다. 이때 전기력이 한 일 $W = qV$가 전하의 운동 에너지로 전환된다. 따라서 전하의 속력이 0에서 v로 되었다면 다음과 같은 관계가 성립한다.

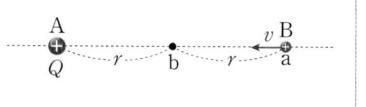

▲ 전기력이 한 일

$$qV = \frac{1}{2}mv^2$$

전하의 종류와 일
(+)전하는 전위가 높은 곳에서 낮은 곳으로 스스로 이동하지만, (−)전하는 전위가 높은 곳에서 낮은 곳으로 이동할 때 외부에서 일을 해 주어야 한다.

전자 볼트(eV)
전자나 양성자 등을 다루는 미시 세계에서 에너지의 단위로 J을 사용하기에는 에너지가 너무 작다. 따라서 전위차가 1 V인 두 지점 사이에서 기본 전하 e를 이동시키는 데 필요한 일을 1 eV로 정하여 일 또는 에너지의 단위로 사용한다.
$$1\text{ eV} = 1.6 \times 10^{-19}\text{ C} \times 1\text{ V}$$
$$= 1.6 \times 10^{-19}\text{ J}$$

예제

그림과 같이 전하량이 Q인 점전하 A로부터 거리 $2r$만큼 떨어진 a점을 질량이 m, 전하량이 q인 점전하 B가 v의 속력으로 통과한 후, A로부터 거리 r만큼 떨어진 b점까지 갔다가 반대 방향으로 운동하였다.

(1) a와 b 사이의 전위차를 구하시오.
(2) B의 속력 v를 식으로 나타내시오.

해설 (1) 전하량 Q로부터 거리 r만큼 떨어진 지점의 전위 $V = k\dfrac{Q}{r}$이므로, a에서의 전위 $V_a = k\dfrac{Q}{2r}$이고 b에서의

전위 $V_b = k\dfrac{Q}{r}$이다. 따라서 a와 b 사이의 전위차 $V = V_b - V_a = k\dfrac{Q}{r} - k\dfrac{Q}{2r} = \dfrac{kQ}{2r}$이다.

(2) B가 a에서 b로 운동하는 동안 전기력이 B에 한 일은 감소한 운동 에너지와 같다. 따라서 $W = \dfrac{1}{2}mv^2$이고, a와 b 사이의 전위차 $V = \dfrac{W}{q} = \dfrac{mv^2}{2q}$이므로, $\dfrac{kQ}{2r} = \dfrac{mv^2}{2q}$이다. 즉, $v^2 = \dfrac{kqQ}{mr}$에서 $v = \sqrt{\dfrac{kqQ}{mr}}$

이다.

정답 (1) $\dfrac{kQ}{2r}$ (2) $\sqrt{\dfrac{kqQ}{mr}}$

(4) **균일한 전기장 내에서의 전위차**: 평행한 두 금속판 사이와 같이 균일한 전기장 내에 있는 전하는 크기와 방향이 일정한 전기력을 받는다. 그림과 같이 세기가 E인 균일한 전기장 내에서 전하량이 $+q$인 전하가 받는 전기력 $F=qE$이므로, 전하를 B에서 거리 d만큼 떨어진 A로 이동시키는 데 필요한 일 W는 다음과 같다.

$$W=Fd=qEd$$

A와 B 사이의 전위차를 V라고 하면, A와 B 사이에서 전하량이 $+q$인 전하를 이동시키는 데 필요한 일 W는 다음과 같다.

$$W=qV$$

따라서 전기장 E와 전위차 V의 관계는 다음과 같이 나타낼 수 있다.

$$V=Ed$$

즉, 균일한 전기장 내에서 전위차 V는 전기장과 나란한 방향으로의 거리 d에 비례한다.

▲ **균일한 전기장 내에서의 전위와 전위차**

전기장의 단위
$F=qE$에서 전기장의 단위는 N/C이고, $V=Ed$에서 전기장의 단위는 V/m이다. 즉, 1 N/C=1 V/m이다.

시야확장 ➕ 균일한 전기장 내에서 대전 입자의 운동

❶ **대전 입자의 가속도**: 세기가 E인 균일한 전기장 내에서 전하량이 q인 대전 입자가 받는 전기력 $F=qE=ma$이므로, 가속도 $a=\dfrac{qE}{m}=\dfrac{qV}{md}$이다. 이때 대전 입자가 받는 전기력의 크기는 일정하므로, 대전 입자는 등가속도 운동을 한다.

❷ **대전 입자의 속도**: 전하량이 q인 대전 입자를 전위차 V로 가속시킬 때 얻는 운동 에너지는 대전 입자가 전기장으로부터 받은 일 $W=qV$와 같다. 따라서 대전 입자의 속도가 0에서 v로 되었다면 에너지 보존 법칙에 의해 다음과 같이 나타낼 수 있다.

$$0+qV=\frac{1}{2}mv^2+0$$

따라서 대전 입자의 속도 $v=\sqrt{\dfrac{2qV}{m}}$이다.

❸ **전기장 내에 수직으로 입사한 대전 입자의 운동**: 전기장 내에 수직으로 입사한 전하량이 $-e$인 대전 입자는 y축 방향으로 일정한 힘 $F=eE$를 받으며 운동하므로, x축 방향으로는 등속도 운동을, y축 방향으로는 가속도 $a=\dfrac{eE}{m}$인 등가속도 운동을 한다. ➡ 대전 입자는 포물선 운동을 한다.

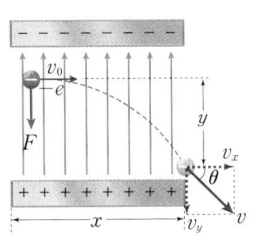

· t초 후의 속도의 크기 v: $v_x=v_0$, $v_y=at=\dfrac{eE}{m}t$

따라서 속도의 크기는 $v=\sqrt{v_x{}^2+v_y{}^2}=\sqrt{v_0{}^2+\left(\dfrac{eE}{m}t\right)^2}$이고, 방향은 $\tan\theta=\dfrac{v_y}{v_x}=\dfrac{eE}{mv_0}t$이다.

· t초 후의 변위 (x, y): $x=v_0t$, $y=\dfrac{1}{2}at^2=\dfrac{1}{2}\dfrac{eE}{m}t^2$

위 두 식에서 t를 소거하면 대전 입자의 운동 방정식은 다음과 같다.

$$y=\frac{1}{2}\left(\frac{eE}{m}\right)\left(\frac{x}{v_0}\right)^2=\frac{eE}{2mv_0{}^2}x^2$$

 **2 등전위면**

전기력선으로 전기장의 모양을 시각적으로 이해할 수 있었던 것과 마찬가지로, 등전위면도 전기장의 모양을 파악하는 데 유용하다.

1. 등전위면

전기장 내에서 전위가 같은 지점을 연결하여 얻어지는 선을 등전위선, 면을 등전위면이라고 한다.

(1) 등전위면의 특징

① 등전위면 위의 모든 지점에서는 전위가 같으므로, 전위차는 0이다.

② 전하가 전기장으로부터 받는 힘의 방향은 등전위면에 수직이다.

③ 등전위면이 조밀할수록 그 위치에서 전기장의 세기는 세다.

④ 등전위면을 따라 전하를 이동시키는 데 필요한 일 $W=qV$에서 $V=0$이므로, $W=0$이다. 즉, 등전위면에서 전하를 이동시킬 때는 일을 하지 않는다.

⑤ 전기장 내에서 도체 표면과 내부는 등전위면을 이룬다.

⑥ 두 대전체를 접촉시키면 전하량의 일부가 상쇄되어 알짜 전하량만 남게 되는데, 이때 접촉된 두 대전체의 표면이 등전위면이 되도록 알짜 전하량이 재분배된다.

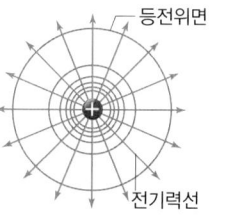 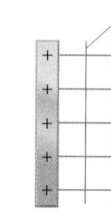 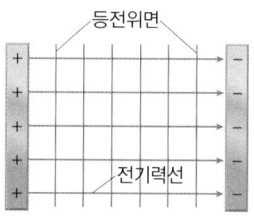

(가) 전기력선의 단면과 등전위면　　(나) (+)전하 주위　　(다) 평행한 두 금속판 사이

▲ **전기력선과 등전위면**

(2) 두 전하가 만드는 등전위면

그림 (가)는 (+)전하와 (−)전하에 의한 전기력선과 등전위면의 모습을 나타낸 것이고, 그림 (나)는 두 개의 (+)전하에 의한 전기력선과 등전위면의 모습을 나타낸 것이다.

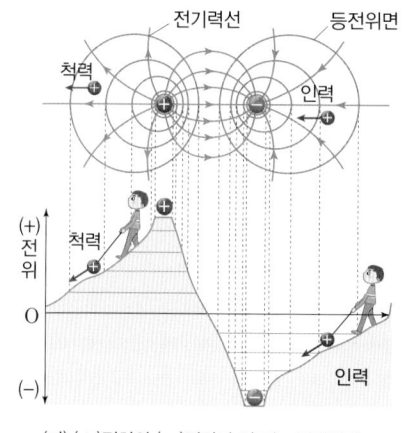 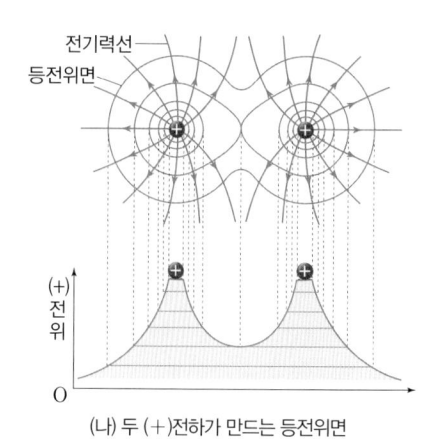

(가) (+)전하와 (−)전하가 만드는 등전위면　　(나) 두 (+)전하가 만드는 등전위면

▲ **두 전하가 만드는 등전위면**

등전위면과 일

그림은 평행한 두 금속판 사이에 있는 (+)전하를 A점에서 A′점으로 이동시키는 모습을 나타낸 것이다.

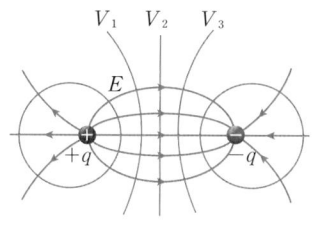

· 경로 Ⅰ과 같이 등전위면을 따라 (+)전하를 이동시키는 데 전기력이 한 일은 0이다.

· 경로 Ⅱ와 같이 (+)전하를 등전위면이 아닌 경로로 이동시키더라도 다시 같은 등전위면으로 되돌아오면 (+)전하를 이동시키는 데 전기력이 한 일은 0이 된다.

등전위면과 전위

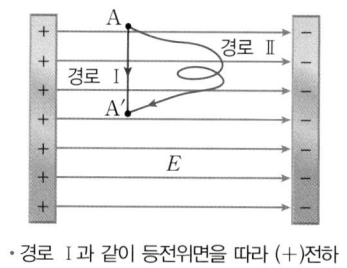

등전위면이 (+)전하에 가까이 있을수록 전위가 높으므로, 전위는 V_1이 가장 크고, V_3이 가장 작다. ➡ $V_1 > V_2 > V_3$

③ 전류

전하의 흐름을 전류라고 하지만, 움직이는 모든 전하가 전류를 형성하는 것은 아니다. 즉, 전류가 흐른다는 것은 도선의 단면을 통과하는 전하의 알짜 흐름이 있다는 것이다.

1. 전류

도선의 양 끝에 외부에서 전기장을 가하면 전기장과 반대 방향으로 (−)전하를 띤 자유 전자가 도선을 따라 이동하면서 전하를 운반하는데, 이러한 전하의 흐름을 전류라고 한다.

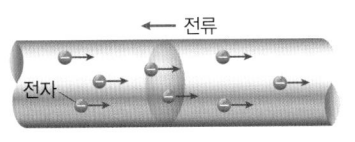
▲ 전류와 전자의 이동

(1) **전류의 방향**: 전자의 이동 방향과 반대 방향이다.

(2) **전류의 세기**: 단위 시간 동안 도선의 한 단면을 통과하는 전하량으로, 시간 t 동안 도선의 한 단면을 통과하는 전하량이 Q일 때, 전류의 세기 I는 다음과 같다.

$$I = \frac{Q}{t} \ (\text{단위: A})$$

전류의 세기의 단위로는 A(암페어)를 사용하며, 1초 동안 도선의 한 단면을 통과하는 전하량이 1 C일 때 전류의 세기를 1 A라고 한다. 즉, 1 A=1 C/s이다. 전자 1개의 전하량은 1.6×10^{-19} C이므로, 1 A는 1초 동안 도선의 한 단면을 약 6.25×10^{18}개의 전자가 이동할 때의 전류의 세기를 말한다.

2. 전기 회로에서의 전류

도선에 흐르는 전하의 양은 항상 일정하게 보존되므로, 그림 (가)와 같이 전기 회로에서 도선이 나누어질 때 나누어지기 전 전류의 세기와 나누어진 후 전류의 세기의 합은 같다. 즉, 전류의 세기는 일정하게 보존된다. 마찬가지로 그림 (나)와 같이 전기 회로에서 도선이 합쳐질 때도 전류의 세기는 일정하게 보존된다.

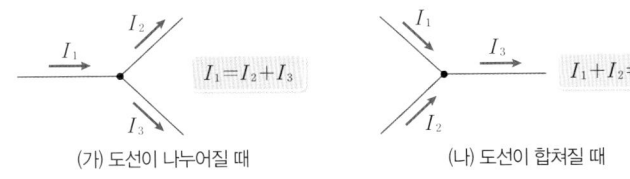

(가) 도선이 나누어질 때   (나) 도선이 합쳐질 때

▲ 전기 회로에서의 전류

시야 확장 ➕ 도선에 흐르는 전류의 세기

그림과 같이 단위 부피당 n개의 자유 전자를 포함하고 있는 단면적이 S인 도선 속에서 자유 전자가 유동 속력 v로 운동하고 있다. 시간 t 동안 면 A에 있던 자유 전자가 면 B까지 이동하였을 때 자유 전자가 휩쓸고 지나간 부피 $V=Svt$이고, 그 부피 속의 자유 전자의 수 $N=nV=nSvt$이다. 전자의 전하량을 $-e$라고 하면 시간 t 동안 B를 통과한 총 전하량 $Q=Sevnt$이다. 따라서 도선에 흐르는 전류의 세기 $I=\dfrac{Q}{t}=Sevn$이다.

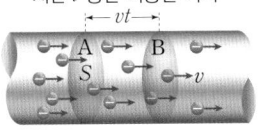
시간 t 동안 이동한 거리 vt

전류의 방향
· 전류의 방향은 (+)전하가 이동하는 방향으로 정한다.
· 실제로 도선 속에서 전류는 (−)전하를 띠는 자유 전자가 이동하는 것이므로, 전류의 방향은 전자의 이동 방향과 반대이다.

전류 단위의 표준
암페어(기호: A)는 전류의 SI 단위이다. 암페어는 기본 전하 e를 C 단위로 나타낼 때 그 수치를 $1.602176634 \times 10^{-19}$로 고정함으로써 정의된다.

유동 속력

(가)

E

(나)

그림 (가)와 같이 전기장이 없을 때 도체 내의 전자는 일정한 방향 없이 자유롭게 움직인다. 반면 그림 (나)와 같이 전기장이 있을 때 도체 내의 전자는 전기력을 받아 전기장과 반대 방향으로 이동하는데, 이때 전기장과 나란한 방향의 전하의 속력을 유동 속력 v라고 한다.

4 옴의 법칙과 저항

옴의 법칙은 특정 물질에서 성립하는 경험 법칙이다. 이는 금속 도체에서 잘 들어맞고 제한적인 환경에서만 성립하는 식이지만, 실용적인 가치가 있다.

1. 옴의 법칙

(1) **옴의 법칙**: 도체 내에 흐르는 전류는 자유 전자의 흐름이므로, 전류의 세기는 전위차와 관련이 있다. 어떤 물체에 흐르는 전류의 세기가 전위차에 정비례한다는 것을 옴의 법칙이라고 한다. 옴의 법칙은 물체의 전기 저항이 전위차나 극성에 무관한 상황에서만 성립한다. 즉, 도체 혹은 반도체에 관계없이 균질한 모든 물질은 적당한 전기장 내에서 옴의 법칙을 따른다. 그러나 전기장이 매우 크면 옴의 법칙을 따르지 않는다.

▲ 전류와 전위차의 관계

(2) 단면적이 S이고 길이가 l인 직선 도선의 양단에 전위차 V가 가해지면 도선 내에 전기장 E가 형성되어 전류가 흐르게 된다. 이때 전류의 세기 I는 전기장 E와 도선의 단면적 S에 비례한다. 또 균일한 전기장 내에서 전위차 $V = El$이므로, 전류의 세기 I와 전위차 V 사이의 관계는

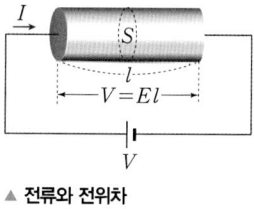

▲ 전류와 전위차

$I \propto ES = \dfrac{V}{l}S$에서 $I = kV$가 된다.

이때 비례 상수 k는 $\dfrac{1}{R}$로 전기 저항 R와 관련이 있으며, 이는 물질의 성질에 따라 달라진다.

(3) 전류의 세기 I, 전위차 V, 전기 저항 R 사이의 관계는 다음과 같이 나타낼 수 있다.

$$I = \dfrac{V}{R}$$

2. 전기 저항

(1) **전기 저항**: 전류의 세기 I에 대한 전위차 V의 비를 전기 저항 또는 저항 R라고 한다.

$$R = \dfrac{V}{I} \ (단위: \Omega)$$

전기 저항의 단위로는 Ω(옴)을 사용하며, 도선의 양단에 1 V의 전위차를 걸었을 때 1 A의 전류가 흐르는 도선의 전기 저항을 1 Ω이라고 한다. 즉, 1 Ω = 1 V/A이다.

(2) **도선의 전기 저항**: 도선의 모양에 따라 달라진다. 일반적으로 그림 (가)와 같이 도선의 단면적(S)이 넓어지면 같은 시간 동안 도선의 한 단면을 통과하는 자유 전자의 개수가 많아지므로, 전류의 세기가 세진다. 반면 그림 (나)와 같이 도선의 길이(l)가 길어지면 자유 전자가 원자들과 충돌하는 횟수가 많아지므로, 전기 저항이 커져 같은 시간 동안 도선의 한 단면을 통과하는 자유 전자의 개수가 줄어들어 전류의 세기가 약해진다.

▲ 도선의 단면적 및 길이와 전기 저항

옴의 법칙이 성립하지 않는 예

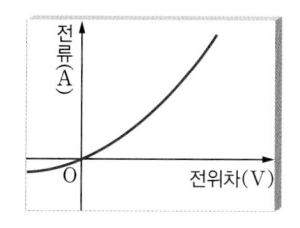

p-n 접합 다이오드는 순방향 바이어스일 때 전류가 급격히 흐르고, 역방향 바이어스일 때는 전류가 거의 흐르지 않는다. 따라서 p-n 접합 다이오드는 전류와 전위차의 관계가 비선형적이므로, 옴의 법칙이 성립하지 않는다.

전기 전도도
전위차를 걸었을 때 얼마나 전류를 잘 흐르게 하는가에 대한 척도를 전기 전도도 G라고 한다. 이는 저항의 역수이며, 단위로는 S(지멘스)를 사용한다.

$$G = \dfrac{1}{R} = \sigma \dfrac{S}{l} \ (\sigma: 전기 전도율)$$

전기 저항의 크기 비교

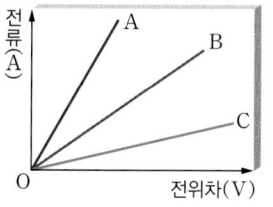

전류-전위차 그래프에서 기울기는 전기 저항의 역수를 나타내므로, 전기 저항은 C가 가장 크고, A가 가장 작다.
➡ $R_A < R_B < R_C$

① 도선의 전기 저항: 도선의 전기 저항 R는 도선의 길이 l에 비례하고, 도선의 단면적 S에 반비례한다.

$$R=\rho\frac{l}{S}$$

이때 비례 상수 ρ는 비저항이라고 한다.

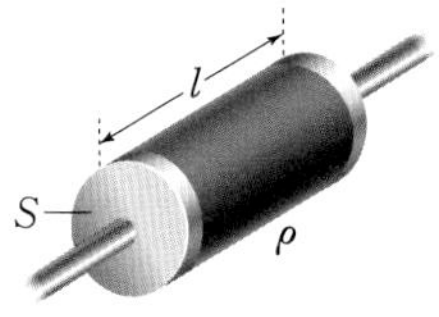

▲ 도선의 전기 저항

② 비저항: 비저항은 물질의 고유한 값으로, 단위로는 Ω·m를 사용한다. 이는 물질의 종류와 온도에 따라 달라지며, 길이가 1 m, 단면적이 1 m²인 물질의 저항값을 나타낸다. 표는 20 ℃일 때 여러 가지 물질의 비저항을 나타낸 것이다.

물질	비저항(Ω·m)	물질	비저항(Ω·m)
은	1.62×10^{-8}	납	2.2×10^{-7}
구리	1.69×10^{-8}	고무	$(1\sim5)\times10^{13}$
철	9.68×10^{-8}	유리	$10^{10}\sim10^{14}$

③ 저항에 의한 전압 강하: 그림과 같이 전기 회로에 전류 I가 a점에서 b점으로 저항 R를 지나면 a점의 전위 V_a가 b점의 전위 V_b보다 높다. 즉, 전류는 항상 전위가 높은 곳에서 낮은 곳으로 흐른다. 이때 b점의 전위 V_b가 a점의 전위 V_a보다 IR만큼 낮아진다. 이를 저항에 의한 전압 강하라고 한다.

$$V=V_a-V_b=IR$$

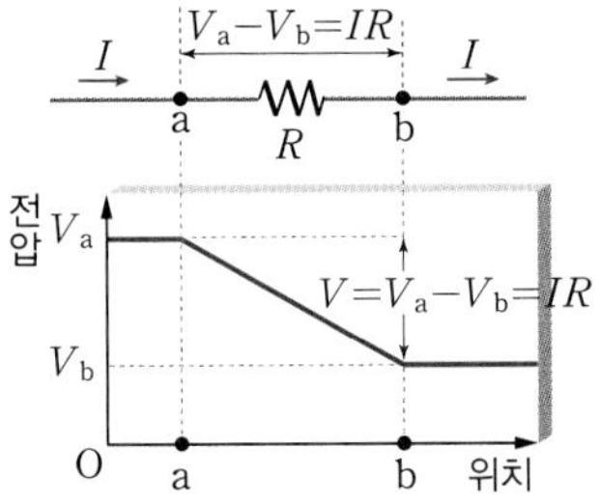

▲ 저항에 의한 전압 강하

전기 저항과 비저항

전기 저항은 특정한 물체의 성질이고, 비저항은 물체를 구성하는 물질의 성질이다.

시야 확장 ⊕ 온도에 따른 전기 저항의 변화

옴의 법칙에 의하면 저항이 일정할 때 전압을 증가 또는 감소시키면 전류도 같은 비율로 증가 또는 감소한다. 그러나 실제 실험에서는 전압과 전류의 비례 정도가 일정하지 않은 결과가 나온다. 이는 실험을 할 때 니크롬선과 같은 저항에 전류가 흐르면 전류에 의해 열이 발생하고, 이로 인해 저항의 온도가 변하여 물질의 저항값이 달라지기 때문이다.

어떤 도체의 0 ℃일 때의 비저항을 ρ_0이라고 하면, t ℃일 때의 비저항 ρ는 적당한 온도 범위에서 다음과 같이 나타낼 수 있다.

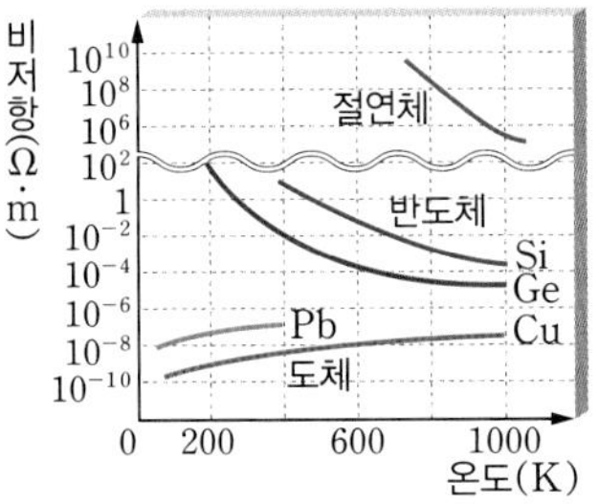

▲ 온도에 따른 물질의 비저항

$$\rho=\rho_0(1+\alpha t)$$

이때 α는 물질의 고유한 상수로, 비저항의 온도 계수라고 한다. 단면적이 S, 길이가 l인 도체의 t ℃일 때의 비저항을 ρ, 저항을 R라고 하고, 0 ℃일 때의 비저항을 ρ_0, 저항을 R_0이라고 하면, R, R_0은 다음과 같이 나타낼 수 있다.

$$R=\rho\frac{l}{S},\ R_0=\rho_0\frac{l}{S}$$

따라서 $\frac{R}{R_0}=\frac{\rho}{\rho_0}=\frac{\rho_0(1+\alpha t)}{\rho_0}$이므로, t ℃일 때 R는 다음과 같이 나타낼 수 있다.

$$R=R_0(1+\alpha t)$$

온도에 따른 비저항

온도가 높아질수록 도체는 비저항이 커지고, 반도체와 절연체는 비저항이 작아진다.

5 저항의 연결

(탐구) 43쪽

누전 차단 장치는 전원에 직렬로 연결하고, 가정용 전기 기구들은 전원에 병렬로 연결한다. 이는 저항의 연결 방법에 따라 회로의 특성이 달라지기 때문이다.

1. 저항의 직렬연결

전류가 연속해서 각 저항에 흐르도록 저항을 연결하는 방법을 직렬연결이라고 한다.

(1) 그림과 같이 저항 R_1과 R_2를 직렬연결한 경우 전체 전류는 전하량 보존 법칙에 의해 각 저항에 흐르는 전류와 같고, 전체 전압은 각 저항에 의한 전압 강하의 합과 같다. 전체 전류 $I=I_1=I_2$이므로, R_1과 R_2 양단에 걸리는 전압 V_1과 V_2를 구하면 $V_1=IR_1$, $V_2=IR_2$이다. 즉, 각 저항의 양단에 걸리는 전압은 각 저항에 비례한

▲ 저항의 직렬연결

다. 따라서 합성 저항을 R라고 할 때 전체 전압 $V=V_1+V_2=I(R_1+R_2)=IR$이므로, R는 다음과 같다.

$$R=R_1+R_2$$

(2) 비저항이 ρ, 단면적이 S, 길이가 각각 l_1, l_2인 저항 $R_1=\rho\dfrac{l_1}{S}$과 $R_2=\rho\dfrac{l_2}{S}$를 직렬연결

하면 전체 길이는 l_1+l_2가 되므로, 합성 저항 $R=\rho\dfrac{l_1+l_2}{S}=\rho\dfrac{l_1}{S}+\rho\dfrac{l_2}{S}=R_1+R_2$이다.

2. 저항의 병렬연결

전류가 각 저항에 나누어져 흐르도록 저항을 연결하는 방법을 병렬연결이라고 한다.

(1) 그림과 같이 저항 R_1과 R_2를 병렬연결한 경우 전체 전압은 각 저항에 의한 전압 강하와 같고, 전체 전류는 전하량 보존 법칙에 의해 각 저항에 흐르는 전류의 합과 같다. 전체 전압 $V=V_1=V_2$이므로, R_1과 R_2에 흐르는 전류 I_1과 I_2를 구하면 $I_1=\dfrac{V}{R_1}$, $I_2=\dfrac{V}{R_2}$이다. 즉, 각 저

▲ 저항의 병렬연결

항에 흐르는 전류는 각 저항에 반비례한다. 따라서 합성 저항을 R라고 할 때 전체 전류 $I=I_1+I_2=V\left(\dfrac{1}{R_1}+\dfrac{1}{R_2}\right)=\dfrac{V}{R}$이므로, R의 역수는 다음과 같다.

$$\frac{1}{R}=\frac{1}{R_1}+\frac{1}{R_2}$$

(2) 비저항이 ρ, 길이가 l, 단면적이 각각 S_1, S_2인 저항 $R_1=\rho\dfrac{l}{S_1}$과 $R_2=\rho\dfrac{l}{S_2}$을 병렬연결

하면 전체 단면적은 S_1+S_2가 되므로, 합성 저항 R의 역수 $\dfrac{1}{R}=\dfrac{S_1+S_2}{\rho l}=\dfrac{S_1}{\rho l}+\dfrac{S_2}{\rho l}=$

$\dfrac{1}{R_1}+\dfrac{1}{R_2}$이다.

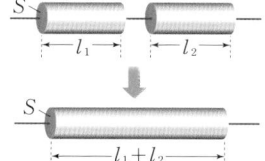

저항의 직렬연결과 도선의 길이

저항을 직렬연결할 때 합성 저항이 커지는 것은 도선의 길이와 저항의 관계로 설명할 수 있다. 도선을 직렬로 연결하면 단면적은 변하지 않고 길이만 늘어난다. 따라서 도선을 따라 이동하는 전자의 흐름을 방해하는 길이가 더 길어지므로, 저항이 커지게 된다.

저항의 병렬연결과 도선의 단면적

저항을 병렬연결할 때 합성 저항이 작아지는 것은 도선의 단면적과 저항의 관계로 설명할 수 있다. 도선을 병렬로 연결하면 길이는 변하지 않고 단면적만 커진다. 따라서 도선의 한 단면을 통과하는 전자의 수가 많아져 전류가 잘 흐르므로, 저항은 작아지게 된다.

3. 저항의 혼합 연결

심화 44쪽

여러 개의 저항을 직렬과 병렬로 혼합하여 연결하는 방법을 저항의 혼합 연결이라고 한다. 여러 개의 저항이 혼합 연결되어 있을 때에는 분기점을 기준으로 하나씩 단계별로 합성 저항을 구하는 과정을 반복하여 전체 합성 저항을 구한다.

(1) 직렬연결에 병렬연결이 포함된 경우

그림과 같이 연결된 회로에서 전체 합성 저항은 다음과 같다.

① 분기점 a와 b 사이에서 저항 R_2와 R_3은 병렬연결되어 있으므로, R_2와 R_3의 합성 저항 R_{23}의 역수 $\dfrac{1}{R_{23}}$ $=\dfrac{1}{R_2}+\dfrac{1}{R_3}$에서 $R_{23}=\dfrac{R_2 R_3}{R_2+R_3}$이다.

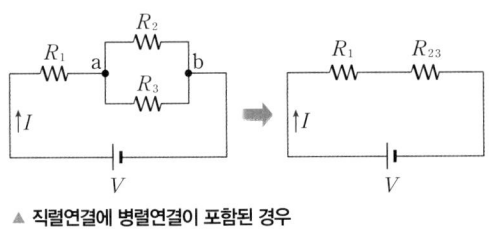

▲ 직렬연결에 병렬연결이 포함된 경우

② 저항 R_1과 R_{23}은 직렬연결되어 있으므로, 전체 합성 저항 R는 다음과 같다.

$$R=R_1+R_{23}=R_1+\frac{R_2 R_3}{R_2+R_3}$$

(2) 병렬연결에 직렬연결이 포함된 경우

그림과 같이 연결된 회로에서 전체 합성 저항은 다음과 같다.

① 분기점 a와 b 사이에서 저항 R_2와 R_3은 직렬연결되어 있으므로, R_2와 R_3의 합성 저항 $R_{23}=R_2+R_3$이다.

② 저항 R_1과 R_{23}은 병렬연결되어 있으므로, 전체 합성 저항 R의 역수

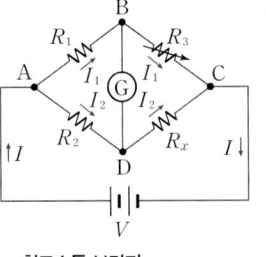

▲ 병렬연결에 직렬연결이 포함된 경우

$\dfrac{1}{R}=\dfrac{1}{R_1}+\dfrac{1}{R_{23}}=\dfrac{1}{R_1}+\dfrac{1}{R_2+R_3}$이다. 따라서 R는 다음과 같다.

$$R=\frac{R_1(R_2+R_3)}{R_1+R_2+R_3}$$

시야 확장 ➕ 휘트스톤 브리지

4개의 저항을 대칭으로 연결하여 미지의 저항을 정밀하게 측정할 수 있는 회로를 휘트스톤 브리지라고 한다. 그림은 저항 R_1, R_2, 가변 저항 R_3, 미지의 저항 R_x 그리고 검류계를 연결한 모습을 나타낸 것이다. R_3을 조절하여 검류계에 전류가 흐르지 않도록 하면 B점과 D점의 전위는 같아진다. 이는 R_1과 R_2 양단에 걸리는 전압이 같다는 것을 의미하므로, R_1과 R_2에 흐르는 전류를 각각 I_1, I_2라고 하면 $I_1 R_1=I_2 R_2$가 된다. 이때 R_1과 R_3, R_2와 R_x가 각각 직렬연결되어 있으므로, R_3과 R_x에 흐르는 전류도 각각 I_1, I_2이다. 또 R_3과 R_x 양단에 걸리는 전압도 같으므로, $I_1 R_3=I_2 R_x$가 된다. 따라서 다음과 같은 관계를 통해 R_x를 구할 수 있다.

▲ 휘트스톤 브리지

$$\frac{I_2}{I_1}=\frac{R_1}{R_2}=\frac{R_3}{R_x}$$

1. 그림과 같이 전압이 **40 V**로 일정한 전원에 저항값이 각각 **20 Ω, 10 Ω, 10 Ω**인 저항 A, B, C를 혼합 연결하였다.

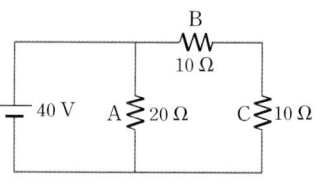

(1) 전체 합성 저항은 몇 Ω인지 구하시오.

(2) A, B, C에 흐르는 전류의 세기는 몇 A인지 각각 구하시오.

해설 (1) B와 C는 직렬연결되어 있으므로, B와 C의 합성 저항 $R_{BC} = 10\ \Omega + 10\ \Omega = 20\ \Omega$이다. 또 A와 B, C는 병렬연결되어 있으므로, 전체 합성 저항 R는 $\dfrac{1}{R} = \dfrac{1}{20\ \Omega} + \dfrac{1}{20\ \Omega} = \dfrac{1}{10\ \Omega}$에서 $R = 10\ \Omega$이다.

(2) 병렬연결되어 있는 A와 B, C의 양단에 각각 40 V가 걸리므로, A에는 $\dfrac{40\ V}{20\ \Omega} = 2$ A의 전류가, B, C에는 $\dfrac{40\ V}{20\ \Omega} = 2$ A의 전류가 흐른다. 이때 직렬연결되어 있는 B와 C에 흐르는 전류는 2 A로 같다.

정답 (1) 10 Ω (2) A: 2 A, B: 2 A, C: 2 A

2. 그림과 같이 전압이 **300 V**로 일정한 전원에 저항값이 각각 **80 Ω, 30 Ω, 15 Ω, 10 Ω**인 저항 A, B, C, D를 혼합 연결하였다.

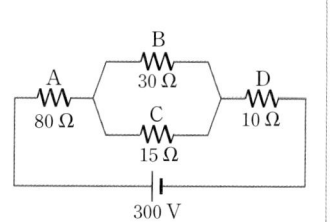

(1) A의 양단에 걸리는 전압은 몇 V인지 구하시오.

(2) B에 흐르는 전류의 세기는 몇 A인지 구하시오.

해설 (1) B와 C는 병렬연결되어 있으므로, B와 C의 합성 저항 R_{BC}는 $\dfrac{1}{R_{BC}} = \dfrac{1}{30\ \Omega} + \dfrac{1}{15\ \Omega} = \dfrac{1}{10\ \Omega}$에서 $R_{BC} = 10\ \Omega$이다. 또 A와 B, C 그리고 D는 직렬연결되어 있으므로, 전체 합성 저항 $R = 80\ \Omega + 10\ \Omega + 10\ \Omega = 100\ \Omega$이고, 전체 전류의 세기 $I = \dfrac{300\ V}{100\ \Omega} = 3$ A이다. 따라서 A와 B, C 그리고 D에는 각각 3 A의 전류가 흐르므로, A의 양단에 걸리는 전압 $V_A = 3\ A \times 80\ \Omega = 240\ V$이다.

(2) 병렬연결된 각 저항에 흐르는 전류는 각 저항의 크기에 반비례한다. 따라서 B와 C에 흐르는 전류의 비 $I_B : I_C = \dfrac{1}{30\ \Omega} : \dfrac{1}{15\ \Omega} = 1 : 2$이므로, 3 A의 전류가 B에는 1 A, C에는 2 A로 나뉘어 흐른다.

정답 (1) 240 V (2) 1 A

3. 그림과 같이 전압이 **30 V**로 일정한 전원에 저항값이 각각 **9 Ω, 10 Ω, 15 Ω**인 저항 A, B, C를 혼합 연결하였다.

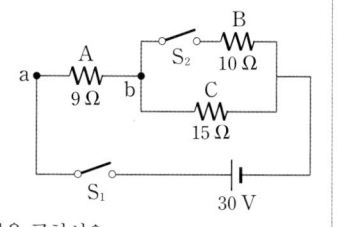

(1) 스위치 S_1만을 닫았을 때, A, C 각각에 흐르는 전류의 세기와 분기점 a와 b 사이에 걸리는 전압을 구하시오.

(2) 스위치 S_1과 S_2를 모두 닫았을 때, A, B, C 각각에 흐르는 전류의 세기와 분기점 a와 b 사이에 걸리는 전압을 구하시오.

해설 (1) S_1만을 닫으면 A와 C만 직렬연결되므로, 합성 저항 $R = 9\ \Omega + 15\ \Omega = 24\ \Omega$이고, 전체 전류의 세기 $I = \dfrac{30\ V}{24\ \Omega} = 1.25$ A이다. 이때 A와 C에 흐르는 전류는 1.25 A로 같다. 분기점 a와 b 사이에 걸리는 전압을 V_{ab}라고 하면, $V_{ab} = 1.25\ A \times 9\ \Omega = 11.25\ V$이다.

(2) S_1과 S_2를 모두 닫으면 B와 C는 병렬연결되므로, B와 C의 합성 저항 R_{BC}는 $\dfrac{1}{R_{BC}} = \dfrac{1}{10\ \Omega} + \dfrac{1}{15\ \Omega} = \dfrac{1}{6\ \Omega}$에서 $R_{BC} = 6\ \Omega$이다. 또 A와 B, C는 직렬연결되므로, 전체 합성 저항 $R = 9\ \Omega + 6\ \Omega = 15\ \Omega$이고, 전체 전류의 세기 $I = \dfrac{30\ V}{15\ \Omega} = 2$ A이다. 따라서 A와 B, C에는 각각 2 A의 전류가 흐른다. 이때 병렬연결된 B와 C에 흐르는 전류의 비 $I_B : I_C = \dfrac{1}{10\ \Omega} : \dfrac{1}{15\ \Omega} = 3 : 2$이므로, 2 A의 전류가 B에는 1.2 A, C에는 0.8 A로 나뉘어 흐른다. 또 분기점 a와 b 사이에 걸리는 전압을 V_{ab}라고 하면, $V_{ab} = 2\ A \times 9\ \Omega = 18\ V$이다.

정답 (1) A: 1.25 A, C: 1.25 A, 전압: 11.25 V (2) A: 2 A, B: 1.2 A, C: 0.8 A, 전압: 18 V

6 전기 에너지와 소비 전력

흐르는 물이 물레방아를 돌리는 일을 할 수 있는 것과 같이 전하의 흐름인 전류는 전동기를 돌리는 일을 할 수 있다.

1. 전기 에너지와 소비 전력

(1) 전기 에너지

① 전류가 흐를 때 공급되는 에너지를 전기 에너지라고 한다. 움직이는 전하는 회로에 열을 발생시키거나 전동기를 돌리는 등의 일을 하므로, 전하가 하는 일만큼의 전기 에너지가 감소하게 된다. 즉, 전하를 이동시킬 때 하는 일은 저항에서 소모되는 전기 에너지와 같다.

② 저항값이 R인 저항의 양단에 전압 V를 걸어 주었을 때 흐르는 전류의 세기가 I라면, 시간 t 동안 도선의 한 단면을 통과하는 전하량 $q=It$이므로, 공급되는 전기 에너지 W는 다음과 같다.

$$W = qV = VIt = I^2Rt = \frac{V^2}{R}t \text{ (단위: J)}$$

③ 전기 에너지의 단위로는 J(줄)을 사용한다.

(2) 소비 전력

① 단위 시간 동안 소비하거나 생산되는 전기 에너지의 양을 소비 전력이라고 한다.
② 저항값이 R인 저항의 양단에 전압 V를 걸어 주었을 때 흐르는 전류의 세기 I가 시간 t 동안 전기 에너지 W만큼의 일을 하였다면 소비 전력 P는 다음과 같다.

$$P = \frac{W}{t} = VI = I^2R = \frac{V^2}{R} \text{ (단위: W)}$$

③ 소비 전력의 단위로는 W(와트)를 사용한다. 1 V의 전위차로 1 A의 전류가 흐를 때의 소비 전력을 1 W라고 한다. 즉, 1초 동안에 1 J의 일을 하는 것과 같다.

$$1\text{ W} = 1\text{ V} \times 1\text{ A} = 1\text{ V·A} = 1\text{ J/s}$$

2. 저항의 연결과 소비 전력

(1) 저항의 직렬연결과 소비 전력

① 그림과 같이 저항 R_1과 R_2를 직렬연결한 경우 각 저항에 흐르는 전류의 세기가 같으므로, $P=I^2R$로부터 각 저항에서 소모되는 전력 P_1, P_2를 구하면 $P_1=I^2R_1$, $P_2=I^2R_2$이다. 즉, 각 저항에서 소모되는 전력은 각 저항에 비례한다. 이때 전체 소비 전력 $P = VI = \dfrac{V^2}{R_1+R_2}$이다.

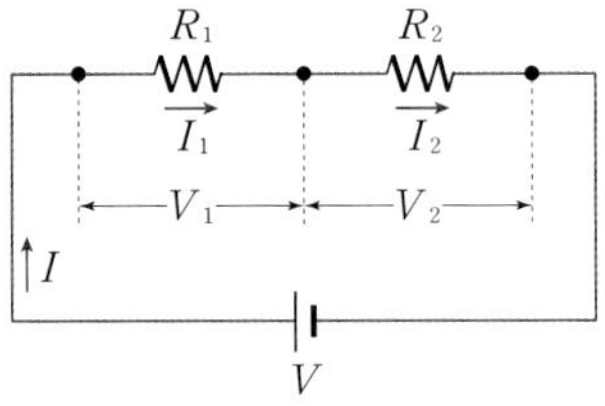

▲ 저항의 직렬연결에서의 소비 전력

② 회로에서 직렬연결한 저항의 개수가 증가할수록 합성 저항은 커진다. 이때 회로 전체에 걸리는 전압이 일정하므로, 회로에 흐르는 전류의 세기가 감소한다. 따라서 전체 소비 전력은 감소한다.

전력량

• 전력량: 전력은 단위 시간 동안에 소비하거나 생산되는 전기 에너지이므로, 어느 시간 동안에 사용한 전기 에너지의 총량은 전력(P)과 사용 시간(t)의 곱으로 구할 수 있다. 이 전기 에너지의 총량을 전력량 W라고 하며, W는 다음과 같이 나타낼 수 있다.

$$W = Pt$$

• 전력량의 단위: 전력량은 에너지이므로, 단위로 J(줄)을 사용해도 되지만, 실용적으로는 Wh(와트시)가 사용된다. 1 W의 전력으로 1시간 동안 사용한 전력량을 1 Wh라고 한다.

$$1\text{ Wh} = 1\text{ W} \times 3600\text{ s} = 3600\text{ J}$$

직렬연결의 활용

• 누전 차단기는 가정용 전기 기구에 직렬로 연결한다. 누전 차단기가 끊어지면 가정에 들어오는 모든 전류가 차단된다.

• 장식용 전구는 각 전구에 걸리는 전압이 작으므로, 가정용 220 V의 전원에 연결하여 사용하려면 여러 개의 장식용 전구를 직렬로 연결하여 전압 분할을 통해 각 전구에 적절한 전압이 걸리도록 해야 한다.

(2) 저항의 병렬연결과 소비 전력

① 그림과 같이 저항 R_1과 R_2를 병렬연결한 경우 각 저항의 양단에 걸리는 전압이 같으므로, $P=\dfrac{V^2}{R}$으로부터 각 저항에서 소모되는 전력 P_1, P_2를 구하면 $P_1=\dfrac{V^2}{R_1}$, $P_2=\dfrac{V^2}{R_2}$이다. 즉, 각 저항에서 소모되는 전력은 각 저항에 반비례한다. 이때 전체 소비 전력 $P=VI=V^2\left(\dfrac{1}{R_1}+\dfrac{1}{R_2}\right)$이다.

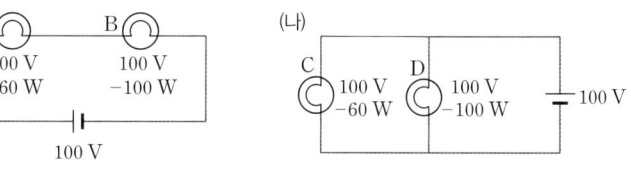

▲ 저항의 병렬연결에서의 소비 전력

② 회로에서 병렬연결한 저항의 개수가 증가할수록 합성 저항은 작아진다. 이때 회로 전체에 걸리는 전압이 일정하므로, 회로에 흐르는 전류의 세기는 증가한다. 따라서 전체 소비 전력은 증가한다.

예제

1. 그림 (가)는 전압이 **100 V**로 일정한 선원에 전구 **A**와 **B**를 직렬연결한 모습을, (나)는 전압이 **100 V**로 일정한 전원에 전구 **C**와 **D**를 병렬연결한 모습을 나타낸 것이다. 이때 A, C는 **100 V – 60 W**이고, B, D는 **100 V – 100 W**이다.

(가) A ⊙ 100 V –60 W   B ⊙ 100 V –100 W — 100 V

(나) C ⊙ 100 V –60 W   D ⊙ 100 V –100 W — 100 V

A~D를 밝은 전구부터 차례로 나열하시오. (단, 전구의 밝기는 소비 전력에 비례한다.)

해설 소비 전력 $P=\dfrac{V^2}{R}$에서 저항 $R=\dfrac{V^2}{P}$이므로, A, C의 저항은 $R_A=R_C=\dfrac{(100\,\text{V})^2}{60\,\text{W}}\fallingdotseq167\,\Omega$이고, B, D의 저항은 $R_B=R_D=\dfrac{(100\,\text{V})^2}{100\,\text{W}}=100\,\Omega$이다. (가)에서 직렬연결된 A와 B의 각 저항에서 소모되는 전력은 각 저항에 비례하므로, 소비 전력은 A가 B보다 크다. (나)에서 병렬연결된 C와 D의 각 저항에서 소모되는 전력은 저항에 반비례하므로, 소비 전력은 D가 C보다 크다. 그런데 합성 저항은 병렬연결일 때가 직렬연결일 때보다 작으므로, 소비 전력은 병렬연결일 때가 더 크다. 따라서 전구의 밝기는 D–C–A–B 순으로 밝다.

정답 D–C–A–B

2. 그림과 같이 전압이 **12 V**로 일정한 전원에 저항값이 각각 **3 Ω, 6 Ω**인 저항 **A, B**와 저항값을 알 수 없는 저항 **C**를 혼합 연결하였다. 스위치 **S**를 닫았을 때 회로에 흐르는 전체 전류의 세기는 **2 A**이다.

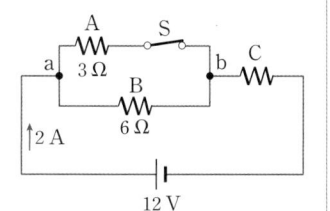

(1) C의 저항값은 몇 Ω인지 구하시오.

(2) C에서 소모되는 전력은 몇 W인지 구하시오.

(3) S를 열었을 때 분기점 a와 b 사이에 걸리는 전압은 몇 V인지 구하시오.

해설 (1) 병렬연결된 A와 B의 합성 저항 R_{AB}는 $\dfrac{1}{R_{AB}}=\dfrac{1}{3\,\Omega}+\dfrac{1}{6\,\Omega}=\dfrac{1}{2\,\Omega}$에서 $R_{AB}=2\,\Omega$이다. 또 직렬연결된 A, B와 C의 전체 합성 저항 $R=2\,\Omega+R_C$이다. 따라서 $2\,\Omega+R_C=\dfrac{12\,\text{V}}{2\,\text{A}}$이므로, $R_C=4\,\Omega$이다.

(2) 소비 전력 $P=I^2R$이므로, C에서 소모되는 전력 $P=(2\,\text{A})^2\times4\,\Omega=16\,\text{W}$이다.

(3) S를 열면 B와 C만 직렬연결되므로, 전체 전류의 세기 $I=\dfrac{12\,\text{V}}{10\,\Omega}=1.2\,\text{A}$이다. 따라서 분기점 a와 b 사이에 걸리는 전압을 V_{ab}라고 할 때 $V_{ab}=1.2\,\text{A}\times6\,\Omega=7.2\,\text{V}$이다.

정답 (1) 4 Ω (2) 16 W (3) 7.2 V

병렬연결의 활용

• 대부분의 가정용 전기 기구들은 전원에 병렬로 연결한다. 전원에 병렬로 연결하면 각 전기 기구를 사용하는 데 필요한 전압을 일정하게 유지할 수 있고, 하나의 전기 기구를 분리하더라도 다른 전기 기구를 정상적으로 사용할 수 있다.

• 멀티탭은 여러 전기 기구를 병렬로 연결하는 기구이다. 그러나 한꺼번에 너무 많은 전기 기구를 연결하여 사용하면 멀티탭의 전선에 허용 전류보다 더 센 전류가 흐르므로, 발열로 인한 화재의 위험이 생긴다. 이 때문에 과전류 차단 장치가 직렬로 연결된 멀티탭이 개발되었다.

저항의 직렬연결과 병렬연결의 특징

• 직렬연결된 저항 중 하나가 끊어지면 회로 전체에 전류가 흐르지 않는다.

• 병렬연결된 저항 중 하나가 끊어져도 다른 저항에는 계속 전류가 흐른다.

예제 1의 소비 전력의 수학적 풀이

• (가) 회로에서 A와 B의 합성 저항: $R_{(가)}=\dfrac{800}{3}\,\Omega$

• (가) 회로의 전류: $I_{(가)}=\dfrac{100\,\text{V}}{\dfrac{800}{3}\,\Omega}=\dfrac{3}{8}\,\text{A}$

• (가)에서 A의 소비 전력: $P_A=I_{(가)}{}^2R_A=\left(\dfrac{3}{8}\,\text{A}\right)^2\times\dfrac{(100\,\text{V})^2}{60\,\text{W}}=\dfrac{375}{16}\,\text{W}$

• (가)에서 B의 소비 전력: $P_B=I_{(가)}{}^2R_B=\left(\dfrac{3}{8}\,\text{A}\right)^2\times100\,\Omega=\dfrac{225}{16}\,\text{W}$

• (나)에서 C와 D는 모두 정격 전압인 100 V가 걸리므로, 소비 전력은 각각의 정격 소비 전력과 같다.

탐구

저항의 직렬연결과 병렬연결 비교

저항의 직렬연결과 병렬연결에서 전류와 전압의 특징을 비교할 수 있다.

과정

1 저항값이 각각 1 Ω, 2 Ω인 저항을 직렬로 연결하고, 각 저항의 양단에 걸리는 전압과 각 저항에 흐르는 전류의 세기를 측정한다. 또 회로 전체에 걸리는 전압과 회로에 흐르는 전류의 세기를 측정한다.

2 저항값이 각각 1 Ω, 2 Ω인 저항을 병렬로 연결하고, 각 저항의 양단에 걸리는 전압과 각 저항에 흐르는 전류의 세기를 측정한다. 또 회로 전체에 걸리는 전압과 회로에 흐르는 전류의 세기를 측정한다.

저항의 직렬연결   저항의 병렬연결

유의점

전원으로 전지를 사용할 경우 내부 저항이 있음을 고려하여 결과를 해석한다.

브레드보드

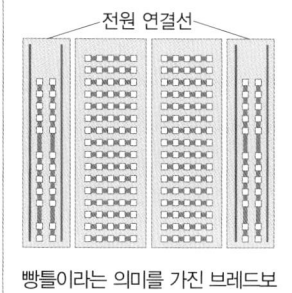

전원 연결선

빵틀이라는 의미를 가진 브레드보드는 납땜이 필요 없고, 회로 수정이 쉬워 유용하게 사용된다. 그림과 같이 브레드보드 내부는 부분적으로 연결되어 있다. 가로줄은 5개의 구멍이 연결되어 전류가 통하지만, 세로줄은 전류가 통하지 않는다. 단, 전원 연결선은 세로로만 통한다.

결과

위 실험을 측정한 결과는 다음과 같다.

구분	저항의 직렬연결		저항의 병렬연결	
	전압	전류	전압	전류
1 Ω인 저항	3 V	3 A	9 V	9 A
2 Ω인 저항	6 V	3 A	9 V	4.5 A
회로 전체	9 V	3 A	9 V	13.5 A

정리

구분	저항의 직렬연결	저항의 병렬연결
전류	전체 전류의 세기는 각 저항에 흐르는 전류의 세기와 같다.	전체 전류의 세기는 각 저항에 흐르는 전류의 세기의 합과 같다.
전압	전체 전압은 각 저항의 양단에 걸리는 전압의 합과 같다.	전체 전압은 각 저항의 양단에 걸리는 전압과 같다.

탐구 확인 문제

> 정답과 해설 169쪽

01 위 실험에 대한 설명으로 옳은 것은?

① 직렬연결에서 각 저항의 양단에 걸리는 전압은 모두 같다.

② 직렬연결에서 저항값이 큰 저항에 센 전류가 흐른다.

③ 병렬연결에서 각 저항에 흐르는 전류의 세기는 같다.

④ 직렬연결하는 저항의 개수를 증가시키면 각 저항의 양단에 걸리는 전압은 감소한다.

⑤ 병렬연결하는 저항의 개수를 증가시키면 각 저항에 흐르는 전류의 세기는 증가한다.

02 전압이 일정한 전원 장치에 동일한 저항 2개를 각각 직렬연결한 회로 A와 병렬연결한 회로 B가 있다.

(1) A와 B의 각 저항 1개에 흐르는 전류의 세기를 비교하시오.

(2) A와 B의 회로 전체에서 소모되는 전력을 비교하시오.

심화

키르히호프 법칙

전원과 저항이 단순하게 연결되어 있는 회로에서는 옴의 법칙만으로도 각 저항에 흐르는 전류의 세기나 각 저항의 양단에 걸리는 전압을 쉽게 계산할 수 있지만, 여러 개의 전원과 저항이 복잡하게 연결되어 있는 회로에서는 이를 계산하기가 어렵다. 이와 같은 다중 회로에서는 전류와 전압을 어떻게 구할 수 있는지 살펴보도록 하자.

다중 회로에서 각 저항에 흐르는 전류의 세기나 각 저항의 양단에 걸리는 전압은 키르히호프 법칙을 이용하여 구하면 편리하다.

❶ 키르히호프 제1법칙

닫힌 회로의 한 접합점에 들어오는 전류의 합은 그 접합점에서 나가는 전류의 합과 같다. 그림과 같이 여러 회로가 P점에서 만날 때 P점에 들어오는 전류와 나가는 전류의 합은 같다. P점에 들어오는 전류를 I_1, I_2라고 하고, P점에서 나가는 전류를 I_3, I_4, I_5라고 하면 $I_1 + I_2 = I_3 + I_4 + I_5$이다. 이때 P점에 들어오는 전류를 (+), P점에서 나가는 전류를 (−)라고 하면, 키르히호프 제1법칙은 다음과 같다.

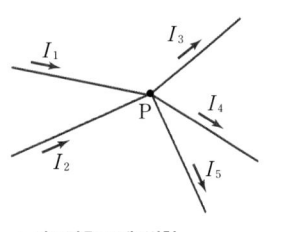

▲ 키르히호프 제1법칙

$$\sum_{i=1}^{n} I_i = 0$$

전류의 세기는 단위 시간 동안 도선의 한 단면을 통과하는 전하량이므로, 키르히호프 제1법칙은 전하량 보존 법칙의 확장이다.

❷ 키르히호프 제2법칙

임의의 닫힌 회로에서 회로 내 모든 전압의 합은 0이다. 즉, 임의의 닫힌 회로를 따라 한 바퀴 돌 때 그 회로의 기전력의 총합은 각 저항에 의한 전압 강하의 합과 같다. 키르히호프 제2법칙을 사용할 때는 먼저 회로를 분석하는 방향(시계 방향 또는 반시계 방향)을 정하고, 그 방향으로 돌아가면서 기전력 E와 저항에 의한 전압 강하 IR의 부호를 정한다. 이

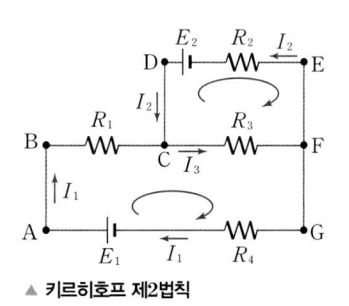

▲ 키르히호프 제2법칙

때 부호는 전압이 높아질 때를 (+), 전압이 낮아질 때를 (−)라고 한다. 즉, 키르히호프 제2법칙은 다음과 같다.

$$\sum_{k=1} E_k + \sum_{i,\,j=1} I_i R_j = 0$$

그림과 같이 화살표 방향으로 회로를 돌 때 키르히호프 제2법칙을 이용하면 다음과 같다.

- ABCFG 회로: $E_1 - I_1 R_1 - I_3 R_3 - I_1 R_4 = 0$
- CDEF 회로: $-E_2 + I_2 R_2 + I_3 R_3 = 0$
- ABCDEFG 회로: $E_1 - I_1 R_1 - E_2 + I_2 R_2 - I_1 R_4 = 0$

키르히호프 제2법칙의 양변에 전류 I_i를 곱하면 $\sum_{k,\,i=1} E_k I_i + \sum_{i,\,j=1} I_i^2 R_j = 0$이 되는데, 이때 $E_k I_i$는 전원에서 공급하는 전력이고, $I_i^2 R_j$는 저항에서 소모되는 전력이므로, 키르히호프 제2법칙은 에너지 보존 법칙을 의미한다. 또 옴의 법칙 $V = IR$는 $V - IR = 0$으로 표현할 수 있으므로, 키르히호프 제2법칙의 가장 간단한 형태이다.

키르히호프 법칙에서 전압 부호의 변환

· 전원을 지날 때

$$+V$$

$$-V$$

· 저항을 지날 때

$$-IR$$

$$+IR$$

개념 모아

정리하기

02 저항의 연결과 전기 에너지

① 전위와 전위차

1. 전위 전기장 내에서 단위 양전하(+1 C)가 가지는 (❶)에 의한 퍼텐셜 에너지
- 전기장 내에서 기준점으로부터 어떤 한 지점까지 단위 양전하(+1 C)를 이동시키는 데 필요한 일과 같다.

2. 전위차(전압) 전기장 내에서 두 지점 사이의 (❷)의 차이로, 전하량이 +q인 전하를 B점에서 A점까지 이동시키는 데 W만큼의 일을 했다면, A점과 B점 사이의 전위차 V는 다음과 같다.

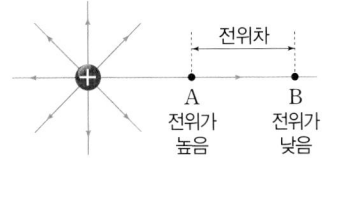

$$V = \frac{W}{q} \text{ (단위: V)}$$

- 균일한 전기장 내에서의 전위차: 세기가 E인 균일한 전기장 내에서 전하량이 +q인 전하를 B에서 거리 d만큼 떨어진 A로 이동시키는 데 W만큼의 일을 했다면, A와 B 사이의 전위차 V는 다음과 같다.

$$V = Ed$$

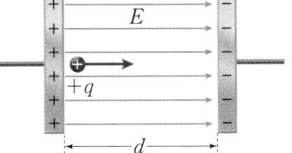

② 등전위면

1. 등전위면 전기장 내에서 전위가 같은 지점을 연결하여 얻어지는 면

2. 등전위면의 특징
- 등전위면 위의 모든 지점에서는 전위가 같으므로, 전위차는 0이다.
- 전하가 전기장으로부터 받는 힘의 방향은 등전위면에 (❸)이다.
- 등전위면이 조밀할수록 그 위치에서 전기장의 세기는 (❹).
- 등전위면에서 전하를 이동시킬 때는 일을 하지 않는다.
- 전기장 내에서 도체 표면과 내부는 등전위면을 이룬다.
- 두 대전체를 접촉시키면 전하량의 일부가 상쇄되어 알짜 전하량만 남게 되는데, 이때 접촉된 두 대전체의 표면이 등전위면이 되도록 알짜 전하량이 재분배된다.

③ 전류

1. 전류 전하의 흐름
- 전류의 방향: 전자의 이동 방향과 (❺) 방향이다.
- 전류의 세기: 시간 t 동안 도선의 한 단면을 통과하는 전하량이 Q일 때, 전류의 세기 I는 다음과 같다.

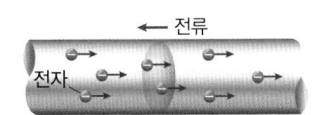

$$I = \frac{Q}{t} \text{ (단위: A)}$$

2. 전기 회로에서의 전류 도선에 흐르는 전류의 세기는 일정하게 (❻)된다.

④ 옴의 법칙과 저항

1. 옴의 법칙 전류의 세기가 전위차에 (❼)한다는 법칙

2. 전기 저항(R) 전류의 세기(I)에 대한 전위차(V)의 비

$$R = \frac{V}{I} \text{ (단위: Ω)}$$

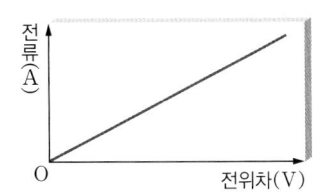

3. **도선의 전기 저항** 도선의 전기 저항 R는 도선의 길이 l에 비례하고, 도선의 단면적 S에 (**❽**)한다.

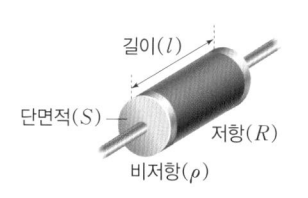

$$R=\rho\frac{l}{S}$$

- (**❾**)은 물질의 고유한 값으로, 물질의 종류와 온도에 따라 달라지며, 길이가 1 m, 단면적이 1 m^{2}인 물질의 저항값을 나타낸다.

⑤ 저항의 연결

1. **저항의 직렬연결** 전류가 연속해서 각 저항에 흐르도록 저항을 연결하는 방법
2. **저항의 (❿**)**연결** 전류가 각 저항에 나누어져 흐르도록 저항을 연결하는 방법

⑥ 전기 에너지와 소비 전력

1. **전기 에너지** 전류가 흐를 때 공급되는 에너지로, 저항값이 R인 저항의 양단에 전압 V를 걸어 주었을 때 흐르는 전류의 세기가 I라면, 시간 t 동안 공급되는 전기 에너지 W는 다음과 같다.

$$W=qV=VIt=I^2Rt=\frac{V^2}{R}t \ (단위: J)$$

2. **소비 전력** 단위 시간 동안 소비하거나 생산되는 (**⓫**)의 양으로, 저항값이 R인 저항의 양단에 전압 V를 걸어 주었을 때 흐르는 전류의 세기 I가 시간 t 동안 전기 에너지 W만큼의 일을 하였다면 소비 전력 P는 다음과 같다.

$$P=\frac{W}{t}=VI=I^2R=\frac{V^2}{R} \ (단위: W)$$

⑦ 저항의 연결 비교

저항의 직렬연결과 병렬연결 비교

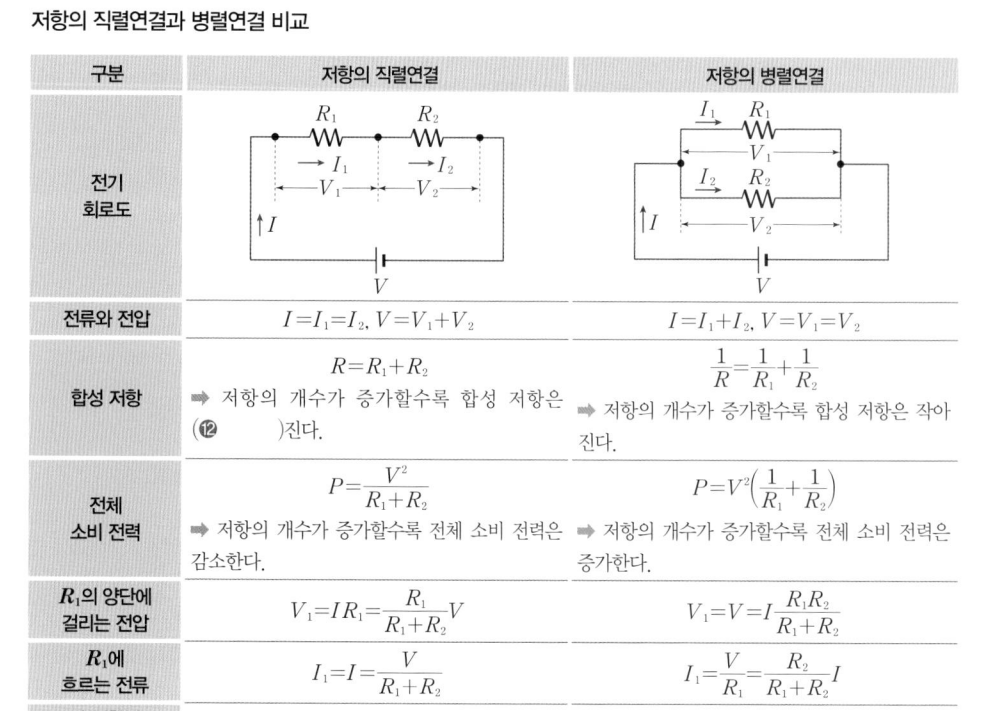

구분	저항의 직렬연결	저항의 병렬연결
전기 회로도		
전류와 전압	$I=I_1=I_2,\ V=V_1+V_2$	$I=I_1+I_2,\ V=V_1=V_2$
합성 저항	$R=R_1+R_2$ ➡ 저항의 개수가 증가할수록 합성 저항은 (**⓬**)진다.	$\frac{1}{R}=\frac{1}{R_1}+\frac{1}{R_2}$ ➡ 저항의 개수가 증가할수록 합성 저항은 작아진다.
전체 소비 전력	$P=\frac{V^2}{R_1+R_2}$ ➡ 저항의 개수가 증가할수록 전체 소비 전력은 감소한다.	$P=V^2\left(\frac{1}{R_1}+\frac{1}{R_2}\right)$ ➡ 저항의 개수가 증가할수록 전체 소비 전력은 증가한다.
R_1의 양단에 걸리는 전압	$V_1=IR_1=\frac{R_1}{R_1+R_2}V$	$V_1=V=I\frac{R_1R_2}{R_1+R_2}$
R_1에 흐르는 전류	$I_1=I=\frac{V}{R_1+R_2}$	$I_1=\frac{V}{R_1}=\frac{R_2}{R_1+R_2}I$
각 저항의 소비 전력	$P_1:P_2=$(**⓭**)	$P_1:P_2=\frac{1}{R_1}:\frac{1}{R_2}$

01 그림 (가)는 $x=0$인 점에 고정된 점전하의 모습을 나타낸 것이고, (나)는 점전하에 의한 전위를 위치 x에 따라 나타낸 것이다.

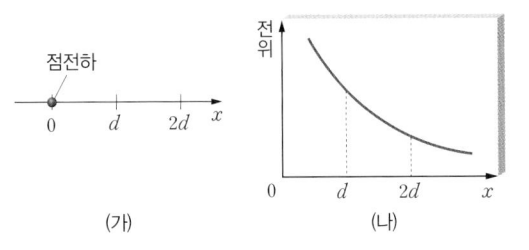

(가)　(나)

이에 대한 설명으로 옳은 것만을 보기에서 있는 대로 고르시오.

보기
ㄱ. 점전하는 (+)전하이다.
ㄴ. 전기장의 세기는 $x=d$인 지점에서가 $x=2d$인 지점에서보다 크다.
ㄷ. $x=d$인 지점에 (+)전하를 가만히 놓으면, (+)전하의 속력은 $x=2d$인 지점까지 증가한다.

02 그림은 균일한 전기장 영역에서 전하량이 $+1$ C인 점전하 A가 $+x$ 방향으로 운동하여 p점을 지나 q점에서 정지한 후, 다시 $-x$ 방향으로 운동하고 있는 모습을 나타낸 것이다. 이때 실선은 등전위선을 나타낸 것이다.

등전위선

p　A　q
$+1$ C　정지　x

0 V　1 V　2 V　3 V　4 V　5 V

이에 대한 설명으로 옳은 것만을 보기에서 있는 대로 고르시오. (단, 전자기파의 발생은 무시한다.)

보기
ㄱ. A는 $(-)$전하이다.
ㄴ. q에서 A에 작용하는 전기력은 0이다.
ㄷ. A가 p를 지날 때 운동 에너지는 3 J이다.

03 어떤 구리 도선에 세기가 0.8 A인 전류가 흐르고 있다.

(1) 1분 동안 이 구리 도선의 한 단면을 통과하는 전하량은 몇 C인지 구하시오.

(2) 1분 동안 이 구리 도선의 한 단면을 통과하는 자유 전자의 수는 몇 개인지 구하시오. (단, 자유 전자 1개의 전하량은 1.6×10^{-19} C이다.)

04 그림은 전압이 일정한 전원 장치에 원통형 저항과 전류계를 연결한 모습을 나타낸 것이다. 이때 전류계로 측정한 전류의 세기는 I_0이다.

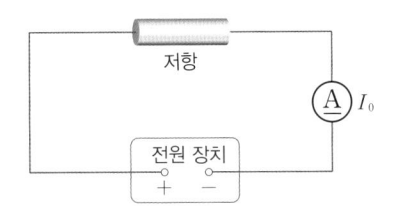

저항
A I_0
전원 장치
$+$　$-$

저항의 부피는 일정하게 유지한 채 길이를 2배로 고르게 늘였을 때와 $\frac{1}{2}$배로 고르게 줄였을 때, 저항에 흐르는 전류의 세기를 각각 구하시오. (단, 저항의 비저항은 일정하다.)

05 그림은 두 원통형 도체 막대 A와 B의 전압과 전류의 관계를 나타낸 것이고, 표는 A와 B의 길이와 단면적을 나타낸 것이다.

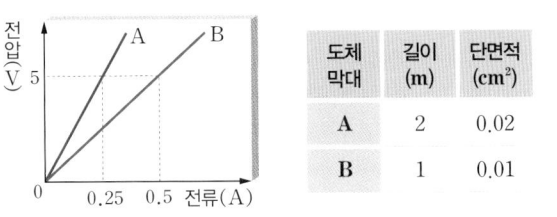

도체 막대	길이 (m)	단면적 (cm²)
A	2	0.02
B	1	0.01

A와 B의 비저항을 각각 ρ_A, ρ_B라고 할 때, $\dfrac{\rho_A}{\rho_B}$를 구하시오.

06 그림은 전압이 일정한 전원에 저항 R와 가변 저항 R_1, R_2, R_3을 연결한 모습을 나타낸 것이다.

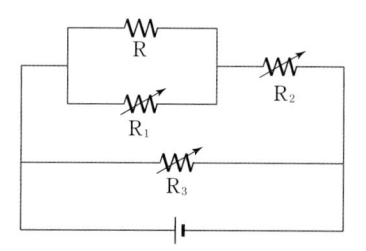

$R_1 \sim R_3$ 중 하나의 저항값만 증가시킬 때 R에 흐르는 전류의 세기가 증가하는 경우만을 모두 쓰시오.

07 그림은 전압이 일정한 전원 장치에 동일한 저항 4개와 스위치 S를 연결한 모습을 나타낸 것이다.

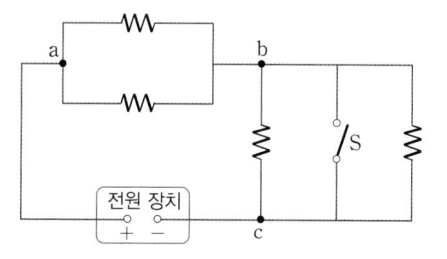

열려 있던 S를 닫았을 때, a점에 흐르는 전류의 세기의 변화와 b점과 c점 사이의 전위차의 변화를 쓰시오.

08 그림 (가), (나)는 전압이 일정한 전원에 저항값이 3 Ω, 3 Ω, 6 Ω인 저항을 각각 연결한 모습을 나타낸 것이다.

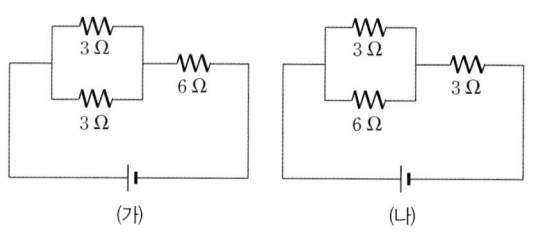

(가), (나)에서 저항값이 6 Ω인 저항에 흐르는 전류의 세기를 각각 $I_{(가)}$, $I_{(나)}$라고 할 때, $I_{(가)} : I_{(나)}$를 구하시오.

09 그림은 전압이 200 V로 일정한 전원에 저항값이 200 Ω인 저항을 병렬연결하는 모습을 나타낸 것이다.

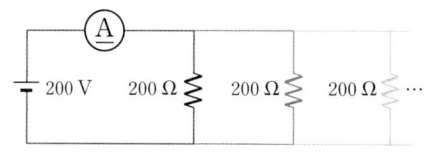

병렬연결하는 저항의 개수를 증가시킬 때에 대한 설명으로 옳은 것만을 보기에서 있는 대로 고르시오.

보기
ㄱ. 각 저항의 양단에 걸리는 전압이 감소한다.
ㄴ. 전류계에 흐르는 전류의 세기가 증가한다.
ㄷ. 회로 전체의 소비 전력이 증가한다.

10 그림 (가), (나)는 동일한 전원에 저항값이 R_1, R_2인 저항을 각각 연결한 모습을 나타낸 것이다.

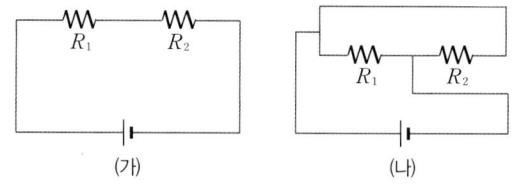

이에 대한 설명으로 옳은 것만을 보기에서 있는 대로 고르시오.

보기
ㄱ. (나)에서 R_1과 R_2의 양단에 걸리는 전압은 같다.
ㄴ. R_1에 흐르는 전류의 세기는 (가)와 (나)에서가 같다.
ㄷ. R_2의 소비 전력은 (나)에서가 (가)에서보다 크다.

11 그림과 같이 전압이 18 V로 일정한 전원 장치에 저항값이 각각 R_1, R_2, 6 Ω인 저항 A, B, C를 연결하였더니 A, B, C의 소비 전력의 비가 6 : 2 : 1이었다.

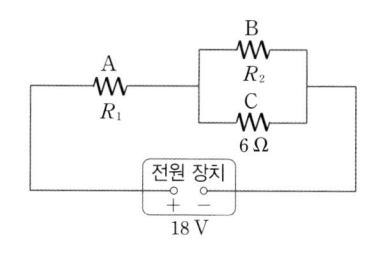

A, B의 양단에 걸리는 전압을 각각 V_1, V_2라고 할 때, $R_1 : R_2$와 $V_1 : V_2$를 각각 구하시오.

01 ＞ 전위와 전위차

그림 (가)는 전기장 내에서의 전위를 위치 x에 따라 나타낸 것이고, (나)는 (가)의 $x=0$, $x=3d$인 지점에 전하량과 질량이 같은 대전 입자 A, B를 각각 가만히 놓았을 때 A와 B가 화살표 방향으로 운동하기 시작하는 모습을 나타낸 것이다.

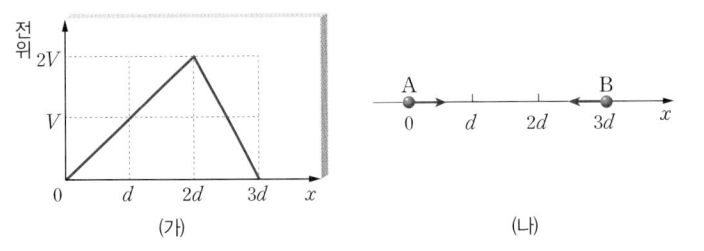

이에 대한 설명으로 옳은 것만을 보기에서 있는 대로 고른 것은?

> 보기

ㄱ. A와 B는 같은 종류의 전하이다.

ㄴ. A와 B는 $x=2d$인 지점에서 만난다.

ㄷ. A와 B가 만나는 지점에서 A와 B의 운동 에너지는 같다.

① ㄴ　　　② ㄷ　　　③ ㄱ, ㄴ　　　④ ㄱ, ㄷ　　　⑤ ㄴ, ㄷ

• 대전 입자에 작용하는 힘의 크기는 전기장의 세기에 비례한다.

02 ＞ 전위차와 전기장

그림은 xy 평면에서 A점에 대전 입자를 가만히 놓아 대전 입자가 전기장 영역 Ⅰ에서 $+x$ 방향으로 등가속도 직선 운동을 한 후, B점을 지나 전기장 영역 Ⅱ에서 포물선 운동을 하여 C 점에 도달할 때까지의 운동 경로를 나타낸 것이다. 대전 입자의 전하량은 $+q$, 질량은 m이고, A와 B 사이의 전위차는 V, 전기장 영역 Ⅱ에서 전기장의 세기는 E이고 방향은 $-y$ 방향이다. 이때 대전 입자가 B에서 C까지 x 방향으로 이동한 거리는 R이다.

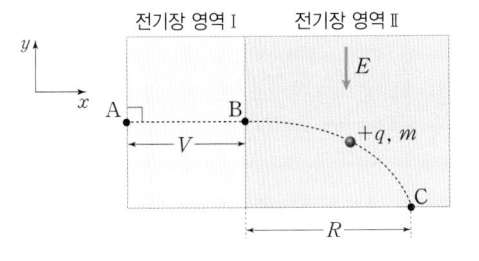

C에 도달하는 순간 대전 입자의 속력은? (단, 입자의 크기와 가속 운동에 의한 전자기파 방출은 무시한다.)

① $\sqrt{\dfrac{q(V^2+E^2R^2)}{2mV}}$ 　　② $\sqrt{\dfrac{q(2V^2+E^2R^2)}{2mV}}$ 　　③ $\sqrt{\dfrac{q(4V^2+E^2R^2)}{2mV}}$

④ $\sqrt{\dfrac{2q(V^2+E^2R^2)}{mV}}$ 　　⑤ $\sqrt{\dfrac{2q(4V^2+E^2R^2)}{mV}}$

• 대전 입자는 전기장 영역 Ⅰ에서 $+x$ 방향으로, 전기장 영역 Ⅱ에서 $-y$ 방향으로 등가속도 운동을 한다.

03 › 옴의 법칙과 저항

그림은 전압이 일정한 전원 장치에 원통형 도체 막대, 저항, 전류계를 연결하여 만든 전기 저울의 모습을 간단히 나타낸 것이다. 저울접시에 물체를 올려놓으면 저울접시가 아래로 내려가 a점과 도체 막대의 접점이 도체 막대의 아래 부분으로 내려간다.

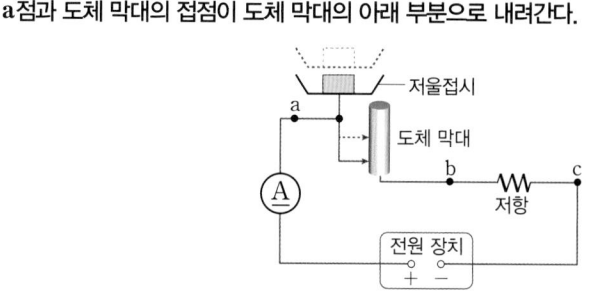

> • 저울접시에 물체를 올려놓으면 도체 막대에 의한 저항이 감소한다.

저울접시에 물체를 올려놓은 후가 올려놓기 전보다 큰 값을 갖는 물리량만을 보기에서 있는 대로 고른 것은?

> **보기**
>
> ㄱ. b점과 c점 사이의 전위차
> ㄴ. 전류계에 흐르는 전류의 세기
> ㄷ. 저항의 소비 전력

① ㄱ　　　② ㄴ　　　③ ㄱ, ㄷ　　　④ ㄴ, ㄷ　　　⑤ ㄱ, ㄴ, ㄷ

04 › 옴의 법칙과 저항의 직렬연결

그림 (가)는 전압이 14 V로 일정한 전원 장치에 저항값이 각각 5 Ω, R_1, R_2인 저항과 스위치 S_1, S_2를 연결한 모습을 나타낸 것이다. 그림 (나)는 (가)에서 S_1을 닫고 S_2를 a에 연결하였을 때부터 전류계에 흐르는 전류의 세기를 시간에 따라 나타낸 것으로, 10초일 때 S_1을 열고 S_2를 b에 연결하였다.

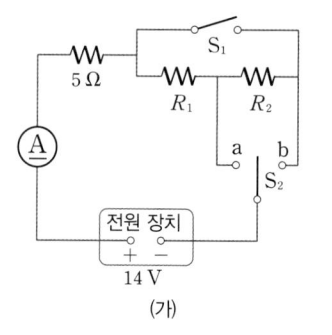

> • S_1을 닫고 S_2를 a에 연결하면 R_1과 R_2가 병렬연결되고, S_1을 열고 S_2를 b에 연결하면 R_1과 R_2가 직렬연결된다.

5초일 때, R_1에 흐르는 전류의 세기는?(단, $R_1 > R_2$이다.)

① $\frac{1}{6}$ A　　② $\frac{1}{3}$ A　　③ $\frac{2}{3}$ A　　④ $\frac{3}{4}$ A　　⑤ $\frac{4}{3}$ A

05 ❯ 옴의 법칙과 저항의 병렬연결

그림은 전원 장치에 저항 A, B, C와 스위치 S, 전류계를 연결한 모습을 나타낸 것이다. 표는 S를 a 또는 b에 연결하였을 때 전류계에 흐르는 전류의 세기를 전원 장치의 전압에 따라 나타낸 것이다.

• S를 a에 연결하면 A와 C가 병렬연결되고, S를 b에 연결하면 B와 C가 병렬연결된다.

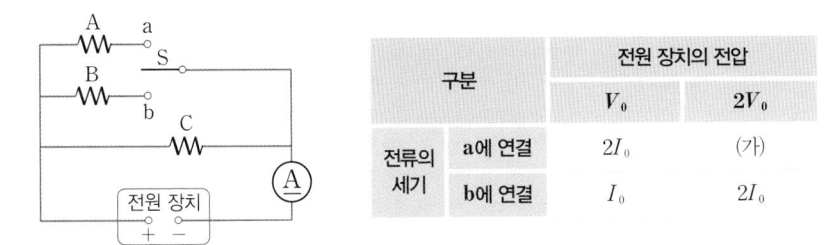

구분		전원 장치의 전압	
		V_0	$2V_0$
전류의 세기	a에 연결	$2I_0$	(가)
	b에 연결	I_0	$2I_0$

이에 대한 설명으로 옳은 것만을 보기에서 있는 대로 고른 것은?

보기
ㄱ. (가)는 $4I_0$이다.
ㄴ. 저항값은 B가 A의 2배이다.
ㄷ. 전원 장치의 전압이 일정할 때 C에 흐르는 전류의 세기는 S를 b에 연결할 때가 a에 연결할 때보다 크다.

① ㄱ   ② ㄴ   ③ ㄱ, ㄴ   ④ ㄱ, ㄷ   ⑤ ㄴ, ㄷ

06 ❯ 저항의 혼합 연결과 비저항

그림 (가)는 전원 장치에 2개의 원통형 도체 막대 A와 1개의 원통형 도체 막대 B를 연결한 모습을 나타낸 것이다. 이때 도체 막대의 길이는 B가 A의 2배이고, 단면적은 A와 B가 같다. 그림 (나)는 (가)에서 p점과 q점에 흐르는 전류의 세기를 전원 장치의 전압에 따라 나타낸 것이다.

• 저항값이 일정할 때 전류 – 전압 그래프에서 기울기의 역수는 저항을 나타낸다.

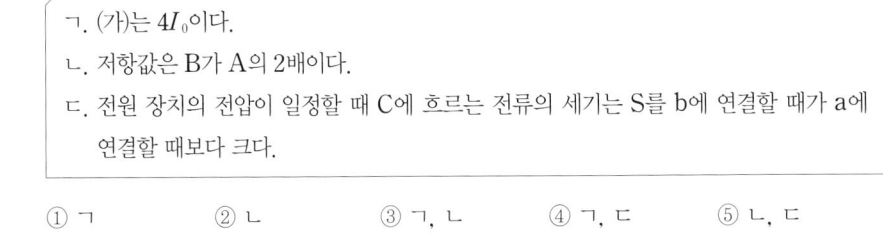

(가)

(나)

이에 대한 설명으로 옳은 것만을 보기에서 있는 대로 고른 것은?

보기
ㄱ. B에 흐르는 전류의 세기는 p에 흐르는 전류의 세기보다 세다.
ㄴ. 저항값은 A와 B가 같다.
ㄷ. 비저항은 A가 B의 2배이다.

① ㄱ   ② ㄷ   ③ ㄱ, ㄴ   ④ ㄴ, ㄷ   ⑤ ㄱ, ㄴ, ㄷ

07 > 저항의 혼합 연결

그림은 전압이 6 V로 일정한 전원에 저항값이 각각 200 Ω, 400 Ω, 3 kΩ, R인 저항 A, B, C, D를 연결한 모습을 나타낸 것이다. 이때 A에 흐르는 전류의 세기는 D에 흐르는 전류의 세기의 10배이다.

• A와 B의 양단에 걸리는 전압의 비는 각 저항의 비와 같다.

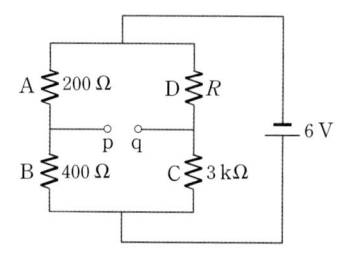

이에 대한 설명으로 옳은 것만을 보기에서 있는 대로 고른 것은?

보기
ㄱ. R는 3 kΩ이다.
ㄴ. p점과 q점 사이의 전위차는 1 V이다.
ㄷ. B의 양단에 걸리는 전압은 4 V이다.

① ㄱ   ② ㄷ   ③ ㄱ, ㄴ   ④ ㄴ, ㄷ   ⑤ ㄱ, ㄴ, ㄷ

08 > 저항의 혼합 연결

그림 (가)는 전원 장치에 저항값이 각각 6 Ω, R, 3 Ω인 저항과 스위치 S_1, S_2, 전류계를 연결한 모습을 나타낸 것이다. 그림 (나)는 (가)에서 S_2를 열고 S_1만 닫았을 때 전류계에 흐르는 전류의 세기를 전원 장치의 전압에 따라 나타낸 것이다.

• S_1과 S_2를 모두 닫으면 R에는 전류가 흐르지 않는다.

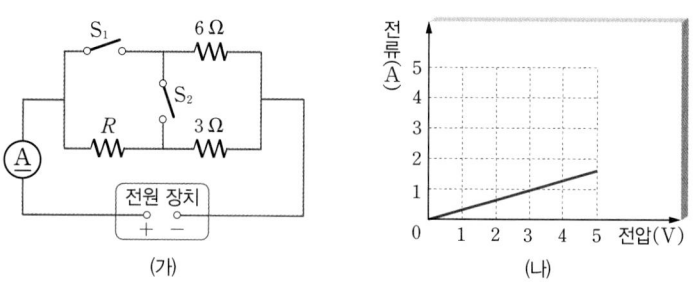

이에 대한 설명으로 옳은 것만을 보기에서 있는 대로 고른 것은?

보기
ㄱ. R는 6 Ω이다.
ㄴ. S_1을 열고 S_2만 닫았을 때 회로의 전체 합성 저항은 5 Ω이다.
ㄷ. 전원 장치의 전압을 6 V로 하고 S_1과 S_2를 모두 닫으면, 전류계에는 3 A의 전류가 흐른다.

① ㄱ   ② ㄷ   ③ ㄱ, ㄴ   ④ ㄱ, ㄷ   ⑤ ㄴ, ㄷ

> 저항의 혼합 연결

그림은 저항값이 각각 R_1, R_2, R_3, R_4인 저항과 전류계를 연결한 모습을 나타낸 것이다. 표는 세 단자 a, b, c 중 두 개의 단자 사이에 24 V의 전압을 걸었을 때 전류계에 흐르는 전류의 세기를 나타낸 것이다.

연결 단자		전류의 세기
실험 I	a, b	6 A
실험 II	a, c	4 A
실험 III	b, c	3 A

- a와 b 단자 사이에 24 V를 걸어 주면 R_1의 양단에 걸리는 전압은 24 V이다.

이에 대한 설명으로 옳은 것만을 보기에서 있는 대로 고른 것은?

보기
ㄱ. R_1은 4 Ω이다.
ㄴ. $R_3 = 2R_4$이다.
ㄷ. 어느 두 단자를 연결하더라도 R_1과 R_2의 양단에 걸리는 전압은 서로 같다.

① ㄱ ② ㄷ ③ ㄱ, ㄴ ④ ㄴ, ㄷ ⑤ ㄱ, ㄴ, ㄷ

---

10 > 저항의 혼합 연결과 전기 에너지

그림은 전압이 일정한 전원 장치에 저항 A, B, C, D를 연결한 모습을 나타낸 것이다. 표는 회로에 일정한 시간 동안 전류가 흐르도록 하였을 때 각 저항에서 소모된 전기 에너지를 측정하여 나타낸 것이다.

저항	전기 에너지
A	800 J
B	600 J
C	400 J
D	200 J

- 저항을 직렬연결하면 각 저항에 흐르는 전류의 세기가 같고, 저항을 병렬연결하면 각 저항의 양단에 걸리는 전압이 같다.

A~D의 저항값을 각각 R_A, R_B, R_C, R_D라고 할 때, $R_A : R_B : R_C : R_D$는?

① 1 : 2 : 3 : 4
② 1 : 3 : 2 : 1
③ 3 : 4 : 6 : 12
④ 4 : 4 : 2 : 1
⑤ 4 : 3 : 2 : 1

03 트랜지스터

학습 Point 　트랜지스터의 구조 〉 트랜지스터의 기능 〉 바이어스 전압 〉 저항을 이용한 전압 분할

1 트랜지스터의 구조

트랜지스터의 어원은 '변화하는 저항을 통한 신호 변환기'에서 유래하였으며, 이는 외부의 신호를 옮겨서 저항의 특성을 그 외부의 신호에 맞춰 변화시킨다는 뜻을 가진다.

1. 트랜지스터의 구조

(1) **트랜지스터**: 약한 신호를 크게 하는 증폭 작용과 신호를 끄거나 켜는 스위칭 작용을 하는 반도체 소자를 트랜지스터라고 한다. 이러한 트랜지스터는 매우 작게 만들 수 있고, 소비 전력이 작으며, 열이 거의 발생하지 않아 거의 모든 전기 기구에 이용되고 있다.

(2) **트랜지스터의 구조**: p-n 접합 다이오드에 p형 반도체나 n형 반도체를 추가로 접합하여 만든 것으로, 접합 순서에 따라 p-n-p형 트랜지스터와 n-p-n형 트랜지스터가 있다. 트랜지스터에는 외부로 연결할 수 있는 베이스(B), 이미터(E), 컬렉터(C) 단자가 있으며, 베이스는 두께가 수 μm 정도로 이미터나 컬렉터에 비해 매우 얇다. 트랜지스터는 기본적인 구조가 대칭적이지만, 각각의 불순물 도핑 농도가 달라 회로에 연결할 때 이미터와 컬렉터를 바꾸어 연결하면 안 된다. 이때 불순물 도핑 농도는 이미터가 컬렉터보다 크다.

트랜지스터

화살표의 방향은 전류의 방향을 나타내며, 화살표가 이미터에서 베이스 쪽을 향하면 p-n-p형이다.

화살표가 베이스에서 이미터 쪽을 향하면 n-p-n형이다.

(가) p-n-p형 트랜지스터　　　(나) n-p-n형 트랜지스터

▲ 트랜지스터의 구조와 기호

① 베이스(B): 트랜지스터 중앙의 좁은 영역

② 이미터(E): 베이스와 순방향 전압을 걸어 주는 영역

③ 컬렉터(C): 베이스와 역방향 전압을 걸어 이미터에서 방출된 전하를 모으는 영역

2. 트랜지스터의 종류

(1) **양극성 접합 트랜지스터(BJT)**: 양공과 전자를 이용하여 전류의 흐름을 제어하는 것으로, 쌍극성 트랜지스터라고도 한다.

(2) **전계 효과 트랜지스터(FET)**: 양공이나 전자 중 하나만 이용하여 전류의 흐름을 제어하는 것으로, 단극성 트랜지스터라고도 한다.

2 트랜지스터의 기능

트랜지스터는 약한 전기 신호를 큰 전기 신호로 바꾸어 주거나 디지털 논리 회로에서 신호를 ON, OFF 하는 기능을 한다.

1. 증폭 작용

(1) 트랜지스터를 이용한 증폭 회로

① n-p-n형 트랜지스터에서 그림 (가)와 같이 베이스와 이미터 사이에만 전원 장치를 연결하면 순방향 바이어스에 해당하므로 전류가 흐른다. 반면 그림 (나)와 같이 컬렉터와 이미터 사이에만 전원 장치를 연결하면 베이스와 이미터 사이는 순방향 바이어스에 해당하지만 컬렉터와 베이스 사이가 역방향 바이어스에 해당하므로 전류가 거의 흐르지 않는다.

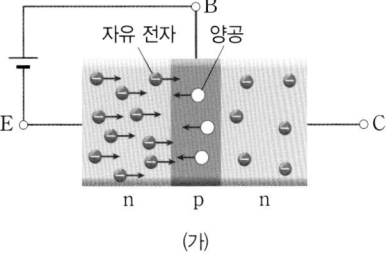
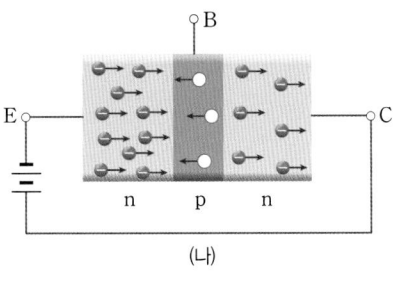
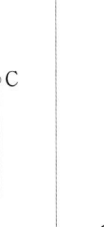

(가) (나)

▲ **n-p-n형 트랜지스터의 작동 원리**

따라서 트랜지스터가 작동하기 위해서는 베이스와 이미터 사이, 컬렉터와 이미터 사이에 동시에 전원 장치를 연결해야 한다.

② 그림은 n-p-n형 트랜지스터를 이용한 증폭 회로를 나타낸 것으로, n-p-n형 트랜지스터의 베이스와 이미터 사이에는 순방향 바이어스 V_B를, 컬렉터와 베이스 사이에는 역방향 바이어스 V_C를 걸어 주었다.

베이스와 이미터 사이에는 순방향 바이어스 V_B에 의해 이미터에서 베이스 쪽으로 전자가 이동하게 되는데, 이때 베이스로 들어온 전자

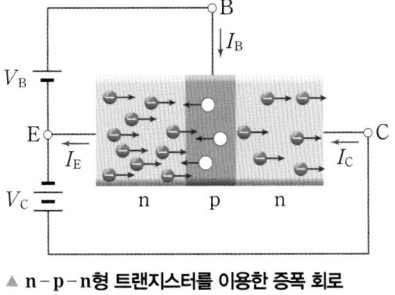

▲ **n-p-n형 트랜지스터를 이용한 증폭 회로**

의 일부는 양공과 만나 소멸되지만, 베이스가 매우 얇고 역방향 바이어스 V_C의 높은 전압 때문에 대부분의 전자는 베이스를 지나 컬렉터 쪽으로 이동하게 된다. 이때 컬렉터 쪽으로 이동한 전자는 V_C의 (+)단자에서 공급되는 양공과 계속 결합하므로, 베이스에 흐르는 전류보다 컬렉터에 흐르는 전류가 훨씬 크다. 즉, 베이스 쪽으로는 매우 작은 전류가 흐르고 컬렉터 쪽으로 대부분의 전류가 흐르므로, 베이스 전류를 I_B, 컬렉터 전류를 I_C라고 할 때, 두 전류를 비교하면 다음과 같다.

$$I_B \ll I_C$$

이처럼 베이스의 작은 세기의 전류를 이용하여 컬렉터에 큰 세기의 전류가 흐르는 효과를 전류의 증폭 효과라고 하며, 전체 전류인 이미터 전류 I_E는 다음과 같이 나타낼 수 있다.

$$I_E = I_B + I_C$$

반도체 다이오드의 정류 작용

· 순방향 바이어스: p형 반도체에 (+)극을, n형 반도체에 (−)극을 연결하면 전기장과 공핍층의 전기장이 서로 반대 방향이 되므로, 전위 장벽이 작아지고 공핍층이 얇아져 전류가 계속해서 흐른다.

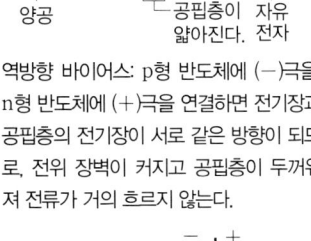

· 역방향 바이어스: p형 반도체에 (−)극을, n형 반도체에 (+)극을 연결하면 전기장과 공핍층의 전기장이 서로 같은 방향이 되므로, 전위 장벽이 커지고 공핍층이 두꺼워져 전류가 거의 흐르지 않는다.

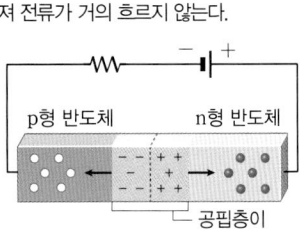

(2) **증폭 작용**: 약한 전기 신호를 큰 전기 신호로 변화시키는 것을 트랜지스터의 증폭 작용이라고 한다. 트랜지스터는 베이스와 이미터 사이에 연결된 순방향 바이어스를 조절하여 컬렉터에 흐르는 전류의 세기를 조절한다.

마이크 소리의 증폭

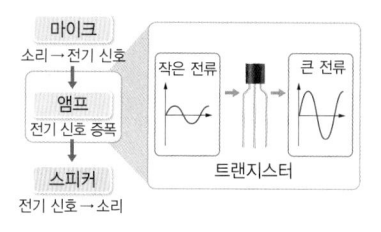

① 베이스 전류와 컬렉터 전류: 컬렉터로 확산되는 전자의 양은 V_B의 미세한 변화에 큰 영향을 받는다. 따라서 V_B의 미세한 변화가 I_C의 큰 변화로 나타나므로, I_B에 비해 큰 세기의 I_C를 얻을 수 있다.

② 전류 증폭률: 트랜지스터의 증폭 작용의 크기를 나타내는 것으로, 베이스 전류 I_B에 따른 컬렉터 전류 I_C의 비를 전류 증폭률 β라고 한다.

$$\beta = \frac{I_C}{I_B}$$

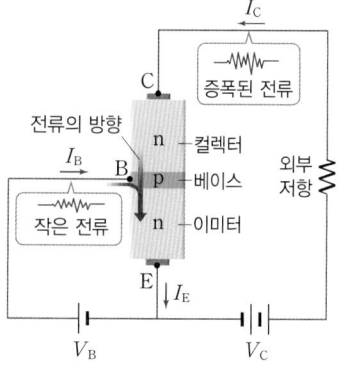

▲ **n−p−n형 트랜지스터의 증폭 작용**

전류 증폭률

전류 증폭률 β가 100일 때 베이스에 세기가 1 mA인 전류를 흘려 주면, 컬렉터 쪽으로 세기가 100 mA인 전류가 흐른다.

• 트랜지스터마다 고유한 전류 증폭률을 가지고 있으며, 전류 증폭률이 클수록 신호를 더 크게 증폭한다.

• 전류 증폭률은 약 20∼500 사이의 값을 갖는다.

(3) **p−n−p형 트랜지스터와 n−p−n형 트랜지스터의 증폭 회로 비교**: 그림 (가)는 p−n−p형 트랜지스터의 증폭 회로를 나타낸 것이고, (나)는 n−p−n형 트랜지스터의 증폭 회로를 나타낸 것이다. p−n−p형 트랜지스터와 n−p−n형 트랜지스터의 기본적인 구조는 같지만, p−n−p형 트랜지스터에서는 주요 전하 나르개가 양공이고, n−p−n형 트랜지스터에서는 주요 전하 나르개가 전자이다. 다만, 양공의 이동 속력이 전자와 비교하여 더 느리기 때문에 n−p−n형 트랜지스터가 일반적으로 많이 사용된다.

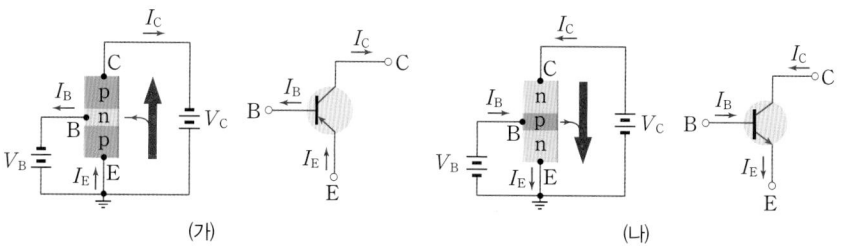

(가)　　　　　　　　　　　(나)

▲ **p−n−p형 트랜지스터와 n−p−n형 트랜지스터의 증폭 회로 비교**

시야확장 ➕ 트랜지스터의 필요성

그림 (가)와 같이 자연에서 감지하는 신호의 세기가 미약한 경우 증폭을 통해 신호의 세기를 크게 할 수 있다. 그러나 감지한 신호에 큰 바이어스만 걸어 준다면 그림 (나)와 같이 신호의 세기는 증가하지만 진폭은 변하지 않아 오히려 신호에 담긴 정보를 읽어 내기 어려워진다. 이때 트랜지스터를 이용하면 그림 (다)와 같이 신호의 진폭을 크게 하여 정보를 쉽게 읽어 낼 수 있다. 이러한 트랜지스터의 기능은 오늘날 정보를 주고받는 대부분의 전자 기기에 사용되고 있다.

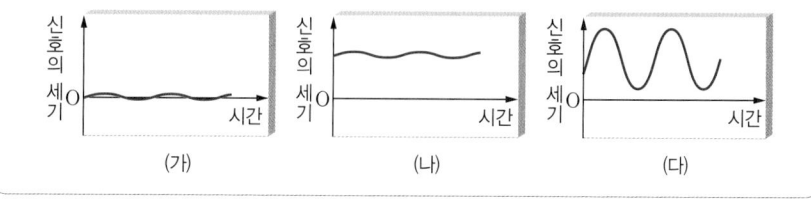

(가)　　　　　　　　　　(나)　　　　　　　　　　(다)

2. 스위칭 작용

(1) **트랜지스터의 특성 곡선**: 트랜지스터는 베이스, 이미터, 컬렉터에 걸어 주는 바이어스 조건에 따라 각 단자에 흐르는 전류의 관계가 달라진다. 이 바이어스 조건에 따라 활성 영역, 차단 영역, 포화 영역, 반전 활성 영역 등 총 4개 영역으로 나누어 트랜지스터의 동작 특성을 구분할 수 있다. 트랜지스터는 베이스에 흐르는 전류에

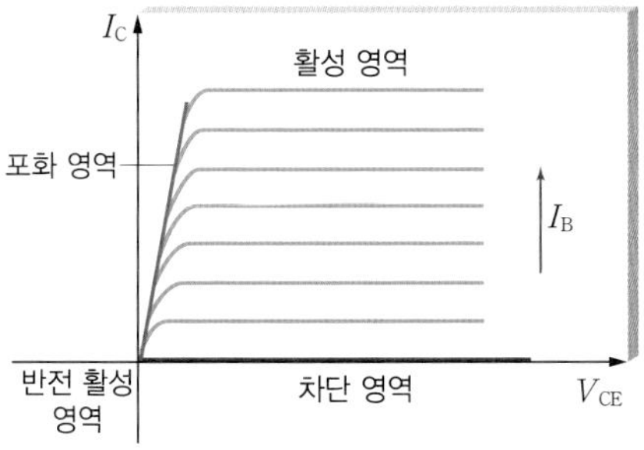

▲ **트랜지스터의 4가지 동작 영역**

따라 컬렉터와 이미터 사이에 흐르는 전류가 조절되므로, 그림과 같이 베이스 전류 I_B에 따라 컬렉터와 이미터 사이에 걸리는 전압 V_{CE}와 컬렉터 전류 I_C의 관계가 다르게 나타난다.

① **활성 영역**: 트랜지스터의 증폭 작용이 일어나는 구간이다. 베이스와 이미터 사이에는 순방향 바이어스를, 컬렉터와 베이스 사이에는 역방향 바이어스를 걸어 주면 베이스와 이미터 사이에는 순방향 바이어스에 의해 베이스 쪽으로 전자를 공급하고, 컬렉터와 베이스 사이에는 역방향 바이어스에 의해 컬렉터 쪽으로 전자를 받아들이는 상태가 된다. 이 상태가 트랜지스터의 주요 동작 형태이다. 이때 베이스와 이미터 사이의 순방향 바이어스는 문턱 전압 이상이여야 하며, 보통 0.7 V로 가정하고 계산한다.

② **차단 영역**: 트랜지스터가 스위치의 OFF 상태와 같이 작동하는 구간이다. 베이스와 이미터 사이의 순방향 바이어스가 문턱 전압보다 낮으면 이미터에서 베이스 쪽으로 이동하는 전자가 감소하고, 전압이 0이 되면 전자는 더 이상 이동하지 않는다. 즉, 컬렉터 쪽으로 이동하는 전자가 없어져 컬렉터 전류 I_C가 0이 된다.

③ **포화 영역**: 트랜지스터가 스위치의 ON 상태와 같이 작동하는 구간이다. 베이스와 이미터 사이에 순방향 바이어스가 걸린 상태에서 컬렉터와 베이스 사이에 역방향 바이어스가 충분히 걸리지 못하거나 컬렉터와 베이스 사이에 순방향 바이어스가 걸리면 이미터에서 베이스 쪽으로 이동한 전자가 컬렉터 쪽으로 쉽게 이동하지 못한다. 이 경우에는 베이스 전류 I_B가 흘러도 컬렉터 전류 I_C가 I_B의 β배가 되지 못한다. 따라서 컬렉터 전류 I_C는 더 이상 베이스와 이미터 사이의 순방향 바이어스에 의존하지 않고, 회로의 연결 조건에 의해 결정된다.

④ **반전 활성 영역**: 베이스와 이미터 사이에는 역방향 바이어스를, 컬렉터와 베이스 사이에는 순방향 바이어스를 걸어 준 상태이다. 이때 컬렉터와 베이스 사이에는 순방향 바이어스에 의해 베이스 쪽으로 전자를 공급하고, 베이스와 이미터 사이에는 역방향 바이어스에 의해 이미터 쪽으로 전자를 받아들이는 상태가 된다. 즉, 활성 영역에서 이미터와 컬렉터의 역할이 바뀐 것과 같다. 그러나 트랜지스터는 대칭이 아니기 때문에 이 경우에는 전류 이득이 낮아 신호 증폭이 잘 되지 않는다.

트랜지스터의 특성

실제 트랜지스터에서 전류 증폭률, 베이스 전류, 컬렉터 – 베이스 전압 사이의 관계는 제품별로 주어지므로, 해당 트랜지스터의 데이터 시트에 나와 있는 표와 그래프를 참고한다.

트랜지스터의 특성 곡선과 스위칭 작용

트랜지스터의 스위칭 작용은 트랜지스터의 특성 곡선에서 차단 영역과 포화 영역에서 일어난다.

문턱 전압

• p형 반도체와 n형 반도체를 접합하면 접합면에서 양공과 전자가 확산에 의해 소량 이동하여 n형 반도체에서 p형 반도체 쪽으로 약한 전기장이 형성된다. 이 전기장에 의한 전위차 때문에 p형 반도체의 양공과 n형 반도체의 전자는 서로 상대 영역으로 들어갈 수 없게 되는데, 이 전위차를 문턱 전압 또는 전위 장벽이라고 한다.

• 베이스에 전류가 흐르게 하려면 베이스에 걸리는 전압이 문턱 전압 이상이어야 한다.

• 문턱 전압은 반도체의 종류나 불순물 도핑 농도에 따라 달라지는 값으로, 실리콘(Si)이나 저마늄(Ge)의 경우 약 0.3~0.7 V 이다.

(2) **트랜지스터를 이용한 스위칭 회로:** 그림은 n−p−n형 트랜지스터를 이용한 스위칭 회로를 나타낸 것으로, 저항 R_B와 R_C는 회로에 흐르는 전류의 세기를 조절하기 위해 이용되며, 컬렉터는 전압 V_C에 연결되고, 이미터는 접지($V=0$)되어 있다. 이때 V_C는 보통 5 V이다.

트랜지스터의 스위칭 동작은 베이스에 걸리는 입력 전압 V_i에 따라 조절된다. V_i가 입력되면 베이스와 이미터 사이의 전위차 V_{BE}가 걸리는데, 이 값이 문턱 전압 이상이면 트랜지스터의 특성에 따라 베이스 전류 I_B가 급격하게 증가한다.

▲ **n−p−n형 트랜지스터를 이용한 스위칭 회로**

(3) **스위칭 작용:** 베이스와 이미터 사이에 전압을 걸어 베이스에 전류가 흐르면 컬렉터에도 전류가 흐르고, 베이스에 전류가 흐르지 않으면 컬렉터에도 전류가 흐르지 않는다. 이처럼 트랜지스터를 이용하여 회로에 전류의 흐름 여부를 조절하는 것을 트랜지스터의 스위칭 작용이라고 한다. 이러한 성질을 이용하여 논리 회로에서 트랜지스터를 사용할 때 트랜지스터에 전류가 흐르거나 흐르지 않을 때를 논리 회로 신호 '0' 또는 '1'로 변환하여 사용한다. 이때 입력 전압에는 +5 V 또는 0 V만 걸어 준다.

① **스위치 ON:** 입력 전압 V_i에 +5 V (논리 회로 신호 1)가 걸리면 트랜지스터는 트랜지스터의 특성 곡선에서 포화 영역에 들어가게 되고, 컬렉터와 이미터 사이에 흐르는 전류 I_C는 $\dfrac{V_C}{R_C}$의 세기로 흐른다. 이는 스위치가 닫힌 상태에 해당하므로, 컬렉터와 이미터가 서로 연결된다. 즉, 컬렉터가 접지에 연결된 것과 같은 상태가 되므로, 출력 전압 V_o는 0이 된다.

② **스위치 OFF:** 입력 전압 V_i에 0 V (논리 회로 신호 0)가 걸리면 트랜지스터는 트랜지스터의 특성 곡선에서 차단 영역에 들어가게 되고, 컬렉터와 이미터 사이에 흐르는 전류 I_C는 0이 된다. 이는 스위치가 열린 상태에 해당하므로, 출력 전압 V_o는 +5 V가 된다.

논리 회로
트랜지스터나 다이오드를 이용하여 논리 연산을 하는 회로를 논리 회로라고 한다.

시야확장 ➕ 공통 이미터 회로와 공통 베이스 회로

트랜지스터가 제대로 작동하려면 베이스−이미터 접합과 컬렉터−베이스 접합에 각각 (+)와 (−) 극이 연결되어야 하므로, 4개의 단자가 필요하다. 그러나 트랜지스터를 좀 더 효율적으로 활용하기 위해서 베이스나 이미터 중 하나를 공통 단자로 사용한다. 그림 (가)와 같이 이미터를 공통 단자로 사용하는 회로를 공통 이미터 회로라고 하고, (나)와 같이 베이스를 공통 단자로 사용하는 회로를 공통 베이스 회로라고 한다.

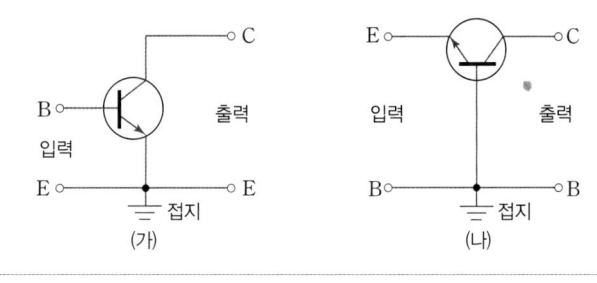

③ 바이어스 전압

트랜지스터가 적절하게 작동하려면 적절한 바이어스 전압을 걸어 주어야 한다.

1. 바이어스 전압

트랜지스터의 증폭 작용을 이용하면 세기가 약한 교류 신호를 증폭시킬 수 있다. 이처럼 트랜지스터를 증폭기로 사용하기 위해서는 트랜지스터의 특성 곡선에서 비선형 특성 부분은 제외하고 선형 특성 부분(활성 영역)만을 사용해야 한다. 실제로 교류 신호는 사인 파형이므로, 소자 내부에서 신호가 처리되려면 사인 파형을 다 포함할 수 있는 동작 대역으로 올려서 처리해야 하는데, 그 역할을 하는 것이 바이어스이다.

(1) **바이어스:** 전압이나 전류의 동작점을 미리 결정하는 것을 바이어스라고 한다. 이는 동작점을 기준으로 목적하는 기능이 수행되도록 환경을 조성하는 역할을 한다.

(2) **바이어스 전압:** 입력된 교류 신호는 순방향 바이어스와 역방향 바이어스가 반복된다. 순방향 바이어스일 때는 트랜지스터를 통해 신호가 증폭되지만, 역방향 바이어스일 때는 스위칭 작용 때문에 신호가 증폭되지 않는다. 따라서 입력되는 교류 신호에 전압을 추가하여 트랜지스터에 항상 순방향 바이어스가 걸리도록 해야 하는데, 이 직류 전압을 바이어스 전압이라고 한다.

(3) **바이어스 전압의 결정:** 실제 트랜지스터는 그 사용 목적에 적합한 각 단자 사이의 전압이 어떤 값 근처 또는 일정 범위 내로 한정되어 있음에 유의하여 바이어스 전압을 정한다.

2. 바이어스 전압과 신호 증폭

(심화) 61쪽~62쪽

(1) **바이어스 전압을 걸어 주지 않은 경우:** 입력 신호가 (−)일 때는 베이스와 이미터 사이에 역방향 바이어스가 걸리므로, 컬렉터에 전류가 흐르지 않는다. 따라서 출력 신호는 베이스와 이미터 사이에 순방향 바이어스가 걸릴 때만 증폭된 신호로 나타난다.

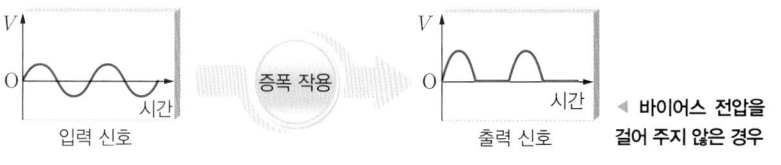

입력 신호 → 증폭 작용 → 출력 신호

◀ **바이어스 전압을 걸어 주지 않은 경우**

(2) **바이어스 전압을 걸어 준 경우:** 입력 신호가 바이어스 전압만큼 이동하므로, 베이스와 이미터 사이에는 항상 순방향 바이어스가 걸린다. 따라서 출력 신호는 모든 입력 신호가 증폭된 신호로 나타난다.

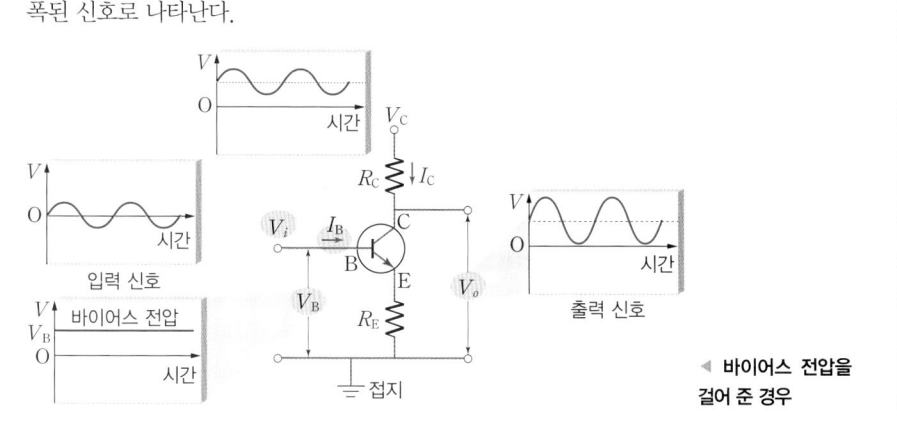

입력 신호 / 바이어스 전압 / 출력 신호

◀ **바이어스 전압을 걸어 준 경우**

부적절한 바이어스 전압
다음 그림과 같이 너무 큰 바이어스 전압을 걸어 주면 입력 신호의 (+)영역이 제대로 증폭되지 않아 출력 신호가 왜곡된다. 이처럼 적절하지 않은 바이어스 전압을 걸어 주면 출력 신호의 왜곡이 발생한다.

4. 저항을 이용한 전압 분할

트랜지스터의 증폭 회로에서 바이어스 전압을 위해 별도의 전원 장치를 연결하는 것은 비효율적이다. 따라서 실용적인 트랜지스터의 증폭 회로에서는 저항을 이용한 전압 분할을 통해 바이어스 전압을 걸어 준다.

1. 저항을 이용한 전압 분할

(1) **저항과 전압:** 저항의 직렬연결에서 전체 전류는 각 저항에 흐르는 전류와 같고, 전체 전압은 각 저항의 양단에 걸리는 전압의 합과 같다.

그림과 같이 전압이 V로 일정한 전원에 저항값이 R_1, R_2인 저항을 직렬연결하였을 때 전체 전류 $I = \dfrac{V}{R_1+R_2}$이다. 이때 각 저항에 흐르는 전류도 I 이므로, 저항 R_2의 양단에 걸리는 전압 V_2는 다음과 같다.

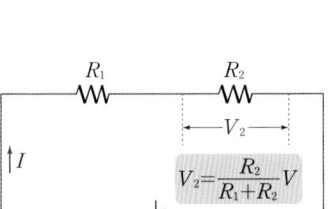

$$V_2 = \frac{R_2}{R_1+R_2}V$$

▲ 저항을 이용한 전압 분할

$$V_2 = \frac{R_2}{R_1+R_2}V$$

따라서 저항 R_1과 R_2의 크기를 적절하게 선택하면 원하는 V_2를 얻을 수 있다.

(2) **전압 분할:** 저항을 이용하여 입력 전압을 나누는 것을 전압 분할이라고 하며, 전압 분할은 전기 소자에 필요한 전압이 걸리도록 해 준다.

2. 트랜지스터를 이용한 증폭 회로에서 저항을 이용한 전압 분할

트랜지스터를 이용하여 전류를 증폭시키기 위해서는 컬렉터에 연결된 전압 V_C와 함께 베이스에 연결된 바이어스 전압 V_B가 필요하다. 트랜지스터를 이용한 증폭 회로에서는 V_B와 V_C를 위한 직류 전원을 따로 사용하지 않고, 한 개의 직류 전원을 이용하여 필요한 바이어스 전압을 얻는다. 이때 바이어스 전압 V_B는 저항을 이용한 전압 분할로 조절할 수 있다.

그림과 같은 n-p-n형 트랜지스터를 이용한 증폭 회로를 생각해 보자. 베이스 전류 I_B가 저항값이 R_2인 저항에 흐르는 전류보다 훨씬 적다면 전류는 $R_1 \rightarrow R_2 \rightarrow$ 접지로 흐르므로, 바이어스 전압 V_B는 이 회로에 연결된 직류 전원의 전압 V_C를 저항 R_1과 R_2로 분할하는 전압이다. 즉, 바이어스 전압 V_B는 저항 R_1과 R_2를 이용한 전압 분할에 의해 다음과 같이 나타낼 수 있다.

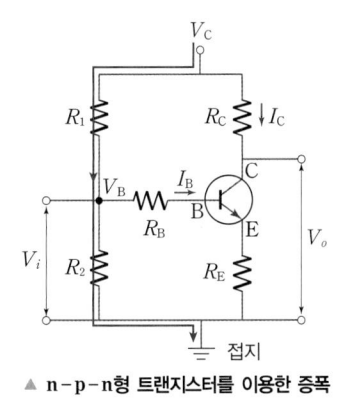

$$V_B = \frac{R_2}{R_1+R_2}V_C$$

▲ n-p-n형 트랜지스터를 이용한 증폭 회로에서 저항을 이용한 전압 분할

따라서 저항 R_1과 R_2의 크기를 적절하게 선택하면 원하는 바이어스 전압 V_B를 얻을 수 있다. 이때 컬렉터 전류를 I_C라고 하면 출력 전압 V_o는 다음과 같다.

$$V_o = V_C - I_C R_C$$

바이어스 전압 결정과 증폭 회로 설계

트랜지스터를 이용한 증폭 회로에서 바이어스 전압을 결정하고, 증폭 회로를 설계하는 과정을 살펴보자.

❶ 바이어스 전압 결정

그림과 같은 트랜지스터를 이용한 회로에서 트랜지스터에 저항을 연결하여 바이어스 전압을 결정하는 방법은 다음과 같다.

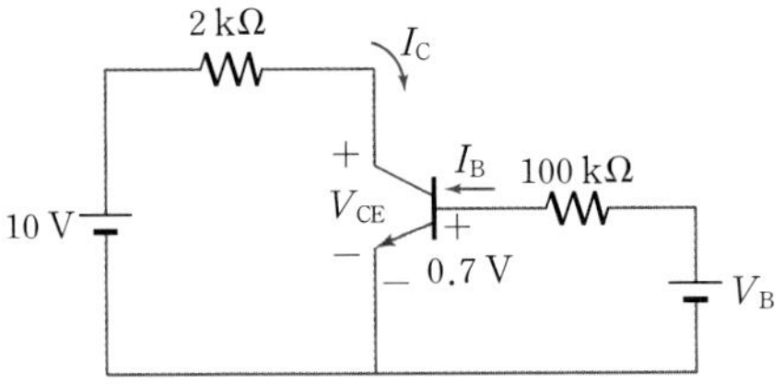

▲ 트랜지스터를 이용한 회로

(1) **트랜지스터의 특성 곡선과 부하선**: 트랜지스터의 특성 곡선의 활성 영역에서는 컬렉터-이미터 전압 V_{CE}가 변해도 컬렉터 전류 I_C는 변하지 않는다. 트랜지스터를 이용한 회로에서 V_{CE}는 주변 회로에 의해 결정되는데, 이를 결정하기 위해서는 트랜지스터를 제작할 때 정해지는 컬렉터-이미터 전압 V_{CE}와 컬렉터 전류 I_C의 관계(특성 곡선)와 주변 회로에 의해 결정되는 부하선이 필요하다. 그림의 트랜지스터를 이용한 왼쪽 회로에서 전체 전위차 10 V는 저항값이 2 kΩ인 저항의 전위차와 V_{CE}의 합과 같으므로, $10(\text{V})=2(\text{k}\Omega)\times I_C+V_{CE}$에서 부하선의 방정식은 $I_C=\dfrac{10(\text{V})-V_{CE}}{2(\text{k}\Omega)}$가 된다. 트랜지스터의 특성 곡선의 x축은 V_{CE}이고 y축은 I_C이므로, 부하선의 방정식은 $y=a-bx$꼴의 직선 모양의 그래프가 된다.

부하선
컬렉터-이미터 전압 V_{CE}와 컬렉터 전류 I_C 사이의 관계를 나타낸 직선을 부하선이라고 한다.

(2) **전류 증폭률과 동작점**: 회로에 사용된 트랜지스터의 전류 증폭률 β가 100이라면 $I_C=100I_B$를 만족하는 트랜지스터의 특성 곡선(초록색 선)이 나타난다. 이 특성 곡선 위에 부하선(빨간색 선)을 그으면 특성 곡선과 부하선의 교점을 통해 트랜지스터의 베이스 전류 I_B에 따른 트랜지스터의 동작점을 찾을 수 있다.

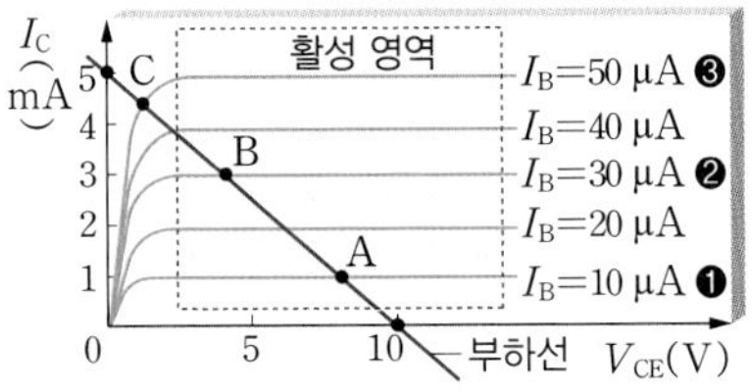

▲ β가 **100**인 트랜지스터의 V_{CE}-I_C 관계

(3) **바이어스 전압 결정**: 만약 바이어스 전압 V_B를 3.7 V로 걸어 주면 트랜지스터를 이용한 오른쪽 회로에서 전압 강하가 3.7 V이므로, $V_B=3.7(\text{V})=100(\text{k}\Omega)\times I_B+0.7(\text{V})$이다.(대부분의 트랜지스터의 V_{BE}는 약 0.7 V이다.) 따라서 오른쪽 회로의 베이스 전류 $I_B=30$ μA가 되므로, 트랜지스터의 특성 곡선은 ❷가 되고, 동작점은 트랜지스터의 특성 곡선 ❷와 부하선의 교점인 B점이다. 이때 $\beta=100$이므로 $I_C=100\times30$ μA$=3$ mA이고, $V_{CE}=4$ V가 된다. 같은 방법으로 바이어스 전압 V_B를 5.7 V로 걸어 주면 $I_B=50$ μA가 되므로, 트랜지스터의 특성 곡선은 ❸이 되고, 동작점은 C점이 되는데, 이때는 트랜지스터의 특성 곡선에서 포화 영역에 들어가게 되어 $I_C=4.5$ mA가 되므로 β가 100이 되지 못한다. 즉, 트랜지스터의 특성 곡선에서 동작점이 활성 영역에 있도록 하기 위해서는 바이어스 전압 V_B가 약 1.7 V~4.7 V 범위 내에 있어야 한다.

❷ 증폭 회로 설계

트랜지스터는 사용 목적에 적합한 각 단자 사이의 전압이 일정 범위 내로 한정되어 있다. 따라서 트랜지스터를 사용하기 위해서는 각 단자 사이의 전압을 적절하게 설정하는 과정이 필요하다. 즉, 트랜지스터를 이용한 회로를 설계하기 위해서는 각 단자 사이의 전압을 미리 설정한 후 나머지 회로를 설계해야 한다.

n-p-n형 트랜지스터를 이용한 증폭 회로 설계 과정을 살펴보면 다음과 같다.

⑴ 트랜지스터의 세 단자 사이의 전압인 베이스-이미터 전압 V_{BE}와 컬렉터-이미터 전압 V_{CE}를 이용하여 각 단자의 전위를 표시한다.

➡ 이미터 단자의 전위 V_E, 베이스 단자의 전위 V_B, 컬렉터 단자의 전위 V_C는 다음과 같이 표시할 수 있다.

① $V_E = I_E \times R_E$

② $V_B = V_E + V_{BE} + I_B \times R_B$

③ $V_C = V_E + V_{CE}$

⑵ 각 단자 사이에 필요한 전압을 걸어 주기 위해 여러 개의 저항을 사용하여 회로를 설계한다.

➡ 그림은 n-p-n형 트랜지스터의 증폭 작용을 이용하기 위해 5개의 저항을 사용하여 회로를 설계한 모습을 나타낸 것이다.

트랜지스터의 특성 곡선과 부하선을 이용하여 V_B와 V_{CE}, 저항 R_C에 흐르는 전류 I_C를 결정한다.

⑶ $I_B \approx 0$으로 가정하고, 각 단자에 필요한 저항값을 정한다.

➡ 각 단자에 필요한 저항 R_1, R_2, R_E, R_C, R_B는 다음과 같이 정한다.

① V_{CC}를 R_1과 R_2로 분할하여 $V_B = \dfrac{R_2}{R_1 + R_2} V_{CC}$가 되도록 R_1과 R_2를 정한다.

② I_B를 0으로 가정하였으므로, $R_E = \dfrac{V_E}{I_E} = \dfrac{V_E}{I_C}$가 되도록 R_E를 정한다.

③ R_C의 양단에 걸리는 전압은 $V_{CC} - V_C$이므로, $R_C = \dfrac{V_{CC} - V_C}{I_C}$가 되도록 R_C를 정한다.

④ $V_B = V_E + V_{BE} + I_B \times R_B$이므로, $R_B = \dfrac{V_B - V_E - V_{BE}}{I_B}$가 되도록 R_B를 정한다.

트랜지스터의 각 단자 사이의 전압

일반적인 트랜지스터는 보통 다음과 같은 값을 갖는다.

- $V_E = 0.1 V_{CC}$
- $V_{BE} = 0.7 \text{ V}$
- $V_{CE} = 0.5 V_{CC}$

03 트랜지스터

1. 전기장

① 트랜지스터의 구조

1. **트랜지스터** 약한 신호를 크게 하는 (❶　　　) 작용과 신호를 끄거나 켜는 스위칭 작용을 하는 반도체 소자
2. **트랜지스터의 구조** 다이오드의 접합 순서에 따라 p-n-p형 트랜지스터와 n-p-n형 트랜지스터가 있으며, 트랜지스터에는 외부로 연결할 수 있는 베이스(B), 이미터(E), 컬렉터(C) 단자가 있다.
- 트랜지스터의 불순물 도핑 농도: 이미터 > 컬렉터
- (❷　　　): 트랜지스터 중앙의 좁은 영역
- 이미터: 베이스와 순방향 전압을 걸어 주는 영역
- (❸　　　): 베이스와 역방향 전압을 걸어 이미터에서 방출된 전하를 모으는 영역

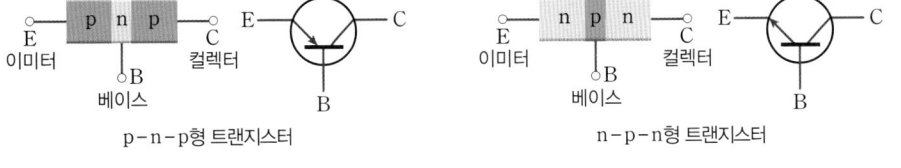

p-n-p형 트랜지스터   n-p-n형 트랜지스터

② 트랜지스터의 기능

1. **증폭 작용** 약한 전기 신호를 큰 전기 신호로 변화시키는 것
- 증폭 회로에서 베이스와 이미터 사이에는 순방향 바이어스 V_B를, 컬렉터와 베이스 사이에는 (❹　　　) 바이어스 V_C를 걸어 준다.
- V_B의 미세한 변화가 컬렉터 전류 I_C의 큰 변화로 나타나므로, 베이스 전류 I_B에 비해 큰 세기의 컬렉터 전류 I_C를 얻을 수 있다.
- 전류 증폭률: 트랜지스터의 증폭 작용의 크기를 나타내는 것으로, 베이스 전류 I_B에 따른 컬렉터 전류 I_C의 비를 전류 증폭률 β라고 한다. ➡ $\beta = \dfrac{I_C}{I_B}$
2. (❺　　　) **작용** 트랜지스터를 이용하여 회로에 전류의 흐름 여부를 조절하는 것으로, 논리 회로에서 트랜지스터를 사용할 때 트랜지스터에 전류가 흐르거나 흐르지 않을 때를 논리 회로 신호 '0' 또는 '1'로 변환하여 사용한다.

③ 바이어스 전압

1. (❻　　　) 전압이나 전류의 동작점을 미리 결정하는 것
➡ 동작점을 기준으로 목적하는 기능이 수행되도록 환경을 조성하는 역할을 한다.
2. **바이어스 전압** 입력되는 교류 신호에 전압을 추가하여 트랜지스터에 항상 (❼　　　) 바이어스가 걸리도록 하는 직류 전압

④ 저항을 이용한 전압 분할

1. **전압 분할** 저항을 이용하여 입력 전압을 나누는 것
2. **트랜지스터를 이용한 증폭 회로에서 저항을 이용한 전압 분할** 트랜지스터를 이용한 증폭 회로에서는 한 개의 직류 전원을 이용하여 필요한 바이어스 전압을 얻는데, 이때 바이어스 전압은 저항을 이용한 전압 분할로 조절할 수 있다.

01 다음은 트랜지스터의 작용에 대한 설명이다.

> 트랜지스터를 이용한 회로에서 트랜지스터의 베이스와 이미터 사이에 전압을 걸어 베이스에 전류가 흐르면 컬렉터에도 전류가 흐르고, 베이스에 전류가 흐르지 않으면 컬렉터에도 전류가 흐르지 않는다. 이처럼 트랜지스터를 이용하여 회로에 전류의 흐름 여부를 조절하는 것을 트랜지스터의 (　　　) 작용이라고 한다.

(　　　) 안에 들어갈 말을 쓰시오.

02 그림은 p-n-p형 트랜지스터에 전류가 화살표 방향으로 흐르는 모습을 나타낸 것이다.

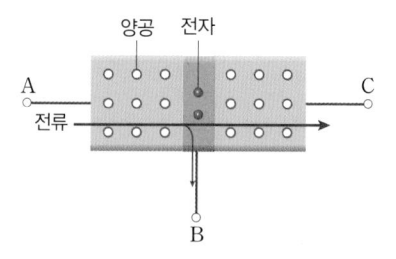

단자 A와 B, B와 C 사이의 바이어스를 각각 서술하고, 이때 양공의 이동에 대해 서술하시오.

03 그림은 p-n-p형 트랜지스터를 이용한 증폭 회로의 모습을 간단히 나타낸 것이다.

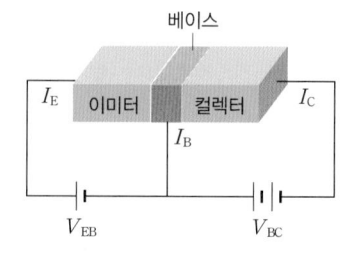

이미터, 베이스, 컬렉터에 흐르는 전류의 세기를 각각 I_E, I_B, I_C라고 할 때, I_E, I_B, I_C의 관계를 식으로 나타내시오. (단, $V_{EB} \ll V_{BC}$이다.)

04 그림은 n-p-n형 트랜지스터를 이용한 회로에서 전류가 화살표 방향으로 흐르는 모습을 나타낸 것이다.

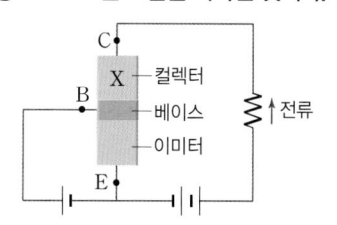

이에 대한 설명으로 옳은 것만을 보기에서 있는 대로 고르시오.

> 보기
> ㄱ. X에서 전자는 베이스 쪽으로 이동한다.
> ㄴ. B와 C 사이에는 순방향 바이어스가 걸린다.
> ㄷ. E에 흐르는 전류의 세기는 C에 흐르는 전류의 세기보다 세다.

05 그림은 트랜지스터를 이용한 증폭 회로의 모습을 간단히 나타낸 것으로, 회로에 연결된 직류 전원은 6 V이다.

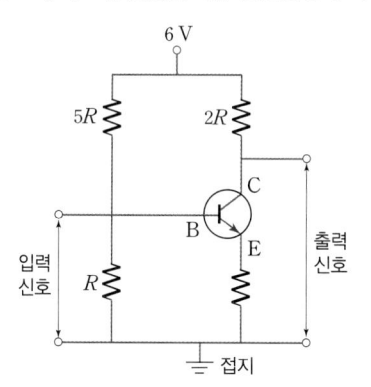

이 회로에서 베이스와 이미터 사이의 바이어스 전압을 구하시오. (단, 베이스 전류는 무시한다.)

01 ▶트랜지스터를 이용한 증폭 회로

그림은 전원에 트랜지스터와 저항을 연결하여 증폭 작용을 하는 증폭 회로의 모습을 나타낸 것이다. 이때 저항에는 전류가 화살표 방향으로 흐르며, A는 이미터이다.

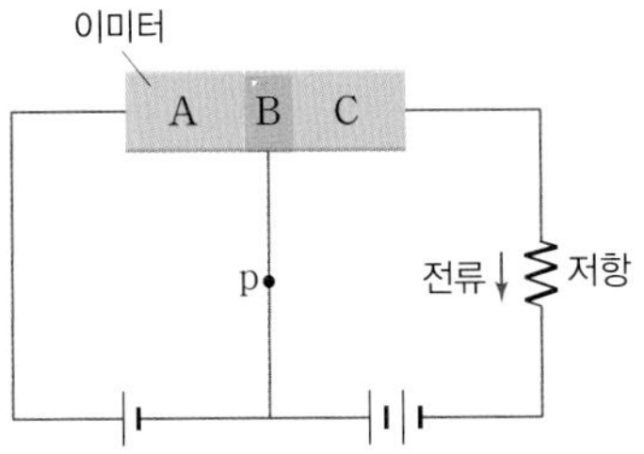

이미터

A B C

p•

전류↓ 저항

이에 대한 설명으로 옳은 것만을 보기에서 있는 대로 고른 것은?

보기

ㄱ. C는 전자가 주요 전하 나르개이다.

ㄴ. A와 B 사이에는 순방향 바이어스가 걸린다.

ㄷ. 저항에 흐르는 전류의 세기는 p점에 흐르는 전류의 세기보다 크다.

① ㄴ   ② ㄷ   ③ ㄱ, ㄴ   ④ ㄱ, ㄷ   ⑤ ㄴ, ㄷ

• 베이스와 이미터 사이에는 순방향 바이어스가 걸리는데 이미터에 전원의 (＋)극이 연결되어 있으므로, A는 p형 반도체, B는 n형 반도체이다.

02 ▶트랜지스터의 작동

그림은 전압이 각각 V_1, V_2인 전원에 불순물 반도체 X, Y, Z를 접합하여 만든 트랜지스터를 연결한 모습을 나타낸 것으로, X는 이미터이다. 이때 X, Y, Z와 연결된 도선에는 세기가 각각 I_X, I_Y, I_Z인 전류가 흐르며, $V_2 \gg V_1$이다.

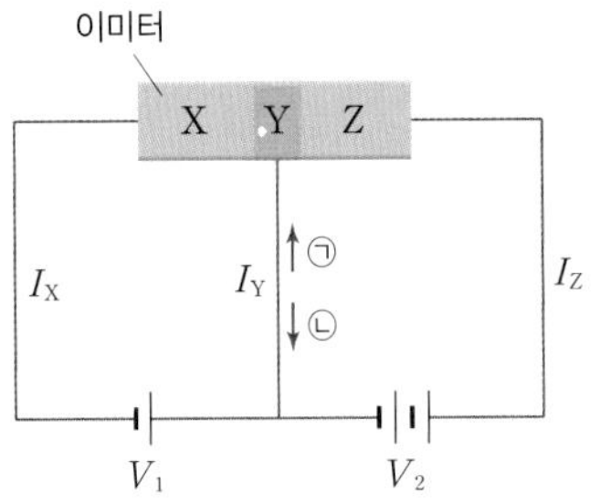

이미터

X Y Z

I_X I_Y ↑㉠ ↓㉡ I_Z

V_1 V_2

이에 대한 설명으로 옳은 것만을 보기에서 있는 대로 고른 것은?

보기

ㄱ. X에서 Y로 이동한 전자는 대부분 Y에서 양공과 재결합한다.

ㄴ. Y와 Z 사이에는 역방향 바이어스가 걸린다.

ㄷ. I_Y의 방향은 ㉠이다.

① ㄱ   ② ㄴ   ③ ㄱ, ㄴ   ④ ㄱ, ㄷ   ⑤ ㄴ, ㄷ

• 트랜지스터가 작동할 때 베이스와 이미터 사이에는 순방향 바이어스가, 컬렉터와 베이스 사이에는 역방향 바이어스가 걸린다.

03 〉트랜지스터를 이용한 증폭 회로와 LED

그림은 트랜지스터의 증폭 작용으로 컬렉터에 연결된 발광 다이오드(LED)에서 빛이 방출되는 모습을 나타낸 것이다.

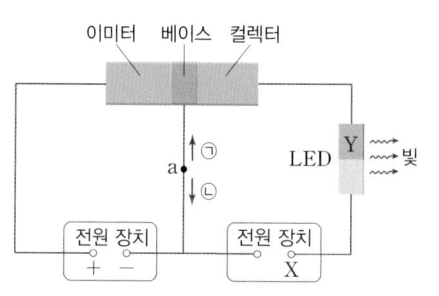

- 베이스와 이미터 사이에는 순방향 바이어스가 걸린다.

이에 대한 설명으로 옳은 것만을 보기에서 있는 대로 고른 것은?

보기
ㄱ. 전원 장치의 단자 X는 (+)극이다.
ㄴ. a점에서 전류의 방향은 ㉠이다.
ㄷ. Y는 p형 반도체이다.

① ㄴ   ② ㄷ   ③ ㄱ, ㄴ   ④ ㄱ, ㄷ   ⑤ ㄴ, ㄷ

04 〉트랜지스터를 이용한 증폭 회로

그림은 전압이 각각 V_1, V_2인 전원에 트랜지스터와 저항값이 각각 R_1, R_2인 저항을 연결하였을 때 두 저항에 세기가 각각 I_1, I_2인 전류가 화살표 방향으로 흐르는 모습을 나타낸 것이다. 이때 $V_2 \gg V_1$이다.

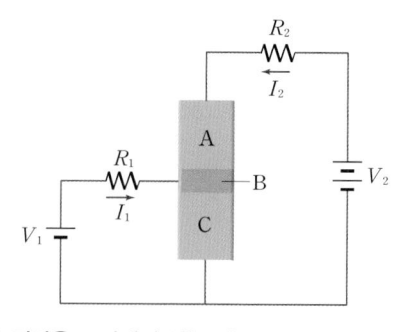

- 베이스와 이미터 사이에 순방향 바이어스가 걸릴 때 전류가 흐른다.

이에 대한 설명으로 옳은 것만을 보기에서 있는 대로 고른 것은?

보기
ㄱ. A는 p형 반도체이다.
ㄴ. B와 C 사이에는 순방향 바이어스가 걸린다.
ㄷ. 전류의 세기는 I_2가 I_1보다 크다.

① ㄱ   ② ㄴ   ③ ㄷ   ④ ㄱ, ㄴ   ⑤ ㄴ, ㄷ

05

❯ 트랜지스터를 이용한 증폭 회로

그림은 전지와 전원 장치에 트랜지스터를 연결하여 증폭 작용을 하는 증폭 회로의 모습을 나타낸 것이다. 이때 베이스와 컬렉터에는 세기가 각각 I_B, I_C인 전류가 화살표 방향으로 흐른다.

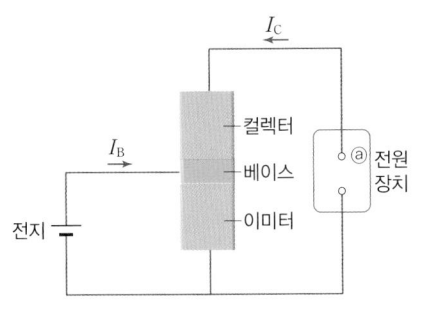

이에 대한 설명으로 옳은 것만을 보기에서 있는 대로 고른 것은?

> **보기**
> ㄱ. 베이스는 전자가 주요 전하 나르개이다.
> ㄴ. 전원 장치의 단자 ⓐ는 (−)극이다.
> ㄷ. 전류의 세기는 I_C가 I_B보다 크다.

① ㄱ   ② ㄷ   ③ ㄱ, ㄴ   ④ ㄱ, ㄷ   ⑤ ㄴ, ㄷ

• 베이스와 이미터 사이에는 순방향 바이어스가, 컬렉터와 베이스 사이에는 역방향 바이어스가 걸린다.

06

❯ 마이크 소리의 증폭

그림은 트랜지스터를 통해 마이크로 입력된 신호를 증폭하여 스피커로 출력하는 증폭 회로의 모습을 나타낸 것이다. 이때 a점에는 세기가 I_0인 전류가 흐르고, 전류 증폭률은 β이다.

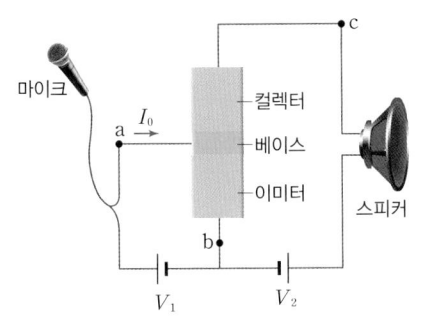

이에 대한 설명으로 옳은 것만을 보기에서 있는 대로 고른 것은?

> **보기**
> ㄱ. 전압은 V_2가 V_1보다 크다.
> ㄴ. b점에 흐르는 전류의 세기는 βI_0이다.
> ㄷ. 이미터에서 베이스 쪽으로 이동한 전자는 대부분 베이스에서 양공과 재결합한다.

① ㄱ   ② ㄷ   ③ ㄱ, ㄴ   ④ ㄴ, ㄷ   ⑤ ㄱ, ㄴ, ㄷ

• 전류 증폭률은 베이스 전류에 따른 컬렉터 전류의 비이다.

07 ❯ 트랜지스터를 이용한 증폭 회로

다음은 트랜지스터를 이용한 실험 과정과 결과이다.

[실험 과정]

(가) 그림과 같이 전압이 각각 1.5 V, 3 V인 전원에 트랜지스터, 발광 다이오드(LED), 가변 저항, 전류계와 검류계를 연결한다.

(나) 가변 저항의 저항값을 최대로 한 후 조금씩 감소시키며 LED를 관찰한다.

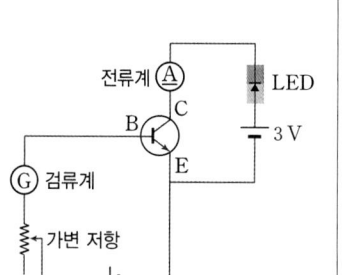

[실험 결과]

가변 저항의 저항값이 R_0보다 작을 때 LED에서 빛이 방출된다.

이에 대한 설명으로 옳은 것만을 보기에서 있는 대로 고른 것은?

보기

ㄱ. LED에서 빛이 방출될 때 트랜지스터에는 B에서 E 방향으로 전류가 흐른다.

ㄴ. B와 C 사이에는 순방향 바이어스가 걸린다.

ㄷ. 검류계에 흐르는 전류의 세기는 전류계에 흐르는 전류의 세기보다 크다.

① ㄱ   ② ㄴ   ③ ㄱ, ㄴ   ④ ㄱ, ㄷ   ⑤ ㄴ, ㄷ

> 베이스와 이미터 사이에 순방향 바이어스가, 컬렉터와 베이스 사이에 역방향 바이어스가 걸리면 작은 세기의 베이스 전류로 큰 세기의 컬렉터 전류를 얻을 수 있다.

08 ❯ 트랜지스터를 이용한 증폭 회로와 특성 곡선

그림 (가)는 트랜지스터를 이용한 증폭 회로의 모습을 나타낸 것이고, (나)는 (가)에서 사용된 트랜지스터의 컬렉터 전류 I_C를 컬렉터와 이미터 사이의 전압 V_{CE}에 따라 나타낸 것이다. 이때 베이스와 이미터 사이의 전압은 0.7 V이다.

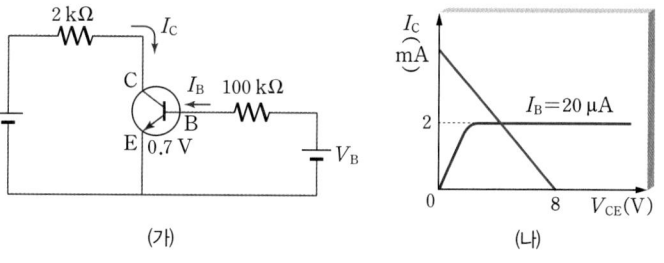
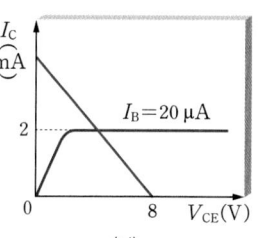

(가)   (나)

> 트랜지스터가 증폭 작용을 하기 위해서는 적절한 바이어스 전압이 필요하다.

전류 증폭률 β와 바이어스 전압 V_B로 옳은 것은?

	β	V_B		β	V_B
①	100	2.7 V	②	100	4 V
③	200	2.7 V	④	200	4 V
⑤	200	7.3 V			

09 > 트랜지스터를 이용한 증폭 회로와 바이어스 전압

그림은 트랜지스터와 저항값이 R_1, R_2, R_3, R_4인 저항을 이용해 전압이 V_1인 입력 신호를 증폭하여 전압이 V_2인 출력 신호로 내보내는 증폭 회로의 모습을 나타낸 것이다. 이때 바이어스 전압은 $\frac{1}{3}V_0$이다.

이에 대한 설명으로 옳은 것만을 보기에서 있는 대로 고른 것은?

· 트랜지스터를 이용한 증폭 회로에서 저항을 적절하게 선택하면 원하는 바이어스 전압을 얻을 수 있다.

보기

ㄱ. R_4인 저항에 흐르는 전류의 세기는 $101I_1$이다.

ㄴ. $R_3 = 2R_1$이다.

ㄷ. 이미터에서 베이스 쪽으로 이동한 전자의 대부분은 컬렉터 쪽으로 확산된다.

① ㄱ   ② ㄴ   ③ ㄱ, ㄴ   ④ ㄱ, ㄷ   ⑤ ㄴ, ㄷ

10 > 트랜지스터를 이용한 증폭 회로에서 저항을 이용한 전압 분할

그림은 트랜지스터와 저항값이 각각 R_1, R_2, R_3, R_4인 저항을 이용한 증폭 회로의 모습을 나타낸 것이다.

이에 대한 설명으로 옳은 것만을 보기에서 있는 대로 고른 것은?

· 저항의 직렬연결을 이용하면 전원으로부터 필요한 바이어스 전압을 얻을 수 있다.

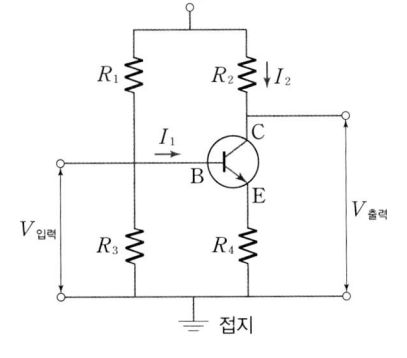

보기

ㄱ. 전류 증폭률은 $\dfrac{I_1}{I_2}$이다.

ㄴ. 바이어스 전압은 $\dfrac{R_3}{R_1+R_3}V_0$이다.

ㄷ. R_4인 저항의 양단에 걸리는 전압은 $(I_2-I_1)R_4$이다.

① ㄴ   ② ㄷ   ③ ㄱ, ㄴ   ④ ㄱ, ㄷ   ⑤ ㄴ, ㄷ

04 축전기

 축전기

용수철을 늘이거나 활시위를 잡아당길 때에는 퍼텐셜 에너지의 형태로 에너지를 저장할 수 있다. 마찬가지로 전기장에서도 퍼텐셜 에너지의 형태로 에너지를 저장할 수 있는데, 이 장치를 축전기라고 한다.

1. 축전기

(1) **축전기**: 전하를 저장하는 장치를 축전기라고 하며, 전하를 띤 축전기에는 전기 에너지가 저장된다.

(2) **축전기의 구조**: 축전기는 외부와 절연된 두 개의 금속판(극판)으로 이루어져 있으며, 두 금속판을 다른 종류의 전하로 채워 전하를 모아 둔다.

평행판 축전기	원통형 축전기	구형 축전기
두 개의 동일한 금속판을 서로 평행하게 마주보도록 만든 축전기	평행판 축전기 내에 유전체를 넣고 말아서 원통 모양으로 만든 축전기	반지름이 다른 두 개의 금속 구면을 서로 마주보도록 만든 축전기

(3) **축전기의 원리**: 그림 (가)와 같이 한 개의 금속판 A만으로도 전하를 저장할 수 있으나, 전하량이 증가하면 같은 종류의 전하끼리 서로 반발하게 되고 금속의 뾰족한 부분에서 전기장이 강해져 쉽게 방전되므로, 많은 양의 전하를 모을 수 없게 된다. 반면 그림 (나)와 같이 금속판 A에 접지된 금속

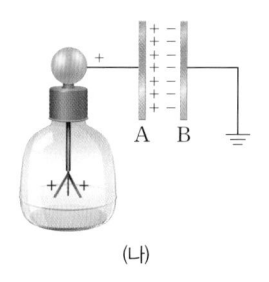

▲ 축전기의 원리

판 B를 가까이 가져가면 정전기 유도가 일어나 B에서 A와 가까운 쪽은 A와 다른 종류의 전하가 유도된다. 이때 이들 전하 사이에 서로 끌어당기는 전기력이 작용하므로, 전하들이 안정적으로 모여 있게 된다. 이와 같은 방법으로 많은 양의 전하를 모을 수 있다.

축전기와 축전지
축전기는 전위차에 비례하는 전하를 모아 필요한 곳에 공급하는 장치를 말하며, 축전지는 외부에서 들어오는 전기 에너지를 화학 에너지 형태로 바꾸어 저장해 두었다가 필요할 때 전기 에너지로 바꾸는 장치를 말한다.

2. 축전기의 기능

(1) 충전: 축전기에 전지와 같은 전원을 연결하여 전하를 저장하는 현상을 충전이라고 한다.

① 축전기에 전지를 연결하고 스위치를 닫으면 금속판 A에는 (+)전하가, 금속판 B에는 (−)전하가 대전되며, 두 금속판 사이에는 전기장이 형성되어 전위차가 생긴다.

② 두 금속판 사이의 전위차가 전지의 전위차와 같아질 때까지 전하가 이동하여 각 금속판에는 같은 양의 전하가 분포한다.

③ 스위치를 열어도 두 금속판의 전하는 전기력에 의해 그대로 저장된다.

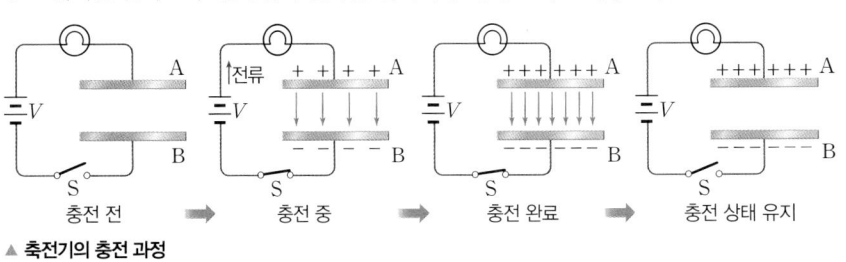

▲ **축전기의 충전 과정**

(2) 방전: 축전기에 저장된 전하가 회로를 통해 빠져나가 저장된 전하량이 감소하는 현상을 방전이라고 한다.

① 충전된 축전기를 전지가 제거된 회로에 연결하고 스위치를 닫는다.

② 두 금속판 사이의 전위차가 0이 될 때까지 전하가 이동하여 충전된 전하가 모두 방전된다.

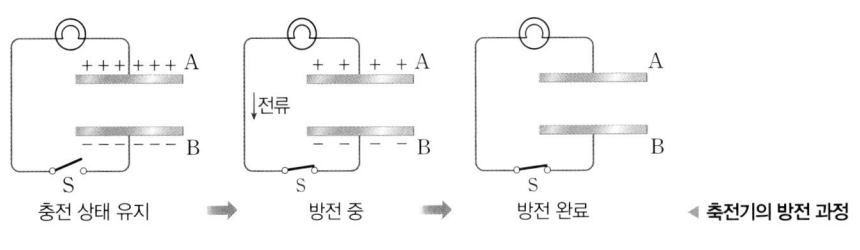

◀ **축전기의 방전 과정**

3. 평행판 축전기 주위의 전기장

(1) 금속판 주위의 전기장: (+)전하로 고르게 대전된 넓은 금속판 주위에 단위 양전하(+1 C)를 놓으면, 단위 양전하는 금속판의 전하로부터 각각 전기력을 받는다. 이때 전기력의 수평 성분은 모두 상쇄되므로, 단위 양전하는 금속판에 수직 방향으로 전기력을 받는다.

➡ 대전된 금속판 주위의 전기장의 방향은 금속판에 수직으로 들어가거나 나가는 방향이다.

(2) 평행판 축전기 주위의 전기장: 금속판의 면적이 두 금속판 사이의 간격보다 매우 크다면, 대전된 평행판 축전기가 만드는 전기장은 (+)전하와 (−)전하로 대전된 두 개의 금속판이 만드는 전기장의 합과 같다. 이때 평행판 축전기 외부에는 두 금속

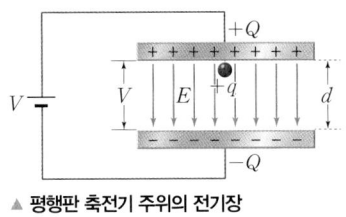

▲ **평행판 축전기 주위의 전기장**

판이 만드는 전기장이 서로 상쇄되어 0이 되고, 내부에는 균일한 전기장이 형성된다. 그림과 같이 두 금속판 사이의 전기장의 세기가 E일 때 (+)전하로 대전된 금속판에 전하량이 $+q$인 전하를 놓으면 전하는 전기력 $F=qE$를 받아 d만큼 이동한다. 이때 전하를 이동시키는 데 필요한 일 $W=Fd=qEd$이므로, 금속판 사이의 전위차 $V=\dfrac{W}{q}=Ed$가 된다.

축전기의 기호

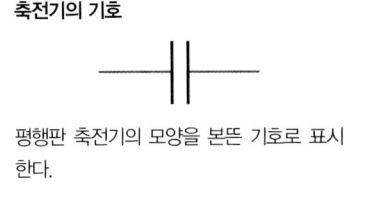

평행판 축전기의 모양을 본뜬 기호로 표시한다.

금속판 주위의 전기력

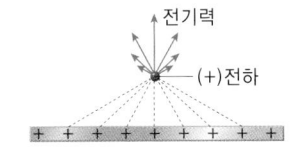

금속판 주위의 전기장
· 금속판이 (+)전하로 대전된 경우

· 금속판이 (−)전하로 대전된 경우

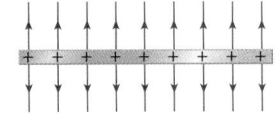

평행판 축전기 주위의 전기장

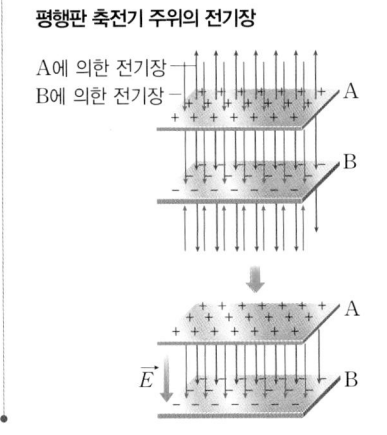

2 축전기의 전기 용량

축전기를 전하를 담는 그릇이라고 생각해 보면 그릇에 전하를 담을 때 그릇이 클수록, 즉 전기 용량이 클수록 더 많은 전하를 담을 수 있다. 또 그릇에 전하를 담을 때 그릇이 깊을수록, 즉 전압이 높을수록 더 많은 전하를 담을 수 있다.

1. 전기 용량

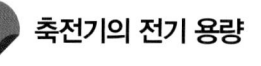 심화 83쪽

도체에 (+)전하를 주면 그 주위에 전기장이 형성되므로, 전하량이 +1 C인 전하를 이 도체까지 이동시키기 위해서는 외부에서 일을 해 주어야 한다. (+)전하가 저장된 이 도체에 가까이 갈수록 더 많은 일이 필요하므로, (+)전하로 대전된 도체의 전위가 높다는 것을 알 수 있다. 이때 도체에 저장된 전하량이 2배가 되면 전기장의 세기도 2배가 되고, 이 도체까지 전하를 이동시키는 데 필요한 일도 2배가 된다. 따라서 전위차도 2배가 된다.

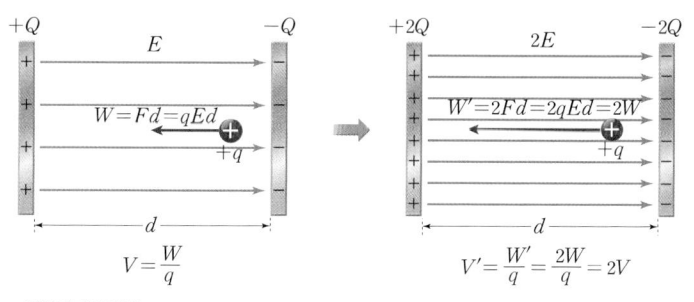

▲ 전하량과 전위차

(1) **전기 용량**: 축전기에 전하가 충전되면 전하량에 비례하여 두 극판 사이의 전기장의 세기가 증가하므로, 극판 사이의 전위차도 비례하여 증가한다. 즉, 축전기에 충전되는 전하량 Q는 두 극판 사이의 전위차 V에 비례한다.

$$Q \propto V$$

따라서 Q와 V 사이에는 다음과 같은 관계가 성립한다.

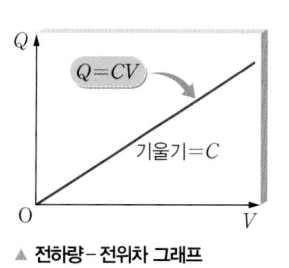

▲ 전하량−전위차 그래프

$$Q = CV \ (단위: C)$$

이때 비례 상수 C를 전기 용량이라고 하며, 단위로는 F(패럿)을 사용한다. 1 F은 축전기의 두 극판 사이에 1 V의 전위차를 걸었을 때 1 C의 전하량이 충전되는 전기 용량이다.

$$1 \text{ F} = 1 \ \frac{\text{C}}{\text{V}} = 1 \text{ C}^2/\text{J}$$

F은 매우 큰 단위이므로, 실용적으로는 μF(마이크로 패럿)이나 pF(피코 패럿)을 주로 사용한다.

$$1 \ \mu\text{F} = 10^{-6} \text{ F}, \ 1 \text{ pF} = 10^{-12} \text{ F}$$

(2) **전기 용량의 결정**: $Q = CV$에서 $C = \dfrac{Q}{V}$이므로, 축전기의 전기 용량은 축전기의 두 극판 사이의 전위차가 1 V 높아지는 동안 충전되는 전하량과 같다. 즉, 전기 용량이 큰 축전기는 같은 전위차를 걸었을 때 전하를 더 많이 충전할 수 있고, 전기 에너지도 더 많이 저장할 수 있다. 이때 전기 용량의 크기는 극판의 면적, 모양, 두 극판 사이의 간격, 두 극판 사이를 채우는 물질의 종류에 따라 달라진다.

축전기를 그릇에 비유

$V = Sh$

높이 h / 부피 V 단면적 S

· 물통: 축전기
· 물의 부피(V): 전하량(Q)
· 물통의 단면적(S): 전기 용량(C)
· 물의 높이(h): 전위(V)

전하량이 같을 때 전기 용량의 비교

전기 용량: 작음.　　전기 용량: 큼.

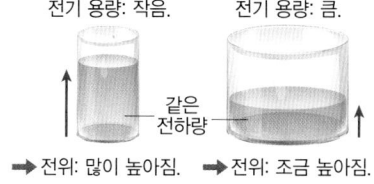

같은 전하량

➡ 전위: 많이 높아짐.　➡ 전위: 조금 높아짐.

2. 평행판 축전기의 전기 용량

집중 분석 81쪽

(1) 평행판 축전기의 극판의 면적 및 두 극판 사이 간격과 전기 용량의 관계

① 평행판 축전기의 마주보는 두 극판의 면적 S 가 넓을수록 전하를 저장할 장소가 넓어지므로, 많은 양의 전하를 모을 수 있다.

② 평행판 축전기의 두 극판 사이의 전기장의 세기가 E일 때 전위차 $V=Ed$이므로, 전위차 V 가 일정할 때 두 극판 사이의 간격 d가 작을수

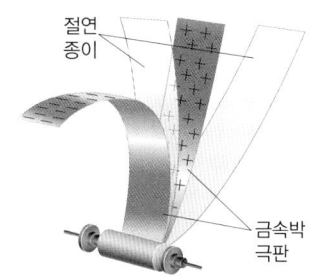

▲ 평행판 축전기의 전기 용량

록 극판 사이의 전기장의 세기가 커져서 더 많은 양의 전하를 모을 수 있다.

➡ 극판의 면적이 넓을수록, 두 극판 사이의 간격이 작을수록 전기 용량은 증가하게 된다.

(2) 평행판 축전기의 전기 용량: 평행판 축전기의 전기 용량 C는 극판의 면적 S에 비례하고, 두 극판 사이의 간격 d에 반비례한다. 따라서 평행판 축전기의 전기 용량 C는 다음과 같이 나타낼 수 있다.

$$C=\varepsilon\frac{S}{d}\ (단위:\ F)$$

이때 비례 상수 ε은 축전기의 두 극판 사이를 채운 물질(유전체)에 따라 정해지는 값으로, 유전율이라고 한다.

원통형 축전기의 구조

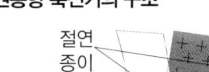

극판의 면적을 넓게 하고, 두 극판 사이의 간격을 작게 하기 위해 금속박 극판 사이에 파라핀 종이나 기름종이 등의 절연 종이를 넣고 말아서 원통 모양으로 만든다.

예제

1. 전기 용량이 $1\ \mu F$인 평행판 축전기가 있다. 이 축전기의 극판의 면적을 2배로 증가시키고, 두 극판 사이의 간격을 $\frac{1}{2}$배로 감소시켰을 때 축전기의 전기 용량은 몇 μF이 되는지 구하시오.

해설 평행판 축전기의 전기 용량 $C=\varepsilon\frac{S}{d}$에서 극판의 면적 S를 2배, 두 극판 사이의 간격 d를 $\frac{1}{2}$배로 하면, 전기 용량 C는 4배가 된다. 따라서 전기 용량은 $4\ \mu F$이다.

정답 $4\ \mu F$

2. 그림 (가)는 전압이 V로 일정한 전원에 극판의 면적이 S이고, 두 극판 사이의 간격이 d인 평행판 축전기를 연결한 모습을 나타낸 것이고, (나)는 전압이 $2V$로 일정한 전원에 극판의 면적이 $2S$이고, 두 극판 사이의 간격이 $2d$인 평행판 축전기를 연결한 모습을 나타낸 것이다.

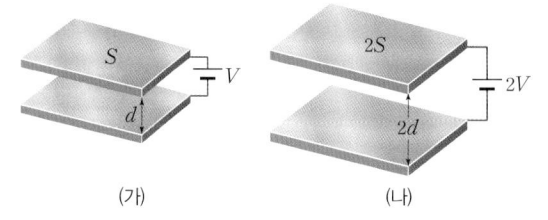

(가)　　　　　(나)

(1) 두 축전기의 전기 용량의 비((가) : (나))를 구하시오.
(2) 두 축전기에 충전되는 전하량의 비((가) : (나))를 구하시오.

해설 (1) 평행판 축전기의 전기 용량 $C=\varepsilon\frac{S}{d}$이므로, 두 축전기의 전기 용량의 비 $C_{(가)}:C_{(나)}=\frac{S}{d}:\frac{2S}{2d}=1:1$이다.

(2) 두 축전기의 전기 용량이 같으므로, $Q=CV$에서 축전기에 충전되는 전하량의 비는 전위차의 비에 비례한다. 따라서 두 축전기에 충전되는 전하량의 비 $Q_{(가)}:Q_{(나)}=1:2$이다.

정답 (1) $1:1$ (2) $1:2$

③ 축전기와 유전체

대부분의 축전기의 두 극판 사이에는 종이, 플라스틱, 광물성 기름과 같은 절연체가 들어 있다. 이는 축전기의 전기 용량을 증가시켜 축전기에 더 많은 전기 에너지를 저장하기 위해서이다.

1. 유전체

(1) **유전체:** 전기장에 의해 유전 분극이 되는 물질을 유전체라고 한다.

(2) **유전체의 유전 분극:** 축전기를 충전시켜 두 극판 사이에 전기장 E_0이 형성될 때 두 극판 사이에 유전체를 넣으면 극판 사이의 전기장에 의해 유전 분극이 일어난다.

① **극성 유전체의 유전 분극:** 물 분자와 같이 영구 전기 쌍극자인 물질을 극성 유전체라고 한다. 그림 (가)와 같이 전기장 내에서 극성 유전체는 전기 쌍극자가 전기장과 나란하게 정렬되는 유전 분극이 일어난다.

② **비극성 유전체의 유전 분극:** 영구 전기 쌍극자가 아닌 비극성 유전체는 전기장이 없을 때는 전기 쌍극자가 나타나지 않다가, 전기장 내에서는 전하의 재배열을 통해 (+)전하와 (−)전하를 띤 부분으로 분극이 일어나 전기 쌍극자가 된다. 그림 (나)와 같이 전기장 내에서 비극성 유전체는 전기 쌍극자가 전기장과 나란하게 정렬되는 유전 분극이 일어난다.

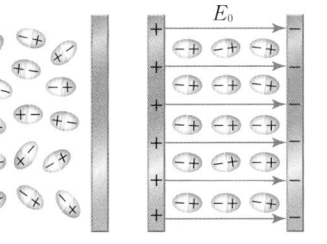 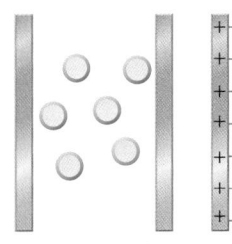 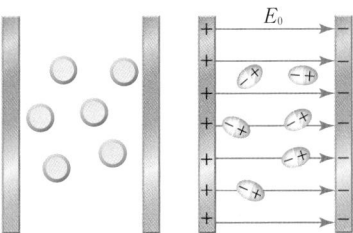

외부 전기장이 없을 때 　외부 전기장이 있을 때
(가) 극성 유전체의 유전 분극

외부 전기장이 없을 때 　외부 전기장이 있을 때
(나) 비극성 유전체의 유전 분극

▲ 유전체의 유전 분극

(3) **유전율:** 유전체가 유전 분극이 되는 정도를 유전율 ε이라고 하며, 이는 유전체의 종류에 따라 다르다. 진공의 유전율은 ε_0으로 표기하며, 쿨롱 법칙을 통해 얻을 수 있다. 쿨롱 법칙 $F = \dfrac{1}{4\pi\varepsilon_0}\dfrac{q_1 q_2}{r^2}$에서 $\dfrac{1}{4\pi\varepsilon_0} = 9 \times 10^9$이므로, $\varepsilon_0 = \dfrac{1}{4\pi \times 9 \times 10^9} \fallingdotseq 8.85 \times 10^{-12}(\text{F/m})$이다.

(4) **유전 상수:** 진공의 유전율 ε_0에 대한 유전체의 유전율 ε의 비를 유전 상수 또는 비유전율 κ라고 한다.

$$\kappa = \frac{\varepsilon}{\varepsilon_0}$$

진공의 유전 상수는 1이고, 다른 물질들의 유전 상수는 1보다 크다. 즉, 축전기의 두 극판 사이에 유전체를 넣으면 진공일 때보다 전기 용량이 κ배만큼 증가한다.

(5) **유전 강도:** 축전기 내의 유전체가 파괴되지 않고, 견딜 수 있는 전기장의 최댓값을 유전 강도라고 한다. 유전 강도의 단위로는 V/m를 사용하고, 물질마다 다른 값을 가진다. 유전 강도가 큰 유전체일수록 더 큰 전압을 걸어 줄 수 있으므로 축전기에 더 많은 전하를 저장할 수 있다.

유전체의 종류
• 강유전체: 외부 전기장 없이도 스스로 분극되는 물질을 강유전체라고 한다. 강유전체는 외부 전기장에 의해 분극의 방향을 바꿀 수 있다.
• 상유전체: 외부 전기장이 있을 때 분극되는 물질을 상유전체라고 한다. 상유전체는 외부 전기장이 없으면 분극이 사라진다.

여러 가지 물질의 유전 상수(20 °C)

물질	유전 상수
진공	1
공기(1기압)	1.00059
파라핀	1.9~2.4
천연 고무	2.1~3.3
폴리 에틸렌	2.25
운모	3~6
종이	3.7
에보나이트	2.7~2.9
물	80.4
석영	3.5~4.0
유리	4~6
글리세린	42.5
메틸 알코올	30
티타니아 세라믹	130
스트론튬 티타네이트	310
소금	6
얼음	100~190
다이아몬드	6

축전기의 내전압
축전기의 두 극판에 걸어 주는 전압에는 한도가 있어서 어느 한도 이상의 전압이 걸리면 절연되지 않고, 두 극판 사이에 전기가 흐르게 된다. 이와 같이 축전기의 두 극판 사이에서 방전되지 않고 견딜 수 있는 최대 전압을 축전기의 내전압이라고 한다. 내전압의 크기는 두 극판 사이의 유전체의 종류에 따라 다르고, 두 극판 사이의 간격에 거의 비례한다. 따라서 축전기를 사용할 때에는 축전기에 표시된 내전압을 확인하고, 내전압 이하의 전압에서 사용해야 한다.

2. 유전체와 전기 용량

집중 분석 82쪽

(1) **유전체와 전위차:** 그림 (가)와 같이 전압이 V_0인 전원에 축전기를 연결하여 전하량 Q_0으로 충전시킨 후 전원에서 분리하면 축전기의 두 극판 사이에는 전기장 E_0이 형성된다. 이 때 축전기의 두 극판 사이에 유전체를 넣으면 극판 사이의 전기장에 의해 유전 분극이 일어나 유전체가 전기장과 나란하게 정렬된다. 유전체의 양 표면에는 각 극판과 다른 종류의 전하가 유도되므로, 유전체 내부에는 그림 (나)와 같이 축전기의 전기장 E_0과 반대 방향으로 전기장 E'이 형성된다. 즉, 두 극판 사이에 유전체를 넣으면 극판 사이의 전기장의 세기 $E = E_0 - E'$으로, 유전체를 넣기 전보다 약해진다. 따라서 그림 (다)와 같이 전위차 $V = Ed$로 V_0보다 작아진다.

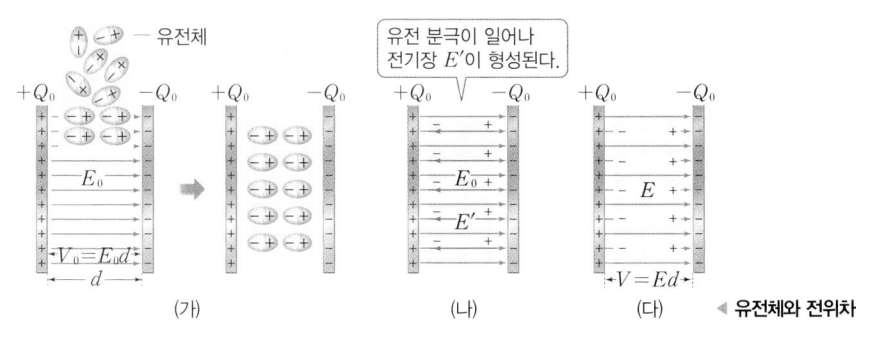

(가)　　　　　　　　(나)　　　　　　　　(다)　◀ 유전체와 전위차

(2) 유전체와 전기 용량

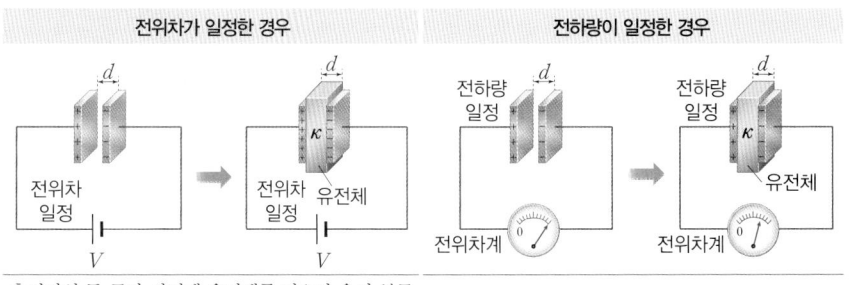

전위차가 일정한 경우	전하량이 일정한 경우
축전기의 두 극판 사이에 유전체를 넣으면 유전 분극에 의해 극판 사이의 전위차는 감소한다. 이때 두 극판 사이의 전위차가 전원의 전위차와 같아질 때까지 전하가 더 충전되므로, 전하량이 증가하게 된다. 따라서 전기 용량 $C = \dfrac{Q}{V}$에서 전기 용량은 증가한다.	축전기의 두 극판 사이에 유전체를 넣으면 유전 분극에 의해 극판 사이의 전위차는 감소한다. 이때 충전된 전하량이 일정하므로, 전기 용량 $C = \dfrac{Q}{V}$에서 전기 용량은 증가한다.

시야 확장 ➕ 축전기에 도체를 넣은 경우

축전기의 두 극판 사이에 두께가 있는 도체를 넣으면 극판 사이의 전기장 E에 의해 정전기 유도가 일어나 도체 내부의 전기장의 세기는 0이 된다. 이는 도체의 두께만큼 두 극판 사이의 간격이 줄어든 것과 같다. 이때 축전기의 한 극판과 삽입된 도체 사이의 전기장의 세기는 도체를 넣기 전과 같으므로, 전위차

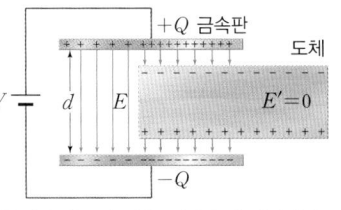

$V = Ed$에서 두 극판 사이의 전위차는 감소한다. 따라서 축전기에는 더 많은 전하를 충전시킬 수 있다.

축전기와 전원

축전기의 두 극판 사이에 유전체를 넣는 것과 같이 축전기를 변경하는 경우 축전기의 변경이 전원을 연결한 채 일어났는지 혹은 전원을 분리한 채 일어났는지 알아야 한다.

- 전원을 연결한 채 축전기를 변경한 경우: 전위차가 일정하다.
- 전원을 분리한 채 축전기를 변경한 경우: 충전된 전하량이 일정하다.

4 축전기에 저장된 전기 에너지

전원 장치를 이용하여 축전기를 충전하면 두 극판 사이에 형성된 전기장으로 인해 전위차가 생긴다. 이때 충전된 축전기에 저항을 연결하면 전류가 흐르면서 일을 할 수 있게 된다. 즉, 충전된 축전기는 전기 에너지를 저장하고 있다.

1. 축전기에 저장된 전기 에너지 집중 분석 81쪽~82쪽

(1) **축전기에 저장된 전기 에너지:** 축전기의 극판을 대전시키기 위해서는 외부에서 일을 해 주어야 하며, 극판에 전하가 쌓일수록 추가로 전하를 이동시키는 데 더 많은 일이 필요하다. 이때 축전기의 극판을 대전시키기 위해 필요한 일은 축전기에 전기력에 의한 퍼텐셜 에너지로 변환되어 저장된다. 즉, 전원 장치가 축전기에 해 준 일이 전기력에 의한 퍼텐셜 에너지로 축전기에 저장되며, 이를 축전기에 저장된 전기 에너지라고 한다.

(2) 전기 용량이 C인 축전기의 두 극판에 전하량 Q가 이동하여 전위차가 V가 되었다면 $Q=CV$의 관계가 성립하므로, 그림과 같이 전위차-전하량 그래프는 원점 O를 지나는 기울기가 일정한 직선 모양으로 나타난다. 축전기의 한 극판에서 다른 극판으로 전하를 이동시켜 충전시키는 어느 순간에 충전된 전하량을 Q_1이라고 할 때, 그 순간에 전위차 $V_1=\dfrac{Q_1}{C}$이다. 여기에 추가로 미소 전하량 ΔQ를 이동시키는 데 필요한 일을 ΔW라고 하면 $\Delta W=\Delta Q V_1$이고, 이는 전위차-전하량 그래프에서 색칠한 작은 직사각형의 넓이와 같다. 따라서 축전기에 전하량 Q를 충전시킬 때 필요한 일 W는 작은 직사각형의 넓이를 모두 합한 것과 같으며, 이는 전위차-전하량 그래프에서 그래프 아래의 넓이이다. 즉, 축전기에 전하량 Q를 충전시키기 위해 필요한 일은 축전기에 저장된 전기 에너지와 같으므로, 전기 에너지 W는 다음과 같이 나타낼 수 있다.

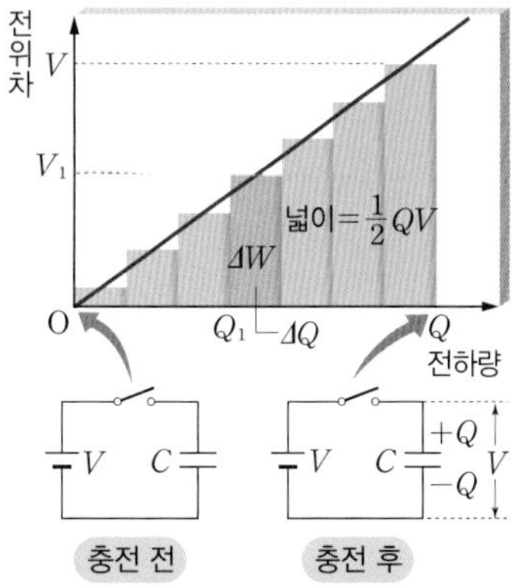

$$W=\frac{1}{2}QV=\frac{1}{2}CV^2=\frac{1}{2}\frac{Q^2}{C}\ (\text{단위: J})$$

▲ 축전기에 저장된 전기 에너지

축전기에 전하를 충전시킬 때 필요한 일

축전기의 전하량을 0부터 Q까지 충전시킬 때 필요한 일 W는 전위차-전하량 그래프에서 그래프 아래의 넓이와 같다. 따라서 W는 다음과 같이 나타낼 수 있다.

$$W=\int_0^Q dW=\frac{1}{C}\int_0^Q q\,dq=\frac{1}{2}\frac{Q^2}{C}$$

예제

전압이 일정한 전원 장치에 두 극판 사이의 간격이 d인 평행판 축전기를 연결하여 완전히 충전하였다. 이 상태에서 전원을 연결한 채 두 극판 사이의 간격을 $2d$로 증가시켰을 때에 비해, 전원을 분리한 채 두 극판 사이의 간격을 $2d$로 증가시켰을 때 저장된 전기 에너지는 몇 배가 되는지 구하시오.

해설 전기 용량 $C=\varepsilon\dfrac{S}{d}$이므로, 두 극판 사이의 간격이 2배가 되면 전기 용량은 $\dfrac{1}{2}$배가 된다. 전원을 연결한 채 두 극판 사이의 간격을 증가시키면 전위차가 일정하므로, $W=\dfrac{1}{2}CV^2$에서 전기 에너지는 $\dfrac{1}{2}$배가 된다. 또 전원을 분리한 채 두 극판 사이의 간격을 증가시키면 전하량이 일정하므로, $W=\dfrac{1}{2}\dfrac{Q^2}{C}$에서 전기 에너지는 2배가 된다. 따라서 전원을 연결했을 때에 비해 전원을 분리했을 때 저장된 전기 에너지는 4배가 된다.

정답 4배

5 축전기의 연결

축전기가 포함되어 있는 전기 기구에는 여러 개의 축전기가 다양한 방법으로 연결되어 있다. 이처럼 서로 연결된 여러 개의 축전기는 같은 값을 가지는 한 개의 축전기로 나타낼 수 있다.

1. 축전기의 직렬연결

그림과 같이 전기 용량이 각각 C_1, C_2, C_3인 세 개의 축전기를 직렬로 연결했을 때 합성 전기 용량과 전기 에너지는 다음과 같다.

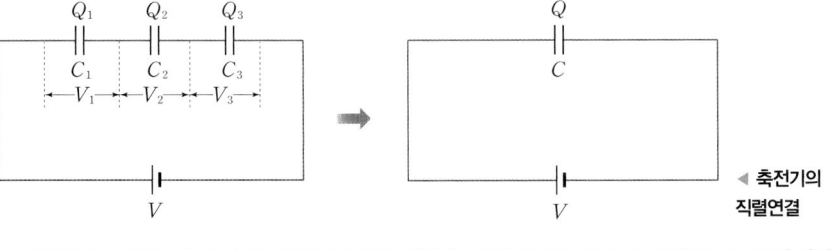

◀ 축전기의 직렬연결

(1) **합성 전기 용량:** 축전기의 직렬연결에서 전원은 전원의 양 단자에 연결된 두 극판에만 전하를 충전한다. 축전기의 형태나 전기 용량에 관계없이 전원의 양 단자에 연결되어 있지 않은 극판 사이에서는 정전기 유도에 의해 전하가 충전되며, 이 부분은 회로의 나머지 부분으로부터 전기적으로 고립되어 있으므로, 알짜 전하량은 0이다. 따라서 전체 전하량은 각 축전기에 충전된 전하량과 같고, 전체 전압은 각 축전기에 의한 전압 강하의 합과 같다. 전체 전하량 $Q=Q_1=Q_2=Q_3$이므로, 각 축전기에 걸리는 전압 V_1, V_2, V_3을 구하면 $V_1=\dfrac{Q}{C_1}$, $V_2=\dfrac{Q}{C_2}$, $V_3=\dfrac{Q}{C_3}$이다. 즉, 각 축전기에 걸리는 전압은 각 축전기의 전기 용량에 반비례한다. 따라서 전체 전압 $V=V_1+V_2+V_3=\dfrac{Q}{C_1}+\dfrac{Q}{C_2}+\dfrac{Q}{C_3}=\dfrac{Q}{C}$이므로, 직렬연결된 축전기의 합성 전기 용량 C의 역수는 다음과 같다.

$$\frac{1}{C}=\frac{1}{C_1}+\frac{1}{C_2}+\frac{1}{C_3}$$

① **합성 전기 용량:** 직렬연결된 축전기의 합성 전기 용량 C의 역수는 각 축전기의 전기 용량의 역수의 합과 같다. ➡ $\dfrac{1}{C}=\displaystyle\sum_{i=1}^{n}\dfrac{1}{C_i}$

② **합성 전기 용량의 크기:** 직렬연결된 축전기의 합성 전기 용량은 두 극판 사이의 간격이 증가하는 것과 같은 효과를 내며, 축전기 중 전기 용량이 가장 작은 것보다 작다. 그림과 같이 동일한 2개의 축전기를 직렬연결하면 등

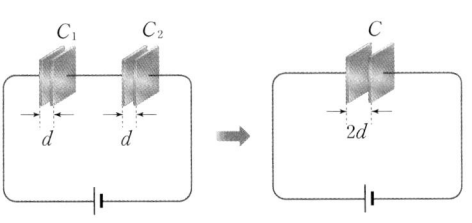

▲ **직렬연결된 축전기의 합성 전기 용량**

가 축전기의 두 극판 사이의 거리가 2배가 되는 효과가 되므로, 합성 전기 용량은 작아진다.

(2) **전기 에너지:** 축전기에 저장된 전체 전기 에너지는 각 축전기에 저장되는 전기 에너지의 합과 같다. ➡ $W=W_1+W_2+W_3=\dfrac{1}{2}Q^2\left(\dfrac{1}{C_1}+\dfrac{1}{C_2}+\dfrac{1}{C_3}\right)$

축전기의 직렬연결과 전하량

극판의 전하량은 각각 $+Q$, $-Q$이다.

정전기 유도에 의해 자유 전자가 이동하며, 이 부분의 알짜 전하량은 0이다.

2. 축전기의 병렬연결

그림과 같이 전기 용량이 각각 C_1, C_2, C_3인 세 개의 축전기를 병렬로 연결했을 때 합성 전기 용량과 전기 에너지는 다음과 같다.

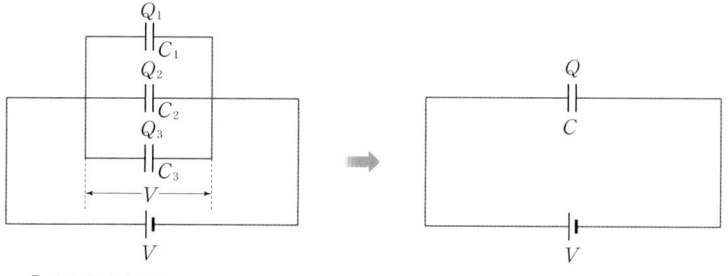

▲ **축전기의 병렬연결**

(1) **합성 전기 용량:** 축전기의 병렬연결에서 전체 전압은 각 축전기에 의한 전압 강하와 같고, 전체 전하량은 각 축전기에 충전된 전하량의 합과 같다. 전체 전압 $V=V_1=V_2=V_3$이므로, 각 축전기에 충전된 전하량 Q_1, Q_2, Q_3을 구하면 $Q_1=C_1V$, $Q_2=C_2V$, $Q_3=C_3V$이다. 즉, 각 축전기에 충전된 전하량은 각 축전기의 전기 용량에 비례한다. 따라서 전체 전하량 $Q=Q_1+Q_2+Q_3=C_1V+C_2V+C_3V=CV$이므로, 병렬연결된 축전기의 합성 전기 용량 C는 다음과 같다.

$$C=C_1+C_2+C_3$$

① **합성 전기 용량:** 병렬연결된 축전기의 합성 전기 용량 C는 각 축전기의 전기 용량의 합과 같다. ➡ $C=\sum_{i=1}^{n}C_i$

② **합성 전기 용량의 크기:** 병렬연결된 축전기의 합성 전기 용량은 극판의 면적이 증가하는 것과 같은 효과를 내며, 축전기 중 전기 용량이 가장 큰 것보다 크다. 그림과 같이 동일한 2개의 축전기를 병렬연결하면 등가 축전기 극판의 면적이

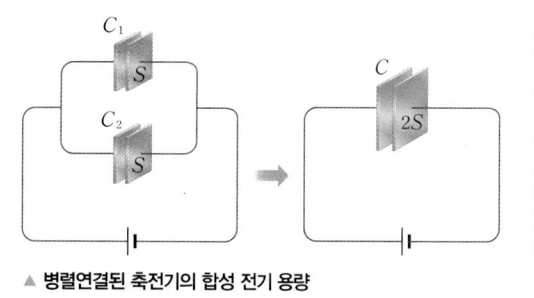

▲ **병렬연결된 축전기의 합성 전기 용량**

2배가 되는 효과가 되므로, 합성 전기 용량은 커진다.

(2) **전기 에너지:** 축전기에 저장된 전체 전기 에너지는 각 축전기에 저장되는 전기 에너지의 합과 같다. ➡ $W=W_1+W_2+W_3=\dfrac{1}{2}V^2(C_1+C_2+C_3)$

3. 축전기의 혼합 연결

저항의 혼합 연결과 마찬가지로, 여러 개의 축전기가 혼합 연결되어 있을 때에는 분기점을 기준으로 하나씩 단계별로 합성 전기 용량을 구하는 과정을 반복하여 전체 합성 전기 용량을 구한다.

예제

1. 그림과 같이 전압이 **3 V**로 일정한 전원에 전기 용량이 **1.5 μF**인 동일한 축전기 **2개**를 병렬연결하였다.

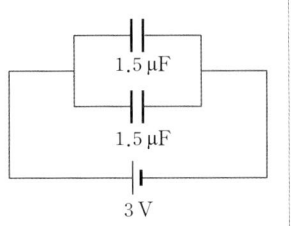

(1) 합성 전기 용량은 몇 μF인지 구하시오.

(2) 두 축전기에 충전된 전체 전하량은 몇 μC인지 구하시오.

(3) 두 축전기에 저장된 전체 전기 에너지는 몇 μJ인지 구하시오.

해설 (1) 축전기의 병렬연결에서 합성 전기 용량은 각 축전기의 전기 용량의 합과 같다. 따라서 합성 전기 용량 $C=$ 1.5 μF + 1.5 μF = 3 μF이다.

(2) 전하량 $Q=CV$에서 전체 전하량 $Q=$ 3 μF × 3 V = 9 μC이다.

(3) 전기 에너지 $W=\dfrac{1}{2}CV^2$에서 전체 전기 에너지 $W=\dfrac{1}{2}\times 3$ μF × (3 V)² = 13.5 μJ이다.

정답 (1) 3 μF (2) 9 μC (3) 13.5 μJ

---

2. 그림과 같이 전압이 **6 V**로 일정한 전원에 전기 용량이 각각 **1 μF, 2 μF, 3 μF**인 축전기 **A, B, C**를 혼합 연결하였다.

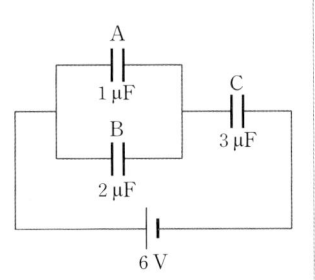

(1) 합성 전기 용량은 몇 μF인지 구하시오.

(2) A에 충전된 전하량은 몇 μC인지 구하시오.

(3) C에 저장된 전기 에너지는 몇 μJ인지 구하시오.

해설 (1) A와 B는 병렬연결되어 있으므로, A와 B의 합성 전기 용량 $C_{AB}=$ 1 μF + 2 μF = 3 μF이다. 또 A, B와 C는 직렬연결되어 있으므로, 전체 합성 전기 용량 C는 $\dfrac{1}{C}=\dfrac{1}{3\text{ μF}}+\dfrac{1}{3\text{ μF}}=\dfrac{2}{3\text{ μF}}$에서 $C=$ 1.5 μF이다.

(2) 전하량 $Q=CV$에서 전체 전하량 $Q=$ 1.5 μF × 6 V = 9 μC이다. 축전기의 직렬연결에서 전체 전하량은 각 축전기에 충전된 전하량과 같으므로, A, B와 C 각각에 9 μC의 전하량이 충전된다. 또 축전기의 병렬연결에서 각 축전기에 충전된 전하량은 각 축전기의 전기 용량에 비례하므로, A에는 3 μC, B에는 6 μC의 전하량이 충전된다.

(3) 전기 에너지 $W=\dfrac{1}{2}\dfrac{Q^2}{C}$에서 C에 저장된 전기 에너지 $W_C=\dfrac{1}{2}\times\dfrac{(9\text{ μC})^2}{3\text{ μF}}=$ 13.5 μJ이다.

정답 (1) 1.5 μF (2) 3 μC (3) 13.5 μJ

---

3. 그림과 같이 전압이 **10 V**로 일정한 전원에 저항값이 각각 **4 Ω, 6 Ω**인 저항 **A, B**와 전기 용량이 각각 **2 μF, 3 μF**인 축전기 **a, b**를 혼합 연결하였다.

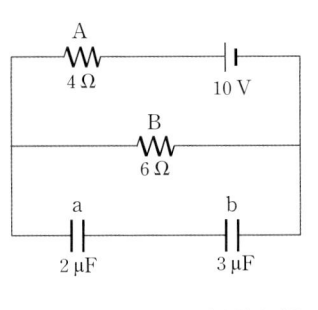

(1) 합성 전기 용량은 몇 μF인지 구하시오.

(2) a에 충전된 전하량은 몇 μC인지 구하시오.

해설 (1) a와 b는 직렬연결되어 있으므로, 전체 합성 전기 용량 C는 $\dfrac{1}{C}=\dfrac{1}{2\text{ μF}}+\dfrac{1}{3\text{ μF}}=\dfrac{5}{6\text{ μF}}$에서 $C=$ 1.2 μF이다.

(2) 축전기의 충전이 완료되면 전류는 저항으로만 흐른다. A와 B는 직렬연결되어 있으므로, 전체 합성 저항 $R=$ 4 Ω + 6 Ω = 10 Ω이고, 전체 전류의 세기 $I=\dfrac{10\text{ V}}{10\text{ Ω}}=$ 1 A이다. 따라서 A와 B에는 각각 세기가 1 A인 전류가 흐르므로, B의 양단에 걸리는 전압 $V_B=$ 1 A × 6 Ω = 6 V이다. 이때 B와 a, b는 병렬연결되어 있으므로, a, b에 걸리는 전압도 6 V이다. 따라서 전하량 $Q=CV$에서 전체 전하량 $Q=$ 1.2 μF × 6 V = 7.2 μC이다. 축전기의 직렬연결에서 전체 전하량은 각 축전기에 충전된 전하량과 같으므로, a와 b 각각에 7.2 μC의 전하량이 충전된다.

정답 (1) 1.2 μF (2) 7.2 μC

6 축전기의 이용

축전기는 다양한 전기 기구에 활용되고 있다. 전기 기구를 전원에서 분리하여도 축전기에 충전된 전하가 방전되지 않고 남아 있는 경우가 있으므로, 기구의 회로를 함부로 만지지 않도록 주의해야 한다.

1. 저장된 전기 에너지를 이용하는 경우

(1) **카메라 플래시:** 카메라의 플래시에 들어 있는 축전기는 카메라의 전지에 의해 전기 에너지를 저장하고 있다가, 플래시 스위치를 누르는 순간 축전기에 저장된 전기 에너지가 한꺼번에 방전되면서 밝은 빛을 방출한다.

(2) **자동 제세동기:** 심장의 기능이 멈춘 사람의 가슴에 전기 충격을 가하여 심장 박동이 정상 상태로 돌아올 수 있도록 도와주는 장치를 자동 제세동기라고 한다. 자동 제세동기에 들어 있는 축전기는 축전기에 저장된 전기 에너지가 한꺼번에 방전되면서 순간적으로 강한 전류가 심장 부근에 흘러 심장이 원래의 기능을 회복하도록 돕는다. 자동 제세동기를 사용할 때에는 감전의 위험이 있으므로, 부상자에게서 일정한 거리만큼 떨어져야 한다.

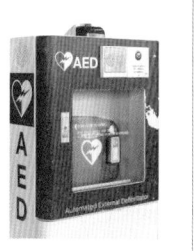
▲ 자동 제세동기

2. 전기 용량의 변화를 이용하는 경우

(1) **컴퓨터 키보드:** 컴퓨터 키보드의 글자판 아래에는 글자판이 부착된 움직이는 금속판과 고정된 금속판이 나란하게 배치되어 있다. 글자판을 누르면 축전기의 두 금속판 사이의 간격이 줄어들면서 전기 용량이 증가하는데, 이러한 변화를 컴퓨터가 인식하여 글자가 입력된다.

글자판
움직이는 금속판
유전체
고정된 금속판
▲ **컴퓨터 키보드의 원리**

(2) **정전식 터치스크린:** 정전식 터치스크린은 투명 전극에 코팅된 2장의 전도성 유리가 겹쳐져 있다. 이 유리판 사이에 작은 전압을 걸어 주면 유리 표면에 전하가 충전되는데, 이때 상단의 유리 표면에 손가락을 갖다 대면 유리 표면에 저장된 전자가 손가락을 따라 이동하므로, 유리 표면의 전하량이 변하게 된다. 이러한 변화를 터치스크린의 센서가 감지하여 접촉되는 위치를 파악하고 입력을 판별한다.

유리
투명 전극
유리
투명 전극
LCD 화면
▲ **정전식 터치스크린의 원리**

(3) **콘덴서 마이크:** 콘덴서 마이크는 소리에 의해 진동하는 금속판과 고정된 금속판이 나란하게 배치되어 있다. 소리에 의해 진동하는 금속판이 진동하면 두 금속판 사이의 간격이 변하여 전기 용량이 변하게 되고, 전

진동하는 금속판 케이스
절연링 고정된 금속판
소리
진동하는 금속판
고정된 금속판
전지
전기 신호
▲ **콘덴서 마이크의 원리**

기 용량이 변하면 축전기에 걸리는 전압이 변하여 전압에 의한 전기 신호가 발생하게 된다. 이 과정을 통해 소리가 전기 신호로 변환된다.

축전기를 사용하는 전기 자동차

전기를 에너지원으로 하는 자동차에 전지를 대신하여 전원 공급 장치로 축전기를 사용하는 경우가 점차 증가하고 있다. 이러한 전기 자동차가 한 번의 충전으로 오랫동안 작동하고 빠른 속력을 내기 위해서는 전기 용량이 크고 에너지 밀도가 높은 축전기가 필요하다.

가변 축전기

다이얼을 회전하여 축전기의 극판이 겹치는 면적을 조절하여 전기 용량을 변화시킬 수 있는 축전기를 가변 축전기라고 한다. 이는 라디오나 무선 통신 장치에서 특정 주파수를 수신하고자 할 때 유용하게 활용된다.

회전

집중분석

평행판 축전기의 전기 용량과 전기 에너지

평행판 축전기의 두 극판 사이의 간격을 조절하거나 극판 사이에 유전체를 넣으면 축전기의 전기 용량이 변한다. 이에 따라 변하는 물리량에 대해 알아보자.

① 두 극판 사이의 간격을 d에서 d'으로 증가시킨 경우

(1) 전원을 연결한 채 두 극판 사이의 간격을 증가시킨 경우

전기 용량	전기 용량 $C = \varepsilon \dfrac{S}{d}$이므로, 전기 용량은 감소한다. $$C' = \varepsilon_0 \frac{S}{d'} = \frac{d}{d'}C$$
전위차	축전기가 전원에 연결되어 있으므로, 전위차는 일정하다.
전하량	전하량 $Q = CV$에서 전위차가 일정하고 전기 용량이 감소하므로, 충전된 전하량은 감소한다. $$Q' = C'V = \frac{d}{d'}CV = \frac{d}{d'}Q$$
전기장	전기장의 세기 $E = \dfrac{V}{d}$에서 전위차가 일정하고 두 극판 사이의 간격이 증가하므로, 전기장의 세기는 감소한다. $$E' = \frac{V}{d'} = \frac{d}{d'}E$$
전기 에너지	전기 에너지 $W = \dfrac{1}{2}CV^2$에서 전위차가 일정하고 전기 용량이 감소하므로, 저장된 전기 에너지는 감소한다. $$W' = \frac{1}{2}C'V^2 = \frac{1}{2}\left(\frac{d}{d'}C\right)V^2 = \frac{d}{d'}W$$

(2) 전원을 분리한 채 두 극판 사이의 간격을 증가시킨 경우

전기 용량	전기 용량 $C = \varepsilon\dfrac{S}{d}$이므로, 전기 용량은 감소한다. $$C' = \varepsilon_0\frac{S}{d'} = \frac{d}{d'}C$$
전하량	축전기가 전원에서 분리되어 있으므로, 충전된 전하량은 일정하다.
전위차	전위차 $V = \dfrac{Q}{C}$에서 전하량이 일정하고 전기 용량이 감소하므로, 전위차는 증가한다. $$V' = \frac{Q}{C'} = \frac{C}{C'}V = \frac{d'}{d}V$$
전기장	전기장의 세기 $E = \dfrac{V}{d}$에서 전위차와 두 극판 사이의 간격이 같은 비율로 증가하므로, 전기장의 세기는 일정하다. $$E' = \frac{V'}{d'} = \frac{V}{d} = E$$
전기 에너지	전기 에너지 $W = \dfrac{1}{2}QV$에서 전하량이 일정하고 전위차가 증가하므로, 저장된 전기 에너지는 증가한다. $$W' = \frac{1}{2}QV' = \frac{1}{2}Q\left(\frac{d'}{d}V\right) = \frac{d'}{d}W$$

예제

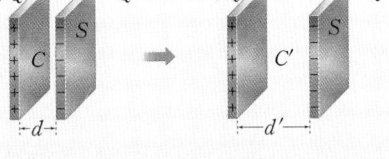

① 그림은 전압이 V로 일정한 전원에 극판의 면적이 S, 두 극판 사이의 간격이 d인 평행판 축전기를 연결하였을 때, 전하량 Q가 충전되어 두 극판 사이에 세기가 E인 전기장이 형성된 모습을 나타낸 것이다.

(1) 전원을 연결한 채 두 극판 사이의 간격을 $2d$로 증가시켰을 때 축전기에 충전된 전하량을 구하시오.

(2) 전원을 분리한 채 두 극판 사이의 간격을 $2d$로 증가시켰을 때 두 극판 사이의 전기장의 세기를 구하시오.

해설 (1) 전기 용량 $C = \varepsilon\dfrac{S}{d}$이므로, 두 극판 사이의 간격이 2배가 되면 전기 용량은 $\dfrac{1}{2}$배가 된다. 전원을 연결한 채 두 극판 사이의 간격을 2배로 증가시키면 전위차는 일정하므로, 전하량 $Q = CV$에서 축전기에 충전된 전하량은 $\dfrac{1}{2}Q$가 된다.

(2) 전기 용량 $C = \varepsilon\dfrac{S}{d}$이므로, 두 극판 사이의 간격이 2배가 되면 전기 용량은 $\dfrac{1}{2}$배가 된다. 전원을 분리한 채 두 극판 사이의 간격을 2배로 증가시키면 전하량은 일정하므로, 전위차 $V = \dfrac{Q}{C}$에서 전위차는 2배가 된다. 따라서 전기장의 세기 $E = \dfrac{V}{d}$에서 두 극판 사이의 전기장의 세기는 E로 일정하다.

정답 (1) $\dfrac{1}{2}Q$ (2) E

② **두 극판 사이에 유전 상수가 κ인 유전체를 넣은 경우**

(1) 전원을 연결한 채 두 극판 사이에 유전체를 넣은 경우

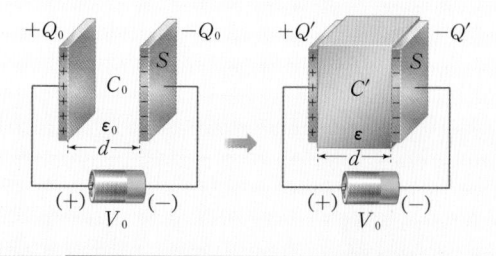

전기 용량	전기 용량 $C=\varepsilon\dfrac{S}{d}$이므로, 전기 용량은 증가한다. $$C'=\varepsilon\frac{S}{d}=\frac{\varepsilon}{\varepsilon_0}C_0=\kappa C_0$$
전위차	축전기가 전원에 연결되어 있으므로, 전위차는 일정하다.
전하량	전하량 $Q=CV$에서 선위차가 일정하고 전기 용량이 증가하므로, 충전된 전하량은 증가한다. $$Q'=C'V_0=\kappa C_0V_0=\kappa Q_0$$
전기장	전기장의 세기 $E=\dfrac{V}{d}$에서 두 극판 사이의 간격과 전위차가 일정하므로, 전기장의 세기도 일정하다. $$E'=\frac{V_0}{d}=E$$
전기 에너지	전기 에너지 $W=\dfrac{1}{2}CV^2$에서 전위차가 일정하고 전기 용량이 증가하므로, 저장된 전기 에너지는 증가한다. $$W'=\frac{1}{2}C'V_0{}^2=\frac{1}{2}(\kappa C_0)V_0{}^2=\kappa W_0$$

(2) 전원을 분리한 채 두 극판 사이에 유전체를 넣은 경우

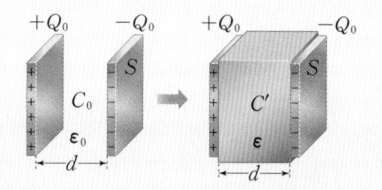

전기 용량	전기 용량 $C=\varepsilon\dfrac{S}{d}$이므로, 전기 용량은 증가한다. $$C'=\varepsilon\frac{S}{d}=\frac{\varepsilon}{\varepsilon_0}C_0=\kappa C_0$$
전하량	축전기가 전원에서 분리되어 있으므로, 전하량은 일정하다.
전위차	전위차 $V=\dfrac{Q}{C}$에서 전하량이 일정하고 전기 용량이 증가하므로, 전위치는 감소한다. $$V'=\frac{Q_0}{C'}=\frac{Q_0}{\kappa C_0}=\frac{1}{\kappa}V_0$$
전기장	전기장의 세기 $E=\dfrac{V}{d}$에서 두 극판 사이의 간격이 일정하고 전위차가 감소하므로, 전기장의 세기도 감소한다. $$E'=\frac{V'}{d}=\frac{1}{\kappa}E$$
전기 에너지	전기 에너지 $W=\dfrac{1}{2}\dfrac{Q^2}{C}$에서 전하량이 일정하고 전기 용량이 증가하므로, 저장된 전기 에너지는 감소한다. $$W'=\frac{1}{2}\frac{Q_0{}^2}{C'}=\frac{1}{2}\frac{Q_0{}^2}{\kappa C_0}=\frac{1}{\kappa}W_0$$

예제

② 전압이 일정한 전원 장치에 평행판 축전기를 연결하여 완전히 충전하였다. 이 상태에서 전원을 분리한 채 두 극판 사이에 유전 상수가 2인 유전체를 넣었을 때, 두 극판 사이의 전위차는 유전체를 넣기 전보다 몇 배가 되는지 구하시오.

해설 전기 용량 $C=\varepsilon\dfrac{S}{d}$이므로, 두 극판 사이에 유전 상수가 2인 유전체를 넣으면 전기 용량은 2배가 된다. 전원을 분리한 채 두 극판 사이에 유전체를 넣으면 전하량이 일정하므로, 전위차 $V=\dfrac{Q}{C}$에서 두 극판 사이의 전위차는 $\dfrac{1}{2}$배가 된다. **정답** $\dfrac{1}{2}$배

유제

▷ 정답과 해설 **175**쪽

그림 (가)는 전압이 일정한 전원 장치에 평행판 축전기를 연결하여 충전한 모습을, (나)는 (가)에서 두 극판 사이에 유전체를 넣은 모습을 나타낸 것이다.

(나)에서가 (가)에서보다 큰 값을 갖는 물리량만을 보기에서 있는 대로 고른 것은?

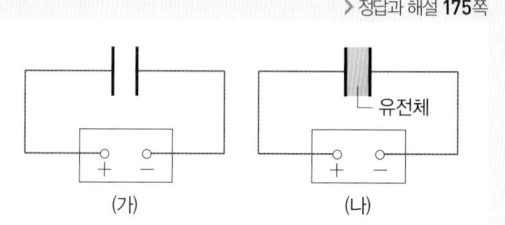

(가)　　(나)

유전체

보기
　ㄱ. 축전기에 충전된 전하량　　　　ㄴ. 두 극판 사이의 전기장의 세기　　　ㄷ. 축전기에 저장된 전기 에너지

① ㄱ　　　　② ㄴ　　　　③ ㄱ, ㄷ　　　　④ ㄴ, ㄷ　　　　⑤ ㄱ, ㄴ, ㄷ

축전기의 전기 용량

가우스 법칙과 패러데이 법칙을 이용하여 여러 가지 축전기의 전기 용량을 구하는 과정을 살펴보자.

❶ 패러데이 법칙

전기장 내에 있는 어떤 점전하의 퍼텐셜 에너지 U는 전기장의 세기, 전하량과 관계가 있으며, 단위 전하당 퍼텐셜 에너지 $V=\dfrac{U}{q}$이고, 전기장 내의 임의의 두 점 i와 f 사이의 전위차 ΔV $=V_f-V_i=\dfrac{\Delta U}{q}$이다. 퍼텐셜 에너지의 차 ΔU와 전기장에 대하여 한 일 W_{if}는 $\Delta U=$ $-W_{if}$의 관계가 있다. 따라서 $\Delta V=-\dfrac{W_{if}}{q}$이다. 전기장 내의 임의의 점 i에서 f로 이어지는 경로를 따라 이동하는 전하량이 q인 전하를 생각해 보자. 경로상의 임의의 구간에서 미소 거리 dl을 이동하는 동안 전기력 $\vec{F}$가 전하에 한 일 $dW=\vec{F}\cdot d\vec{l}=q\vec{E}\cdot d\vec{l}$이다. 따라서 전하가 i에서 f까지 이동하는 동안 한 일 $W_{if}=q\displaystyle\int_i^f \vec{E}\cdot d\vec{l}$이다. 이때 두 점 사이의 전위차를 V라고 하면 V는 다음과 같다.

$$V=-\int_i^f \vec{E}\cdot d\vec{l}$$

❷ 여러 가지 축전기의 전기 용량

축전기를 전압이 일정한 전원 장치에 연결하였을 때 전하량 Q가 충전되었다고 가정하자.

(1) **평행판 축전기**: 극판의 면적이 S이고 두 극판 사이의 간격이 d인 평행판 축전기의 극판 사이에는 균일한 전기장 E가 형성된다. 그림과 같이 극판에 분포한 전하를 완전히 감싸는 면적이 S인 가우스면을 가정해 보면 가우스 법칙에 의해 $Q=\varepsilon_0\oint E ds=\varepsilon_0 ES$이고, 패러데이 법칙에 의해 $V=\displaystyle\int_0^d E dl=Ed$이다. 따라서 $Q=CV$에서 $C=\varepsilon_0\dfrac{S}{d}$이다.

(2) **원통형 축전기**: 길이가 L이고 반지름이 각각 a, b인 두 개의 동축 원통으로 구성된 원통형 축전기의 극판 사이에는 균일한 전기장 E가 형성된다. 그림과 같이 원통형 축전기와 동축인 길이가 L, 반지름이 r인 가우스면을 가정해 보면 가우스 법칙에 의해 $Q=\varepsilon_0\oint E ds$ $=\varepsilon_0 E(2\pi rL)$이므로, $E=\dfrac{Q}{2\pi\varepsilon_0 rL}$이다. 이를 패러데이 법칙에 대입하면 $V=\displaystyle\int_a^b E dr=$ $\dfrac{Q}{2\pi\varepsilon_0 L}\displaystyle\int_a^b \dfrac{1}{r}dr=\dfrac{Q}{2\pi\varepsilon_0 L}\ln\dfrac{b}{a}$이다. 따라서 $Q=CV$에서 $C=2\pi\varepsilon_0\dfrac{L}{\ln\dfrac{b}{a}}$이다.

(3) **구형 축전기**: 반지름이 각각 a, b인 두 개의 동심의 구면으로 구성된 구형 축전기의 극판 사이에는 균일한 전기장 E가 형성된다. 그림과 같이 구형 축전기와 동심인 반지름이 r인 가우스면을 가정해 보면 가우스 법칙에 의해 $Q=\varepsilon_0\oint E ds=\varepsilon_0 E(4\pi r^2)$이므로, $E=\dfrac{1}{4\pi\varepsilon_0}\dfrac{Q}{r^2}$이다. 이를 패러데이 법칙에 대입하면 $V=\displaystyle\int_a^b E dr=\dfrac{Q}{4\pi\varepsilon_0}\displaystyle\int_a^b \dfrac{1}{r^2}dr=$ $\dfrac{Q}{4\pi\varepsilon_0}\left(\dfrac{1}{a}-\dfrac{1}{b}\right)$이다. 따라서 $Q=CV$에서 $C=\dfrac{4\pi\varepsilon_0 ab}{b-a}$이다.

평행판 축전기

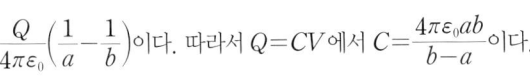

원통형 축전기

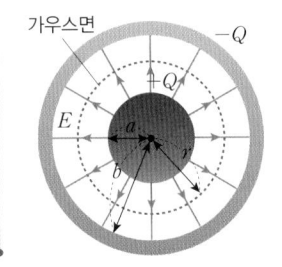

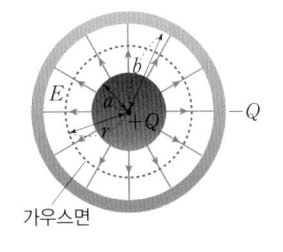

구형 축전기

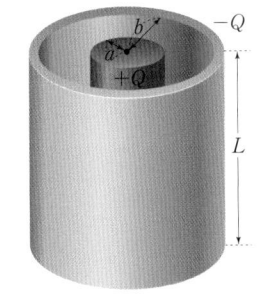

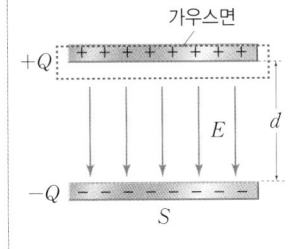

04 축전기

① 축전기

1. (**❶**   ) 전하를 저장하는 장치

2. **축전기의 기능** 축전기에 전지와 같은 전원을 연결하여 전하를 저장하는 현상을 (**❷**   )이라고 하고, 축전기에 저장된 전하가 회로를 통해 빠져나가 저장된 전하량이 감소하는 현상을 (**❸**   )이라고 한다.

3. **평행판 축전기** 두 개의 동일한 금속판을 서로 평행하게 마주보도록 만든 축전기로, 평행판 축전기 내부에는 균일한 전기장이 형성된다.

② 축전기의 전기 용량

1. **전기 용량(C)** 축전기에 충전되는 전하량 Q는 두 극판 사이의 전위차 V에 비례하므로, $Q=CV$가 된다. 이때 비례 상수 C를 축전기의 전기 용량이라고 한다. (단위: F)

2. **평행판 축전기의 전기 용량** 평행판 축전기의 전기 용량 C는 극판의 면적 S에 비례하고, 두 극판 사이의 간격 d에 (**❹**   )한다.

$$C=\varepsilon\frac{S}{d}\,(단위: F)$$

③ 축전기와 유전체

1. **유전체** 전기장에 의해 유전 분극이 되는 물질로, 축전기를 충전시켜 두 극판 사이에 전기장이 형성될 때 극판 사이에 유전체를 넣으면 극판 사이의 전기장에 의해 (**❺**   )이 일어난다.

• 유전체가 유전 분극이 되는 정도를 (**❻**   )(ε)이라고 하고, 진공의 유전율에 대한 유전체의 유전율의 비를 (**❼**   )(κ)라고 한다.

2. **유전체와 전기 용량** 축전기의 두 극판 사이에 유전체를 넣으면 극판 사이의 전기장의 세기가 유전체를 넣기 전보다 약해져 전위차는 작아진다. 따라서 축전기의 전기 용량은 (**❽**   )한다.

④ 축전기에 저장된 전기 에너지

축전기에 저장된 전기 에너지 전원 장치가 축전기에 해 준 일이 전기력에 의한 퍼텐셜 에너지로 축전기에 저장된 것으로, 전기 용량이 C인 축전기의 두 극판에 전하량 Q가 이동하여 전위차가 V가 되었을 때 축전기에 저장된 전기 에너지 W는 다음과 같다.

$$W=\frac{1}{2}QV=\frac{1}{2}CV^2=\frac{1}{2}\frac{Q^2}{C}\,(단위: J)$$

⑤ 축전기의 연결

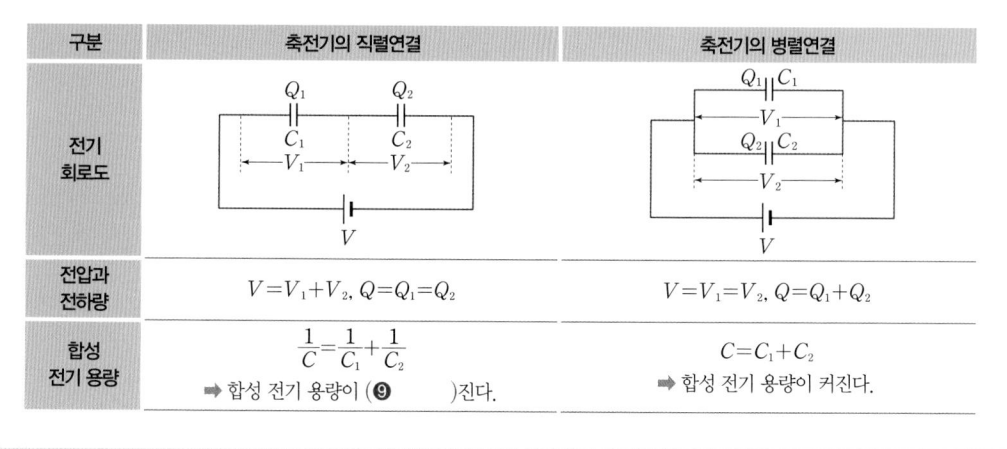

구분	축전기의 직렬연결	축전기의 병렬연결
전기 회로도		
전압과 전하량	$V=V_1+V_2$, $Q=Q_1=Q_2$	$V=V_1=V_2$, $Q=Q_1+Q_2$
합성 전기 용량	$\dfrac{1}{C}=\dfrac{1}{C_1}+\dfrac{1}{C_2}$ ➡ 합성 전기 용량이 (**❾**)진다.	$C=C_1+C_2$ ➡ 합성 전기 용량이 커진다.

01 그림과 같이 가변 전원에 평행판 축전기를 연결하여 완전히 충전하였다. 가변 전원의 전압을 서서히 증가시킬 때 증가하는 물리량만을 보기에서 있는 대로 고르시오. (단, 실험하는 동안 방전은 일어나지 않는다.)

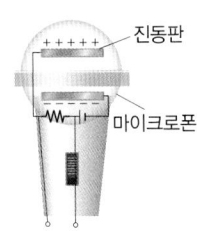

가변 전원

보기
ㄱ. 두 극판 사이의 전압
ㄴ. 축전기의 전기 용량
ㄷ. 축전기에 충전된 전하량
ㄹ. 두 극판 사이의 전기장의 세기

02 그림과 같이 전압이 $30\,V$로 일정한 전원에 저항값이 $60\,\Omega$인 저항 3개와 저항값이 $10\,\Omega$인 저항, 전기 용량이 $1\,\mu F$인 축전기를 연결하였다.

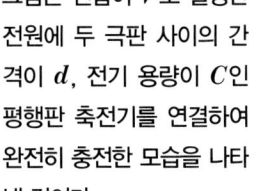

축전기에 충전된 전하량의 최댓값은 몇 μC인지 구하시오.

03 그림은 전압이 V로 일정한 전원에 두 극판 사이의 간격이 d, 전기 용량이 C인 평행판 축전기를 연결하여 완전히 충전한 모습을 나타낸 것이다.
스위치를 연 채로 두 극판 사이의 간격을 $2d$로 늘이기 위해 필요한 일을 구하시오.

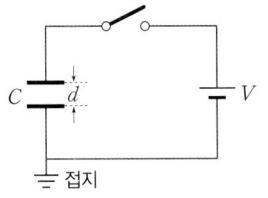

04 그림 (가), (나)는 전압이 V로 일정한 전지에 평행판 축전기 A와 B를 각각 연결한 모습을 나타낸 것이다. 이때 A, B의 극판의 면적은 각각 S, $2S$이고, 두 극판 사이의 간격은 d로 같다. (단, 두 극판 사이는 진공이다.)

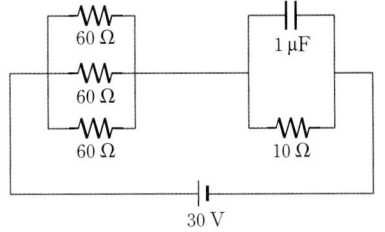

A에 충전된 전하량이 Q_0, 저장된 전기 에너지가 W_0일 때, B에 충전된 전하량과 저장된 전기 에너지를 각각 구하시오.

05 그림 (가), (나)는 전압이 V로 일정한 전원에 전기 용량이 C인 평행판 축전기 2개를 각각 직렬연결, 병렬연결한 모습을 나타낸 것이다.

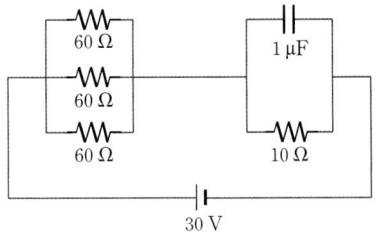

(가), (나)에서 1개의 축전기에 저장된 전기 에너지를 각각 $W_{(가)}$, $W_{(나)}$라고 할 때, $W_{(가)} : W_{(나)}$를 구하시오.

06 그림은 평행판 축전기를 이용하여 만든 마이크의 모습을 나타낸 것으로, 두 극판 중 진동판은 소리의 압력에 따라 위아래로 진동한다. 진동판이 위로 이동할 때에 대한 설명으로 옳은 것만을 보기에서 있는 대로 고르시오.

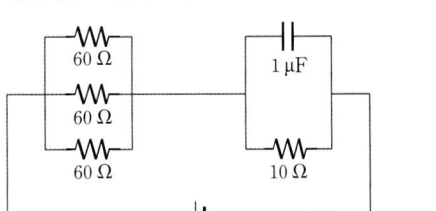

진동판
마이크로폰

보기
ㄱ. 전기 용량은 증가한다.
ㄴ. 두 극판 사이의 전압은 일정하다.
ㄷ. 축전기에 충전된 전하량은 감소한다.

01 > 축전기의 전기 용량

그림은 평행판 축전기 A, B, C에 충전된 전하량과 걸리는 전압 사이의 관계를 나타낸 것이고, 표는 A, B, C의 극판의 면적과 두 극판 사이의 간격을 나타낸 것이다.

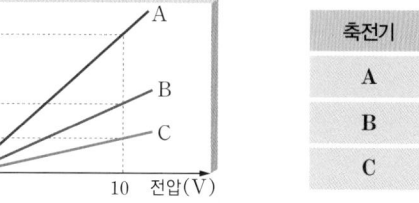

축전기	극판 면적	극판 간격
A	$2S$	d
B	(가)	$2d$
C	S	(나)

이에 대한 설명으로 옳은 것만을 보기에서 있는 대로 고른 것은? (단, 두 극판 사이의 유전율은 모두 같다.)

보기
ㄱ. 전기 용량은 A가 C의 4배이다.
ㄴ. (가)는 $2S$이다.
ㄷ. (나)는 $2d$이다.

① ㄴ 　　　② ㄷ 　　　③ ㄱ, ㄴ 　　　④ ㄱ, ㄷ 　　　⑤ ㄱ, ㄴ, ㄷ

> 평행판 축전기의 전기 용량은 극판의 면적에 비례하고, 두 극판 사이의 간격에 반비례한다.

02 > 유전체와 전기 용량

그림은 전압이 일정한 전원에 한 변의 길이가 L인 정사각형 극판으로 이루어진 평행판 축전기를 연결한 후, 축전기와 같은 모양의 유전체를 축전기의 두 극판 사이에 마찰 없이 서서히 밀어 넣는 모습을 나타낸 것이다.

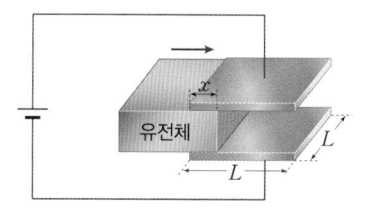

축전기에 충전되는 전하량 Q를 유전체를 밀어 넣은 거리 x에 따라 나타낸 그래프로 가장 적절한 것은? (단, 유전체의 유전율은 진공의 유전율보다 크다.)

① 　　　② 　　　③
④ 　　　⑤

> 축전기의 두 극판 사이에 유전체를 넣으면 전기 용량이 증가한다.

03 › 유전체

그림 (가)는 전압이 일정한 전원 장치에 평행판 축전기를 연결하여 완전히 충전시킨 후 전원 장치를 제거한 모습을 나타낸 것이다. 그림 (나)는 (가)의 축전기의 두 극판 사이에 유전 상수가 κ인 유전체를 넣은 모습을 나타낸 것이다.

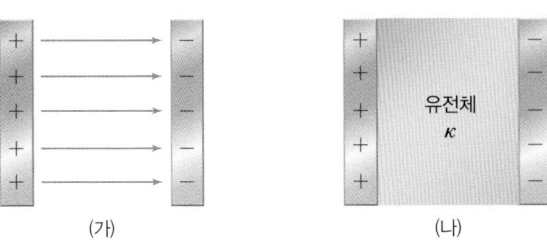

(가)   (나)

(가)에서가 (나)에서의 κ배인 물리량만을 보기에서 있는 대로 고른 것은?

┌─ 보기 ───
│ ㄱ. 축전기에 충전된 전하량
│ ㄴ. 두 극판 사이의 전기장의 세기
│ ㄷ. 축전기에 저장된 전기 에너지
└──

① ㄱ   ② ㄴ   ③ ㄷ   ④ ㄱ, ㄷ   ⑤ ㄴ, ㄷ

• 축전기의 두 극판 사이에 유전 상수가 κ인 유전체를 넣으면 전기 용량이 κ배가 된다.

---

04 › 평행판 축전기 주위의 전기장과 유전체

그림 (가)는 전압이 V로 일정한 전원에 두 극판 사이의 간격이 d인 평행판 축전기를 연결한 후, 대전 입자 A를 $+x$ 방향의 속력 v로 입사시켰을 때 A가 x축과 d_1만큼 벗어난 채로 축전기를 빠져나오는 모습을 나타낸 것이다. 그림 (나)는 (가)에서 스위치를 연 채로 두 극판 사이의 간격을 $2d$로 늘이고 유전 상수가 2, 폭이 d인 유전체를 넣은 후, A를 $+x$ 방향의 속력 $2v$로 입사시켰을 때 A가 x축과 d_2만큼 벗어난 채로 축전기를 빠져나오는 모습을 나타낸 것이다.

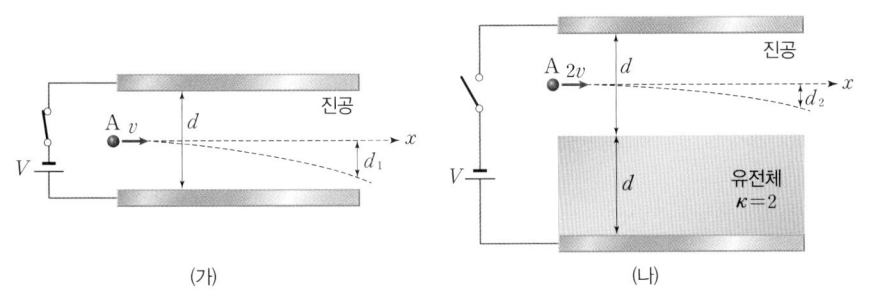

(가)   (나)

$d_1 : d_2$는? (단, 중력과 A에 의한 전기장은 무시한다.)

① $\sqrt{2} : 1$ ② $2 : 1$ ③ $2\sqrt{2} : 1$ ④ $4 : 1$ ⑤ $8 : 1$

• A는 전기력을 받아 등가속도 운동을 한다.

05 > 축전기의 병렬연결과 유전체

그림 (가)는 전원 장치에 극판의 면적이 같은 평행판 축전기 A와 B를 병렬연결한 모습을 나타낸 것이다. 이때 두 극판 사이의 간격은 A가 B의 2배이고, A의 두 극판 사이에는 유전 상수가 κ인 유전체가 들어 있다. 그림 (나)는 A와 B에 충전된 전하량을 전원 장치의 전압에 따라 나타낸 것이다.

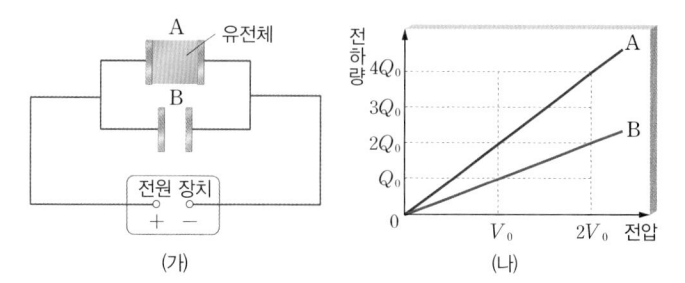

(가) (나)

κ는? (단, 공기의 유전 상수는 1이다.)

① 1 ② 2 ③ 3 ④ 4 ⑤ 5

> • 축전기에 충전되는 전하량 $Q = CV$이다.

06 > 축전기의 직렬연결과 전기 에너지

그림 (가)는 전원 장치에 전기 용량이 각각 C, $2C$인 평행판 축전기 A, B와 스위치 S를 연결한 후, S를 닫아 A와 B를 완전히 충전시킨 모습을 나타낸 것이다. 그림 (나)는 (가)에서 S를 열고 B의 두 극판 사이에 유전 상수가 2인 유전체를 넣은 모습을 나타낸 것이다.

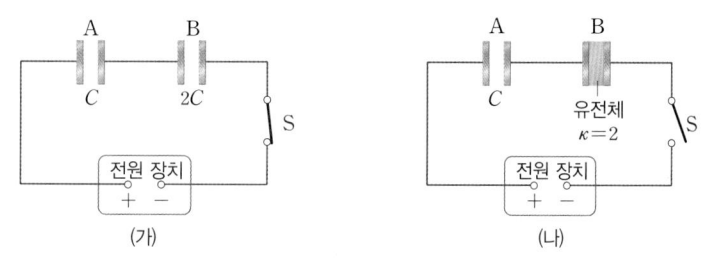

(가) (나)

이에 대한 설명으로 옳은 것만을 보기에서 있는 대로 고른 것은?

보기
ㄱ. A에 충전된 전하량은 (가)에서와 (나)에서가 같다.
ㄴ. B에 걸리는 전압은 (가)에서가 (나)에서의 2배이다.
ㄷ. A와 B에 저장된 전기 에너지의 합은 (가)에서와 (나)에서가 같다.

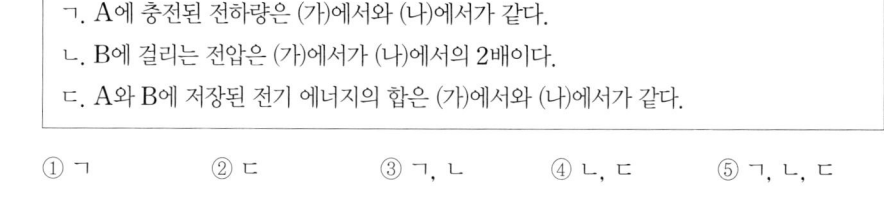

① ㄱ ② ㄷ ③ ㄱ, ㄴ ④ ㄴ, ㄷ ⑤ ㄱ, ㄴ, ㄷ

> • S를 열면 축전기에 충전된 전하량은 변하지 않는다.

07
> 축전기와 저항의 연결

그림과 같이 전압이 3 V로 일정한 전원에 평행판 축전기와 저항값이 각각 3 Ω, 6 Ω, R인 저항을 연결하였더니, 저항값이 R인 저항에 흐르는 전류가 1 A이고, 축전기에 충전된 전하량이 5 μC이었다.

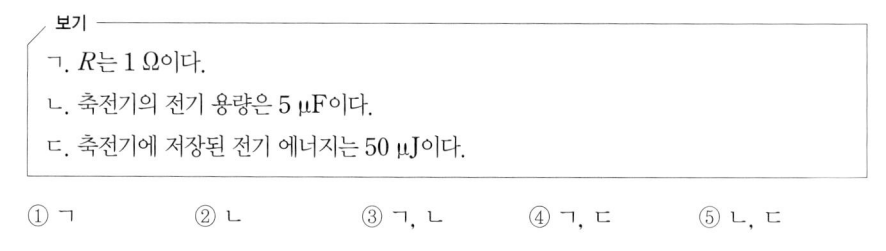

이에 대한 설명으로 옳은 것만을 보기에서 있는 대로 고른 것은?

보기
ㄱ. R는 1 Ω이다.
ㄴ. 축전기의 전기 용량은 5 μF이다.
ㄷ. 축전기에 저장된 전기 에너지는 50 μJ이다.

① ㄱ   ② ㄴ   ③ ㄱ, ㄴ   ④ ㄱ, ㄷ   ⑤ ㄴ, ㄷ

• 축전기에 걸리는 전압은 저항값이 R인 저항의 양단에 걸리는 전압과 같다.

08
> 축전기와 저항의 연결

그림은 전압이 V_0으로 일정한 전원 장치에 두 극판 사이의 간격이 같은 평행판 축전기 A, B와 저항값이 각각 $2R$, R인 저항을 연결한 모습을 나타낸 것이다. 이때 극판의 면적은 A가 B의 2배이고, B에 충전된 전하량은 Q_0이다.

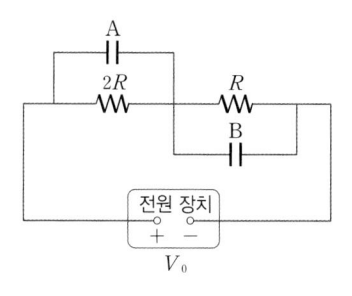

이에 대한 설명으로 옳은 것만을 보기에서 있는 대로 고른 것은? (단, A와 B의 두 극판 사이의 유전율은 같다.)

보기
ㄱ. A의 전기 용량은 $\dfrac{3Q_0}{V_0}$이다.
ㄴ. A에 충전된 전하량은 $4Q_0$이다.
ㄷ. 축전기에 저장된 전기 에너지는 A가 B의 2배이다.

① ㄱ   ② ㄴ   ③ ㄱ, ㄴ   ④ ㄱ, ㄷ   ⑤ ㄴ, ㄷ

• 각 축전기에 걸리는 전압은 각 축전기와 병렬연결된 저항의 양단에 걸리는 전압과 같다.

09 ❯ 축전기의 연결과 유전체

그림 (가), (나)는 극판의 면적이 S이고, 두 극판 사이의 간격이 d인 평행판 축전기에 유전 상수가 각각 κ, 4κ인 유전체를 절반씩 채워 만든 축전기 A, B의 모습을 나타낸 것이다. 그림 (다)는 전압이 일정한 전원에 A, B와 저항값이 각각 R_1, R_2인 저항을 연결한 모습을 나타낸 것이다. 이때 A와 B에 저장된 전기 에너지는 같다.

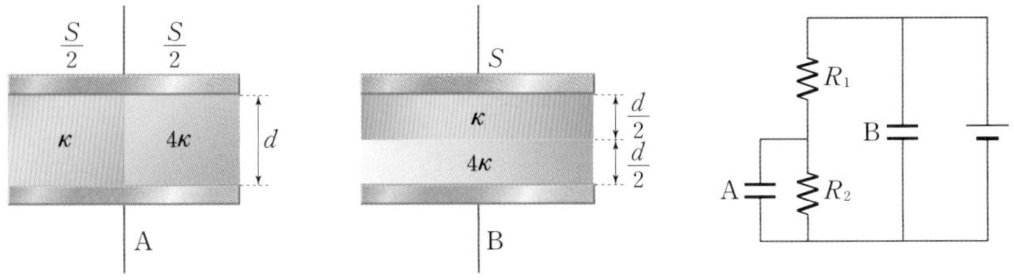

(가)   (나)   (다)

$R_1 : R_2$는?

① $1 : 2$ ② $1 : 3$ ③ $1 : 4$ ④ $2 : 3$ ⑤ $2 : 5$

• 축전기에 저장되는 전기 에너지 $W = \frac{1}{2}CV^2$이다.

10 ❯ 축전기의 연결

그림은 전압이 60 V로 일정한 전원에 전기 용량이 각각 C_1, C_2인 평행판 축전기 A, B와 스위치 S_1, S_2를 연결한 모습을 나타낸 것이다. 이때 C_1은 2 μF이다. S_1만 닫아 A를 완전히 충전시킨 후, S_1을 열고 S_2만 닫았더니 A와 B에 충전된 전기 에너지가 1.44×10^{-3} J이었다.

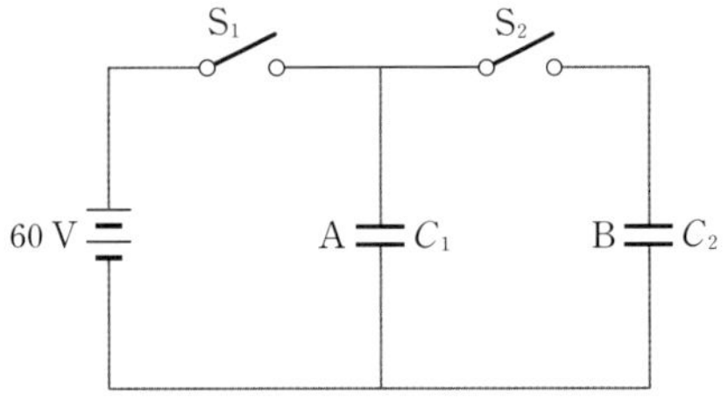

C_2는?

① 1 μF   ② 2 μF   ③ 3 μF   ④ 4 μF   ⑤ 6 μF

• S_1을 열고 S_2만 닫으면 두 축전기에 충전된 전하량의 합은 변하지 않으므로, 전기 용량이 증가하는 만큼 두 극판 사이의 전압이 감소한다.

11 ❯ 축전기와 저항의 연결

그림은 전압이 일정한 전원 장치에 전기 용량이 각각 $2C$, C인 충전되지 않은 평행판 축전기 A, B와 저항값이 각각 $3R$, R인 저항 그리고 스위치 S가 연결된 모습을 나타낸 것이다. S를 b에 연결했을 때 B에 충전된 전하량이 Q_0, 저장된 전기 에너지가 W_0이었다.

• 축전기의 직렬연결에서 각 축전기에 충전된 전하량은 같다.

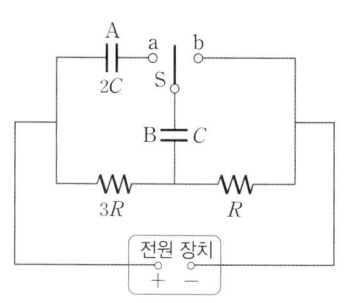

A와 B가 충전되지 않은 상태에서 S를 a에 연결했을 때 A에 충전된 전하량 Q_A와 B에 저장된 전기 에너지 W_B는?

	Q_A	W_B			Q_A	W_B
①	$\dfrac{Q_0}{2}$	$\dfrac{W_0}{2}$		②	$\dfrac{Q_0}{2}$	$2W_0$
③	Q_0	$4W_0$		④	$2Q_0$	$2W_0$
⑤	$2Q_0$	$4W_0$				

12 ❯ 축전기의 이용

그림은 전압이 일정한 전원 장치에 글자판을 누르면 두 극판 사이의 간격이 줄어드는 축전기 A와 전기 용량이 일정한 축전기 B를 연결한 모습을 나타낸 것이다.

• 평행판 축전기에서 두 극판 사이의 간격이 줄어들면 전기 용량은 증가한다.

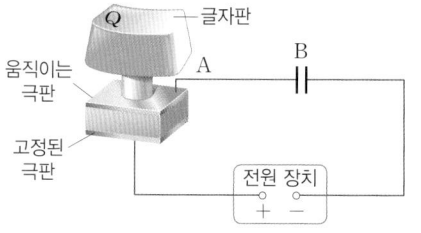

이에 대한 설명으로 옳은 것만을 보기에서 있는 대로 고른 것은?

보기
ㄱ. 글자판을 누르면 A의 전기 용량은 증가한다.
ㄴ. 글자판을 누르는 동안 전원 장치에서 A 쪽으로 전류가 흐른다.
ㄷ. 글자판을 누르면 B에 충전된 전하량은 감소한다.

① ㄱ   ② ㄴ   ③ ㄱ, ㄴ   ④ ㄱ, ㄷ   ⑤ ㄴ, ㄷ

2
자기장

단원
Preview

- 자기력선
- 자기 선속
- 자기장의 세기

자기장 ← 솔레노이드에 의한 자기장

유도 전류의 방향

렌츠 법칙

유도 전류의 방향

전류와 자기장

전자기 유도

상호 유도

직선 전류에 의한 자기장   원형 전류에 의한 자기장

패러데이 법칙   발전기

유도 기전력   교류

상호유도 기전력   이용

- 변압기
- 고압 방전 장치
- 무선 인식
- 무선 충전

전류에 의한 자기장   **전자기 유도**   **상호유도**

01 전류에 의한 자기장

학습 Point　자기장과 자기력선 〉 직선 도선에 흐르는 전류에 의한 자기장 〉 원형 도선에 흐르는 전류에 의한 자기장 〉 솔레노이드에 흐르는 전류에 의한 자기장

1 자기장과 자기력선

　　전하가 주위 공간에 전기장을 형성하고 다른 전하에 전기력을 미치는 것처럼, 자석도 주위 공간에 자기장을 형성하고 다른 자석에 자기력을 미친다. 또 전기장과 자기장의 방향을 정하는 방법이나 전기력선과 자기력선의 모양에서도 전기장과 자기장의 유사점을 발견할 수 있다.

1. 자기장

(1) **자기력**: 철과 같은 금속을 끌어당기는 성질인 자성을 띠고 있는 물체를 자석이라고 하며, 자성이 강한 자석의 양 끝부분을 자극이라고 한다. 두 자석의 자극을 서로 가까이 하면 자석의 같은 극 사이에는 서로 밀어내는 힘인 척력이, 다른 극 사이에는 서로 끌어당기는 힘인 인력이 작용한다. 이처럼 자성을 띤 물체 사이에 작용하는 힘을 자기력이라고 한다.

(2) **자기장**: 자석 주위에 나침반을 놓으면 나침반의 자침이 자기력을 받아 일정한 방향으로 배열된다. 이처럼 자석은 그 주위에 있는 다른 자석이나 쇠붙이에 자기력이 작용하는 공간을 형성하는데, 이와 같이 자기력이 작용하는 공간을 자기장이라고 한다.

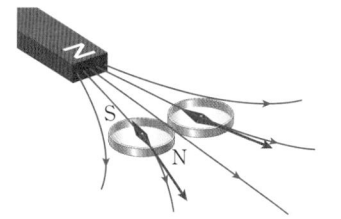

▲ **자기장의 방향**

① 자기장은 크기와 방향을 모두 가지는 벡터량이다.

② **자기장의 방향**: 자기장 내의 한 점에 나침반을 놓았을 때 나침반 자침의 N극이 가리키는 방향이 그 지점에서 자기장의 방향이다.

2. 자기력선

자기장의 모양을 자기력선으로 나타내면 자기장을 시각적으로 이해할 수 있어 편리하다.

(1) **자기력선**: 자기장 내에서 나침반 자침의 N극이 가리키는 방향을 연속적으로 이은 선을 자기력선이라고 한다.

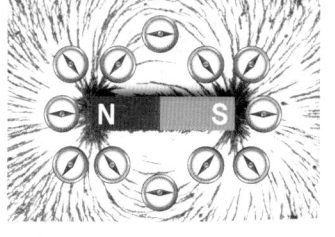

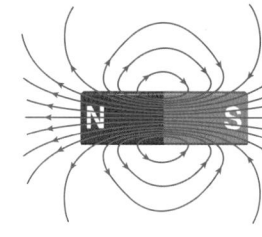

▲ **자석 주위의 자기장과 자기력선**

자석 주위의 자기력선
- 자석 외부에서 자기력선은 N극에서 S극으로 향한다.
- 자석 내부에서 자기력선은 S극에서 N극으로 향한다.
- 자기장의 세기는 자극 부분에서 가장 세므로, 자기력선이 자극 부분에 가장 촘촘하게 밀집되어 있다.

(2) **자기력선의 특징**

① 자기력선은 N극에서 나와 S극을 향하는 방향으로 폐곡선을 이룬다.

② 자기력선은 중간에 분리되거나 교차되지 않는다.

③ 자기력선 위의 한 점에서 그은 접선 방향이 그 지점에서의 자기장의 방향이다.

④ 자기력선이 조밀할수록 그 위치에서 자기장의 세기가 세다.

(3) **자기 선속**: 자기장에 수직인 어떤 단면을 지나는 자기력선의 총 개수를 자기 선속 Φ라고 하며, 단위로는 Wb(웨버)를 사용한다.

(4) **자기장의 세기**: 자기장에 수직인 단위 면적($1~m^2$)을 지나는 자기 선속을 자기장의 세기라고 한다. 자기장에 수직인 단면적 S를 지나는 자기 선속이 Φ일 때 자기장의 세기 B는 다음과 같다.

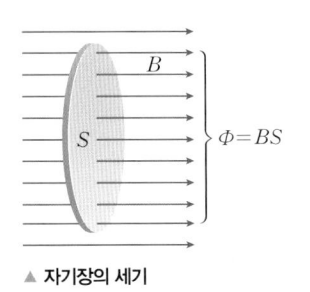

$\Phi = BS$

$$B = \frac{\Phi}{S} \text{ (단위: T)}$$

▲ 자기장의 세기

자기장의 세기의 단위로는 T(테슬라)를 사용하며, $1~m^2$의 면적에 1 Wb의 자기 선속이 수직으로 지날 때 자기장의 세기를 1 T라고 한다. ➡ $1~T = 1~Wb/m^2 = 1~N/(A \cdot m)$

② 전류에 의한 자기장

심화 104쪽~105쪽

외르스테드(Oersted, H. C., 1777~1851, 덴마크)는 전류가 흐르는 도선 주위의 나침반 자침이 움직이는 현상을 통해, 전류가 흐르는 도선은 자석과 같이 주위 공간에 나침반 자침을 움직일 수 있는 자기장을 형성한다는 사실을 발견하였다.

1. 직선 도선에 흐르는 전류에 의한 자기장

그림과 같이 직선 도선 아래에 나침반을 두고, 직선 도선에 전류를 흐르게 하면 남북을 가리키던 나침반 자침이 회전한다. 이는 직선 도선에 흐르는 전류에 의해 자기장이 형성되고, 이 자기장의 영향으로 나침반 자침이 자기력을 받기 때문이다.

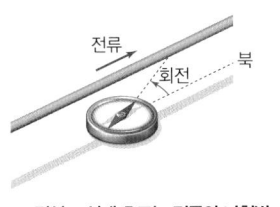

▲ **직선 도선에 흐르는 전류와 나침반**

(1) **자기장의 방향**: 직선 도선에 전류가 흐를 때 도선에 수직인 면에 도선을 중심으로 한 동심원 모양의 자기장이 형성된다. 이때 자기장의 방향은 오른손의 엄지손가락을 직선 도선에 흐르는 전류의 방향으로 향하게 할 때 나머지 네 손가락이 도선을 감아쥐는 방향이다. 이를 앙페르 오른나사 법칙이라고 한다.

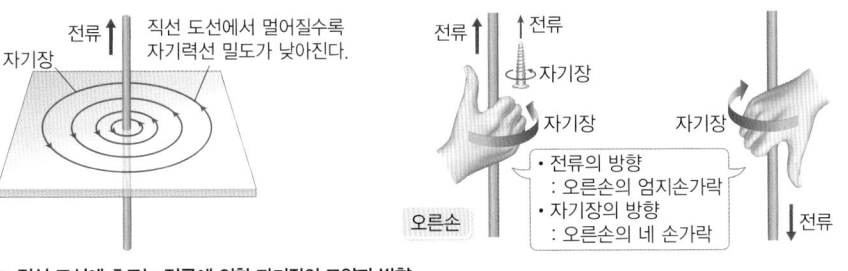

오른손

• 전류의 방향
  : 오른손의 엄지손가락
• 자기장의 방향
  : 오른손의 네 손가락

▲ **직선 도선에 흐르는 전류에 의한 자기장의 모양과 방향**

직선 도선 주위의 자기력선

• 직선 도선 주위의 자기력선은 도선을 중심으로 한 동심원 모양이다.

• 직선 도선에 가까울수록, 전류의 세기가 셀수록 자기력선이 조밀해진다.

(2) 자기장의 세기: 무한히 긴 직선 도선에 전류가 흐를 때 직선 도선 주위의 한 지점에서 자기장의 세기 B는 전류의 세기 I에 비례하고, 도선으로부터의 수직 거리 r에 반비례한다.

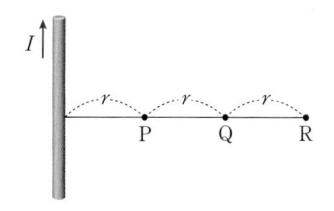

▲ 직선 도선에 흐르는 전류에 의한 자기장의 세기

$$B = k\frac{I}{r}$$

이때 비례 상수 k는 도선 주위의 물질의 종류에 따라 정해지는 값으로, 진공일 때는 $k = 2 \times 10^{-7}$ T·m/A이다.

(3) 평행한 두 직선 도선에 흐르는 전류에 의한 합성 자기장

① 같은 세기의 전류가 시로 같은 방향으로 흐르는 경우

- 두 직선 도선 사이에서는 각 전류에 의한 자기장의 방향이 서로 반대이므로, 상쇄되어 합성 자기장의 세기가 약해진다. 즉, 합성 자기장의 세기는 두 직선 도선에 흐르는 전류에 의한 자기장의 세기의 차이다.
- 두 직선 도선의 바깥쪽에서는 각 전류에 의한 자기장의 방향이 서로 같으므로, 합쳐져서 합성 자기장의 세기가 세진다. 즉, 합성 자기장의 세기는 두 직선 도선에 흐르는 전류에 의한 자기장의 세기의 합이다.

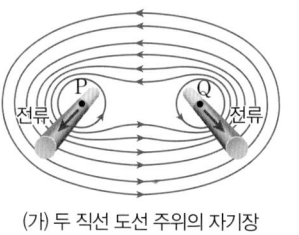

(가) 두 직선 도선 주위의 자기장

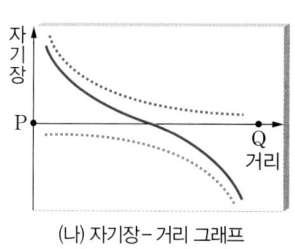

(나) 자기장-거리 그래프

◀ **두 직선 도선에 서로 같은 방향으로 전류가 흐를 때**

② 같은 세기의 전류가 서로 반대 방향으로 흐르는 경우

- 두 직선 도선 사이에서는 각 전류에 의한 자기장의 방향이 서로 같으므로, 합쳐져서 합성 자기장의 세기가 세진다. 즉, 합성 자기장의 세기는 두 직선 도선에 흐르는 전류에 의한 자기장의 세기의 합이다.
- 두 직선 도선의 바깥쪽에서는 각 전류에 의한 자기장의 방향이 서로 반대이므로, 상쇄되어 합성 자기장의 세기가 약해진다. 즉, 합성 자기장의 세기는 두 직선 도선에 흐르는 전류에 의한 자기장의 세기의 차이다.

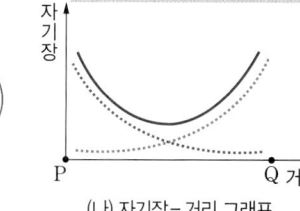

(가) 두 직선 도선 주위의 자기장 · (나) 자기장-거리 그래프

◀ **두 직선 도선에 서로 반대 방향으로 전류가 흐를 때**

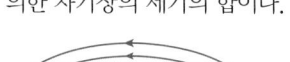

③ 평행한 두 직선 도선에 흐르는 전류에 의한 합성 자기장의 세기: 거리 d만큼 떨어진 무한히 긴 평행한 직선 도선 A와 B에 각각 세기가 I인 전류가 화살표 방향으로 흐를 때 P점과 Q점에서 합성 자기장의 세기는 다음과 같다. (단, 종이면에 수직으로 들어가는 방향을 $(+)$로 한다.)

구분	전류가 서로 같은 방향으로 흐를 때	전류가 서로 반대 방향으로 흐를 때
두 직선 도선의 모습	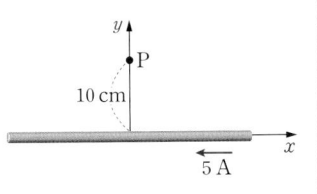	
P에서 합성 자기장의 세기	$k\left(\dfrac{I}{x}-\dfrac{I}{d-x}\right)$	$k\left(\dfrac{I}{x}+\dfrac{I}{d-x}\right)$
Q에서 합성 자기장의 세기	$k\left(\dfrac{I}{d+x}+\dfrac{I}{x}\right)$	$k\left(\dfrac{I}{d+x}-\dfrac{I}{x}\right)$

1. 그림과 같이 x축을 따라 고정된 무한히 긴 직선 도선에 세기가 5 A인 전류가 화살표 방향으로 흐르고 있다. 이 도선에서 $+y$축 방향으로 10 cm 떨어진 P점에서 자기장의 세기와 방향을 구하시오. (단, 비례 상수 $k=2\times10^{-7}$ T·m/A이다.)

해설 직선 도선에 흐르는 전류에 의한 자기장의 세기 $B=k\dfrac{I}{r}$이므로, P에서 자기장의 세기 $B=2\times10^{-7}$ T·m/A$\times\dfrac{5\,\text{A}}{0.1\,\text{m}}=1\times10^{-5}$ T이다. 이때 앙페르 오른나사 법칙을 이용하여 P에서 자기장의 방향을 구하면 자기장은 종이면에 수직으로 들어가는 방향이다.

정답 1×10^{-5} T, 종이면에 수직으로 들어가는 방향

2. 그림은 종이면에 같은 간격으로 고정된 무한히 긴 평행한 직선 도선 A, B, C에 세기가 각각 $2I$, I, $3I$인 전류가 화살표 방향으로 흐르는 모습을 나타낸 것이다. 이때 P점과 Q점은 각각 A, B로부터, B, C로부터 같은 거리에 있고, P에서 B에 흐르는 전류에 의한 자기장의 세기는 B이다.

(1) P에서 자기장의 세기와 방향을 구하시오.
(2) Q에서 자기장의 세기와 방향을 구하시오.

해설 (1) 직선 도선에 흐르는 전류에 의한 자기장의 세기 $B=k\dfrac{I}{r}$이므로, 종이면에서 수직으로 나오는 방향을 $(+)$로 하고 B와 P 사이의 거리를 r라고 하면 P에서 B에 흐르는 전류에 의한 자기장의 세기 $B_\text{B}=+k\dfrac{I}{r}=+B$이다. 또 P에서 A에 흐르는 전류에 의한 자기장 $B_\text{A}=-k\dfrac{2I}{r}=-2B$이고, C에 흐르는 전류에 의한 자기장의 세기 $B_\text{C}=+k\dfrac{3I}{3r}=+B$이다. 따라서 P에서 합성 자기장의 세기 $B_\text{P}=-2B+B+B=0$이다.

(2) Q에서 A에 흐르는 전류에 의한 자기장의 세기 $B_\text{A}=-k\dfrac{2I}{3r}=-\dfrac{2}{3}B$, B에 흐르는 전류에 의한 자기장의 세기 $B_\text{B}=-k\dfrac{I}{r}=-B$, 그리고 C에 흐르는 전류에 의한 자기장의 세기 $B_\text{C}=+k\dfrac{3I}{r}=+3B$이다. 따라서 Q에서 합성 자기장의 세기 $B_\text{Q}=-\dfrac{2}{3}B-B+3B=+\dfrac{4}{3}B$이다.

정답 (1) 0 (2) $\dfrac{4}{3}B$, 종이면에서 수직으로 나오는 방향

❶ **자기력:** 도선에 전류가 흐르면 도선 주위에 자기장이 형성되므로, 자석 등에 의한 외부 자기장 내에 놓인 전류가 흐르는 도선은 자기력을 받는다.

• **자기력의 방향:** 전류가 흐르는 도선이 외부 자기장에 놓여 있을 때 도선은 전류의 방향과 자기장의 방향에 모두 수직인 방향으로 자기력을 받는다. 오른손의 손바닥을 펴서 엄지손가락과 나머지 네 손가락이 서로 수직이 되게 하고, 엄지손가락이 전류의 방향을, 네 손가락이 자기장의 방향을 향하게 할 때 손바닥이 향하는 방향이 도선이 받는 자기력의 방향이다.

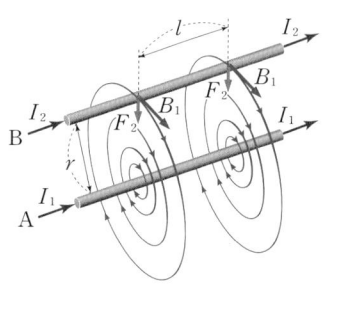

• 전류의 방향: 오른손의 엄지손가락
• 자기장의 방향: 오른손의 네 손가락
• 자기력의 방향: 오른손의 손바닥 방향

• **자기력의 크기:** 자기장의 세기를 B, 전류의 세기를 I, 자기장 내에 들어 있는 도선의 길이를 l, 자기장의 방향과 전류의 방향이 이루는 각을 θ라고 할 때 도선이 받는 자기력의 크기 F는 다음과 같다.

$$F = BIl\sin\theta$$

❷ **전류가 흐르는 평행한 두 직선 도선 사이에 작용하는 힘:** 평행한 두 직선 도선 A, B에 전류가 흐르면 A 주위에 형성된 자기장으로 인해 전류가 흐르는 B는 자기력을 받게 된다. 마찬가지로 B도 주위에 자기장을 형성하므로, 전류가 흐르는 A도 자기력을 받게 된다.

• **힘의 방향:** 평행한 두 직선 도선 A, B에 세기가 각각 I_1, I_2인 전류가 같은 방향으로 흐를 때, A에 흐르는 전류 I_1에 의해 B의 위치에 형성되는 자기장을 B_1이라고 하자. 그러면 자기장 B_1 속에 전류 I_2가 흐르는 B가 놓여 있으므로, B는 자기력(F_2)을 받으며, 방향은 A 쪽으로 끌어당기는 방향이다. 마찬가지로 B에 흐르는 전류 I_2에 의해 A의 위치에 형성되는 자기장을 B_2라고 하면, B_2에 의해 A는 자기력(F_1)을 받으며, 방향은 B 쪽으로

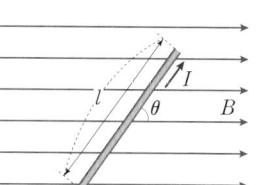

끌어당기는 방향이다. 따라서 평행한 두 직선 도선에 흐르는 전류의 방향이 같으면 서로 끌어당기는 자기력이 작용한다. 반면 전류의 방향이 반대이면 서로 밀어내는 자기력이 작용한다.

• **힘의 크기:** 거리 r만큼 떨어진 무한히 긴 직선 도선 A, B에 세기가 각각 I_1, I_2인 전류가 흐를 때 A에 흐르는 전류 I_1에 의해 B의 위치에 형성되는 자기장의 세기 $B_1 = k\dfrac{I_1}{r}$이다. 이때 B_1 속에 전류 I_2가 흐르는 B가 놓여 있으므로, B의 길이가 l일 때 B가 받는 자기력의 크기 F_2는 다음과 같다.

$$F_2 = B_1 I_2 l = k\frac{I_1 I_2}{r} l$$

마찬가지로 B에 흐르는 전류 I_2에 의해 A의 위치에 형성되는 자기장 내에 전류 I_1이 흐르는 A가 놓여 있으므로, A의 길이가 l일 때 A가 받는 자기력의 크기 F_1은 F_2와 작용 반작용 관계이므로 그 크기가 같다.

$$F_1 = F_2$$

도선이 받는 자기력

• 자기장과 도선이 수직일 때 도선은 자기력을 받는다.

• 자기장과 도선이 나란할 때 도선은 자기력을 받지 않는다.

2. 원형 도선에 흐르는 전류에 의한 자기장

원형 도선에 전류가 흐를 때에도 도선 주위에 자기장이 형성된다. 이때 원형 도선은 아주 작은 직선 도선들로 이루어졌다고 할 수 있다. 이러한 원형 도선 주위의 한 지점에서의 자기장은 각각의 직선 도선에 의한 자기장을 합성하여 구할 수 있다.

⑴ **자기장의 방향:** 원형 도선에 전류가 흐를 때 원형 도선이 이루는 원의 중심에는 도선이 이루는 면에 수직인 방향으로 자기장이 형성된다. 이때 원형 도선의 중심에서 자기장의 방향은 오른손의 네 손가락을 원형 도선에 흐르는 전류의 방향으로 감아쥘 때 엄지손가락이 가리키는 방향이다.

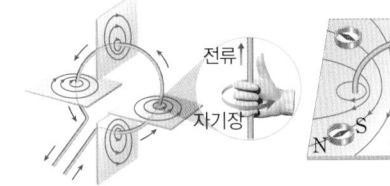

• 전류의 방향
  : 오른손의 네 손가락
• 원형 도선의 중심에서
  자기장의 방향
  : 오른손의 엄지손가락

▲ **원형 도선에 흐르는 전류에 의한 자기장의 모양과 방향**

⑵ **자기장의 세기:** 원형 도선에 전류가 흐를 때 원형 도선의 중심에서 자기장의 세기 B는 전류의 세기 I에 비례하고, 도선이 만드는 원의 반지름 r에 반비례한다.

$$B=k'\frac{I}{r}$$

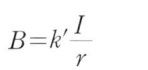

▲ **원형 도선의 중심에서 자기장의 세기**

이때 비례 상수 k'은 도선 주위의 물질의 종류에 따라 정해지는 값으로, 진공일 때는 $k'=2\pi\times10^{-7}$ T·m/A이다. 이는 직선 도선에 의해 형성된 자기장의 세기를 나타내는 비례 상수 k의 π배이다.

예제

1. 그림은 종이면에 고정된 두 직선 AA′, BB′과 O점을 중심으로 하고 반지름이 2 cm, 중심각이 90°인 부채꼴의 호 AB로 이루어져 있는 도선에 세기가 1 A인 전류가 화살표 방향으로 흐르는 모습을 나타낸 것이다. 이때 O에서 자기장의 세기와 방향을 구하시오. (단, 비례 상수 $k=2\times10^{-7}$ T·m/A이고, $k'=2\pi\times10^{-7}$ T·m/A이다.)

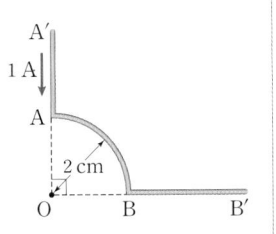

해설 도선을 직선 AA′, BB′, 호 AB 구간으로 나누어 생각하면 다음과 같다.
• AA′, BB′에 흐르는 전류에 의한 자기장: 직선 도선에 전류가 흐를 때 자기장의 세기는 전류의 세기에 비례하고, 도선으로부터의 수직 거리에 반비례한다. 이때 O는 AA′, BB′과 각각 같은 직선상에 놓여 있으므로, O에서 AA′, BB′에 흐르는 전류에 의한 자기장의 세기의 합은 0이다.
• 호 AB에 흐르는 전류에 의한 자기장: O에서 호 AB에 흐르는 전류에 의한 자기장은 종이면에 수직으로 들어가는 방향이다. 중심각이 90°이므로, 호 AB에 흐르는 전류에 의한 자기장은 원형 도선에 흐르는 자기장의 세기의 $\frac{1}{4}$배이다. 따라서 호 AB에 흐르는 전류에 의한 자기장의 세기 B는 다음과 같다.

$$B=\frac{1}{4}\times2\pi\times10^{-7}\text{ T·m/A}\times\frac{1\text{ A}}{0.02\text{ m}}=\frac{\pi}{4}\times10^{-5}\text{ T}$$

정답 $\frac{\pi}{4}\times10^{-5}$ T, 종이면에 수직으로 들어가는 방향

2. 그림 (가)는 P점을 중심으로 하고, 반지름이 $2r$인 종이면에 고정된 원형 도선에 세기가 I인 전류가 화살표 방향으로 흐르는 모습을, (나)는 Q점을 중심으로 하고, 반지름이 각각 r, $2r$인 종이면에 고정된 두 원형 도선에 각각 세기가 I인 전류가 화살표 방향으로 흐르는 모습을 나타낸 것이다.

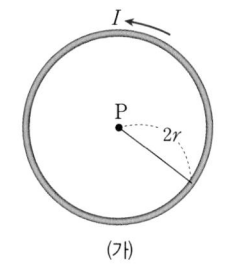 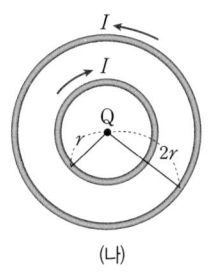

(가)　　　　　　(나)

P에서 자기장의 세기를 B라고 할 때, Q에서 자기장의 세기를 구하시오.

해설 원형 도선에 흐르는 전류에 의한 자기장의 세기 $B=k'\dfrac{I}{r}$이다. 따라서 종이면에서 수직으로 나오는 방향을 $(+)$라고 하면 P에서 자기장 $B=k'\dfrac{I}{2r}$이고, Q에서 자기장 $B'=k'\dfrac{I}{2r}-k'\dfrac{I}{r}=-k'\dfrac{I}{2r}=-B$이다. 따라서 Q에서 자기장의 세기는 B이다.

정답 B

3. 그림 (가)는 xy 평면에 P점을 중심으로 하고 반지름이 r인 원형 도선과 P점으로부터 $2r$만큼 떨어진 무한히 긴 직선 도선이 고정되어 있는 모습을 나타낸 것이다. 이때 직선 도선에는 세기가 I인 전류가 $+y$ 방향으로 흐르며, P에서 원형 도선에 흐르는 전류에 의한 자기장의 세기는 B이고, P에서 원형 도선과 직선 도선에 흐르는 전류에 의한 합성 자기장의 세기는 0이다. 그림 (나)는 원형 도선의 중심이 직선 도선으로부터 오른쪽으로 $4r$인 Q점에 놓이도록 이동시켰을 때의 모습을 나타낸 것이다.

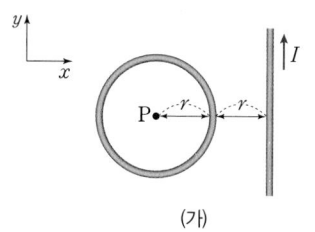 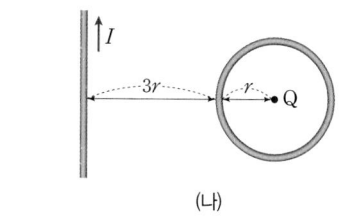

(가)　　　　　　(나)

Q에서 원형 도선과 직선 도선에 흐르는 전류에 의한 합성 자기장의 세기를 구하시오.

해설 (가)의 P에서 직선 도선에 흐르는 전류에 의한 자기장의 방향은 xy 평면에서 수직으로 나오는 방향이다. P에서 합성 자기장의 세기가 0이 되기 위해서는 원형 도선에 의한 자기장은 xy 평면에 수직으로 들어가는 방향이어야 한다. 따라서 원형 도선에 흐르는 전류의 방향은 시계 방향이다. 그리고 직선 도선에 흐르는 전류에 의한 자기장의 세기는 원형 도선에 흐르는 전류에 의한 자기장의 세기와 같아야 하므로, 직선 도선에 흐르는 전류에 의한 자기장의 세기를 B'이라고 하면 B'은 다음과 같다.

$$B'=k\frac{I}{2r}=B$$

(나)의 Q에서 원형 도선과 직선 도선에 흐르는 전류에 의한 자기장의 방향은 xy 평면에 수직으로 들어가는 방향으로 같다. 따라서 Q에서 합성 자기장의 세기를 B''이라고 하면 B''은 다음과 같다.

$$B''=k\frac{I}{4r}+B=\frac{B}{2}+B=\frac{3}{2}B$$

정답 $\dfrac{3}{2}B$

3. 솔레노이드에 흐르는 전류에 의한 자기장 탐구 103쪽

나선형으로 감은 무한히 긴 도선을 솔레노이드라고 하며, 솔레노이드에 전류가 흐를 때에도 도선 주위에 자기장이 형성된다. 이때 도선을 촘촘하게 감은 솔레노이드는 각각의 원형 도선들로 이루어졌다고 할 수 있다. 이러한 솔레노이드 주위의 한 지점에서의 자기장은 각각의 원형 도선에 의한 자기장을 합성하여 구할 수 있다.

(1) 솔레노이드에 흐르는 전류에 의한 자기장

① 그림 (가)는 도선을 느슨하게 감은 솔레노이드 주위의 자기력선을 나타낸 것이다.
- 도선에 매우 가까운 P_1점에서는 원형 도선에서와 마찬가지로 아주 작은 직선 도선에 흐르는 전류에 의한 자기장과 같이 도선을 중심으로 한 동심원 모양의 자기장이 형성된다.
- 인접한 도선 사이의 중앙인 P_2점에서는 두 도선에 흐르는 전류에 의한 자기장의 방향이 서로 반대이므로, 두 자기장이 상쇄된다.
- 솔레노이드의 중심축 부근의 P_3점에서는 원형 도선이 이루는 원의 중심에서와 같이 도선이 이루는 면에 수직인 방향으로 자기장이 형성된다. 이때 각각의 원형 도선에 흐르는 전류에 의한 자기장의 방향이 거의 같으므로, 합쳐져서 합성 자기장의 세기가 세진다.

② 그림 (나)는 도선을 촘촘하게 감은 솔레노이드 주위의 자기력선을 나타낸 것으로, 자기력선의 간격을 통해 Q_1점과 같은 솔레노이드 내부에서는 자기장의 세기가 세고 균일하지만, Q_2점과 같은 솔레노이드 외부에서는 자기장의 세기가 약하다는 것을 알 수 있다. 도선을 촘촘하게 감고 길이가 단면의 반지름에 비해 매우 긴 이상적인 솔레노이드에서는 솔레노이드의 양 끝에 가깝지 않은 솔레노이드 외부에서 자기장은 무시할 수 있다.

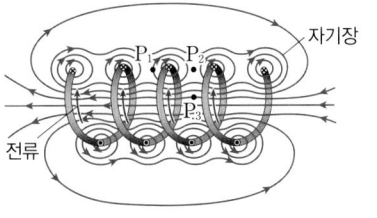

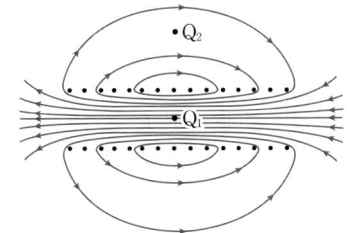

(가) 도선을 느슨하게 감은 솔레노이드   (나) 도선을 촘촘하게 감은 솔레노이드

▲ 솔레노이드에 흐르는 전류에 의한 자기장

(2) 자기장의 방향
도선을 촘촘하게 감은 솔레노이드에 전류가 흐를 때 솔레노이드 내부에는 솔레노이드의 축에 평행한 방향으로 자기장이 형성된다. 이때 솔레노이드 내부에서 자기장의 방향은 오른손의 네 손가락을 솔레노이드에 흐르는 전류의 방향으로 감아쥘 때 엄지손가락이 가리키는 방향이다.

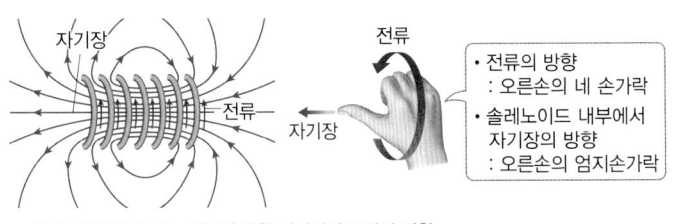

- 전류의 방향
  : 오른손의 네 손가락
- 솔레노이드 내부에서 자기장의 방향
  : 오른손의 엄지손가락

▲ 솔레노이드에 흐르는 전류에 의한 자기장의 모양과 방향

솔레노이드 주위의 자기력선
- 솔레노이드 외부의 자기력선은 길이와 굵기가 같은 막대자석 주위의 자기력선과 비슷하다.
- 솔레노이드 내부의 자기력선은 세기와 방향이 일정하다.

(3) **자기장의 세기:** 솔레노이드에 전류가 흐를 때 솔레노이드 내부에는 지름에 관계없이 세기가 균일한 자기장이 형성된다. 솔레노이드 내부에서 자기장의 세기 B는 전류의 세기 I에 비례하고, 단위 길이당 도선의 감은 수 n에 비례한다.

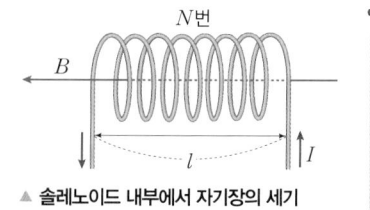

▲ 솔레노이드 내부에서 자기장의 세기

$$B = k''nI$$

이때 비례 상수 k''은 솔레노이드 주위의 물질의 종류에 따라 정해지는 값으로, 진공일 때는 $k'' = 4\pi \times 10^{-7}$ T·m/A이다. 이는 직선 도선에 의해 형성된 자기장의 세기를 나타내는 비례 상수 k의 2π배이다.

(4) **전자석:** 전류의 세기를 세게 하거나 단위 길이당 도선의 감은 수를 증가시켜 자기장의 세기를 세게 할 수 있다. 하지만 솔레노이드에 너무 센 전류가 흐르면 전류의 열작용으로 도선이 뜨거워져 녹을 수 있고, 단위 길이당 도선의 감은 수를 증가시키는 데에도 한계가 있다. 이때 그림과 같이 솔

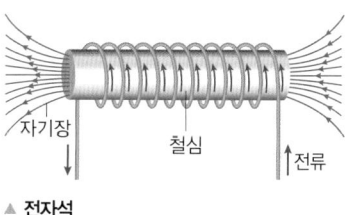

▲ 전자석

레노이드 내부에 연철로 만든 철심을 넣어 전류를 흐르게 하면 철심이 내부 자기장의 방향으로 강하게 자화되어 도선만 감았을 때보다 훨씬 강한 자기장을 형성한다. 이와 같이 솔레노이드 내부에 철심을 넣은 것을 전자석이라고 한다.

① 전자석은 영구 자석과 달리 전류가 흐를 때만 자성을 띤다.
② 전자석은 전류의 세기를 변화시켜 자기장의 세기를 조절할 수 있다.

예제

그림과 같이 반지름이 **2 cm**이고 길이가 **10 cm**이며, 도선의 감은 수가 **200번**인 솔레노이드에 세기가 **1 A**인 전류를 흘러 주었다. (단, 비례 상수 $k'' = 4\pi \times 10^{-7}$ **T·m/A**이다.)

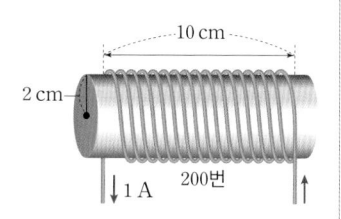

(1) 솔레노이드 내부에서 전류에 의한 자기장의 세기는 몇 T인지 구하시오.
(2) 솔레노이드 내부를 지나는 자기 선속은 몇 Wb인지 구하시오.
(3) 솔레노이드 내부의 철심이 전자석이 되었을 때 철심의 왼쪽과 오른쪽 부분에 형성되는 자극을 각각 쓰시오.

해설 (1) 솔레노이드 내부에서 전류에 의한 자기장의 세기 $B = k''nI$이다.

$$B = 4\pi \times 10^{-7} \text{ T·m/A} \times \frac{200}{0.1 \text{ m}} \times 1 \text{ A} = 8\pi \times 10^{-4} \text{ T}$$

(2) 자기장과 단면적이 수직일 때 자기장과 단면적이 이루는 각도 $\theta = 0°$이므로, 자기 선속 $\Phi = BS$이다. 따라서 자기 선속 Φ는 다음과 같다.

$$\Phi = 8\pi \times 10^{-4} \text{ T} \times \pi \times (0.02 \text{ m})^2 = 32\pi^2 \times 10^{-8} \text{ Wb}$$

(3) 솔레노이드에 흐르는 전류에 의한 자기장의 방향을 구하면 솔레노이드 내부에서 자기장의 방향은 왼쪽 방향이다. 따라서 자기장이 나오는 왼쪽 부분이 N극이 되고, 자기장이 들어가는 오른쪽 부분이 S극이 된다.

정답 (1) $8\pi \times 10^{-4}$ T (2) $32\pi^2 \times 10^{-8}$ Wb (3) 왼쪽: N극, 오른쪽: S극

탐구
솔레노이드에 흐르는 전류의 세기에 따른 자기장 비교

솔레노이드 내부의 자기장에 영향을 주는 요인을 설명할 수 있다.

과정

1 자기장 센서를 엠비엘(MBL) 접속 장치에 연결하고, 컴퓨터에서 자료 수집 프로그램을 실행시킨다.

2 전원 장치를 켜고 남북 방향으로 고정된 솔레노이드(a)의 내부 각 부분의 자기장의 세기를 측정한다.

3 자기장 센서를 솔레노이드(a)의 중앙에 위치시키고, 전류의 세기를 0.1 A씩 늘려가면서 평균 자기장의 세기를 측정한다.

4 단위 길이당 도선의 감은 수가 더 많은 솔레노이드(b)를 이용하여 과정 3을 반복한다.

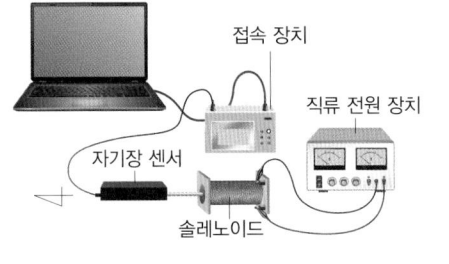

접속 장치
직류 전원 장치
자기장 센서
솔레노이드

유의점
· 자기장 센서의 범위 조절 스위치를 최댓값에 위치시킨다.
· 지구 자기장의 영향으로 전류가 흐르지 않을 때에도 솔레노이드 내부에서 자기장의 세기는 0이 아니다.

결과
· 과정 2에서 솔레노이드 내부에서 자기장의 세기는 거의 일정하다.
· 과정 3, 4에서 전류의 세기에 따른 자기장의 세기는 다음과 같다.

전류의 세기(A)		0.1	0.2	0.3	0.4	0.5
자기장의 세기 (mT)	a	1.39	2.95	4.64	6.25	7.76
	b	10.79	19.95	27.29	36.89	45.41

자기장의 세기(mT) 세로축: 1.5, 3.0, 4.5, 6.0, 7.5
가로축: 0.1 0.2 0.3 0.4 0.5 전류의 세기(A)

정리
· 솔레노이드 내부에서 자기장의 세기는 거의 일정하다.
· 전류의 세기가 셀수록, 단위 길이당 도선의 감은 수가 많을수록 솔레노이드 내부에서 자기장의 세기는 증가한다.

탐구 확인 문제

> 정답과 해설 **178**쪽

01 이 실험으로 알 수 있는 다음의 내용에 대해 서술하시오.

(1) 솔레노이드 내부에서의 자기장의 방향을 바꾸는 방법을 쓰시오.

(2) 솔레노이드 내부에서의 자기장의 세기를 변화시키는 방법을 쓰시오.

02 그림과 같이 전원 장치와 스위치에 동서 방향으로 고정된 솔레노이드를 연결하고, 솔레노이드 내부에 나침반을 놓았다. 이에 대한 설명으로 옳은 것은?

두꺼운 종이
솔레노이드
b
전원 장치
a
(−) (+)

① 스위치를 닫기 전 나침반 자침의 N극은 a 쪽을 가리킨다.
② 스위치를 닫으면 자침의 N극은 북동쪽으로 회전한다.
③ 전류의 세기를 증가시키면 자침의 회전각은 감소한다.
④ 닫았던 스위치를 열면 자침의 N극은 b 쪽을 가리킨다.
⑤ 전원 장치의 (+)극과 (−)극을 바꾸어 연결하고 스위치를 닫으면 자침의 N극은 북동쪽으로 회전한다.

비오-사바르 법칙과 앙페르 법칙

전류에 의한 자기장의 세기와 방향은 비오-사바르 법칙과 앙페르 법칙을 이용하여 구할 수 있다. 비오-사바르 법칙은 전류에 의한 자기장의 세기와 방향을 나타내는 일반적인 식으로, 전류가 주위에 형성하는 자기장을 직접 구하는 관계식이다. 반면, 앙페르 법칙은 어느 공간에 분포하는 전류와 그 공간에 형성되는 자기장의 관계를 보다 단순하게 표현한 것으로, 전류의 분포가 대칭성을 가지고 있다면 앙페르 법칙을 이용하여 자기장의 세기와 방향을 쉽게 구할 수 있다.

❶ 비오-사바르 법칙과 앙페르 법칙

(1) **비오-사바르 법칙**: 비오(Biot, J. B., 1774~1862, 프랑스)와 사바르(Savart, F., 1791~1841, 프랑스)는 그림과 같이 전류 I가 흐르는 도선의 미소 길이 $d\vec{s}$에서 r만큼 떨어진 지점에서의 자기장 $d\vec{B}$를 구하는 법칙을 알아내었다.

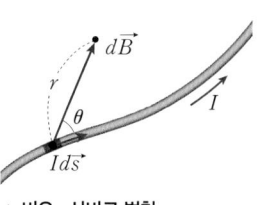

▲ 비오-사바르 법칙

$$d\vec{B}=\frac{\mu_0}{4\pi}\frac{Id\vec{s}\times\hat{r}}{r^2}$$

이때 μ_0은 진공의 투자율로, $4\pi\times10^{-7}$ T·m/A이다.

(2) **앙페르 법칙**: 앙페르(Ampere, A. M., 1775~1836, 프랑스)는 그림과 같이 전류 I가 흐르는 도선을 둘러싼 폐곡선을 그렸을 때 이 곡선을 따라 자기장 $\vec{B}$와 미소 길이 $d\vec{s}$의 스칼라 곱($\vec{B}\cdot d\vec{s}$)을 적분한 값이 폐곡선에 의해 둘러싸인 면을 흐르는 전류의 세기 I에 비례한다는 법칙을 알아내었다.

▲ 앙페르 법칙

폐곡선

$$\oint\vec{B}\cdot d\vec{s}=\mu_0I$$

❷ 전류에 의한 자기장

(1) **직선 도선에 흐르는 전류에 의한 자기장**

그림과 같이 x축을 따라 고정된 무한히 긴 직선 도선에 전류 I가 흐르고 있다. 이때 직선 도선에 흐르는 전류 요소 $Id\vec{s}$는 직선 도선으로부터 직선 거리 a만큼 떨어진 y축상의 P점까지의 거리 벡터 $\vec{r}$와 각 θ를 이루므로, 비오-사바르 법칙은 다음과 같다.

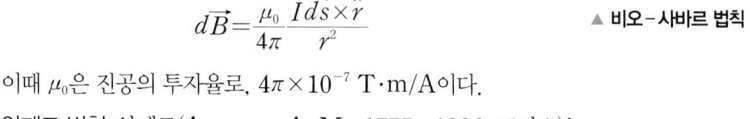

▲ 직선 도선과 자기장

$$dB=\frac{\mu_0}{4\pi}\frac{Ids\sin\theta}{r^2}$$

여기서 $r=\sqrt{s^2+a^2}$이고, $\sin\theta=\dfrac{a}{r}=\dfrac{a}{\sqrt{s^2+a^2}}$이므로 대입하면 dB는 다음과 같다.

$$dB=\frac{\mu_0}{4\pi}\frac{Ids}{s^2+a^2}\frac{a}{\sqrt{s^2+a^2}}=\frac{\mu_0}{4\pi}\frac{aIds}{(s^2+a^2)^{\frac{3}{2}}}$$

이때 직선 도선에 흐르는 각 전류 요소 $Id\vec{s}$에 의한 자기장 $d\vec{B}$의 방향이 모두 같으므로, 직선 도선을 따라 적분하면 P점에서 자기장의 세기 B는 다음과 같다.

$$B=\int_{-\infty}^{+\infty}dB=\frac{\mu_0I}{4\pi}\int_{-\infty}^{+\infty}\frac{ads}{(s^2+a^2)^{\frac{3}{2}}}=\frac{\mu_0I}{4\pi a}\left[\frac{s}{\sqrt{s^2+a^2}}\right]_{-\infty}^{+\infty}=\frac{\mu_0I}{2\pi a}$$

$\hat{r}$의 의미

$\hat{r}$는 벡터 $\vec{r}$와 방향이 같고 크기가 1인 벡터를 의미하며, 이를 단위 벡터라고도 한다.

투자율

자기장이 어떤 공간을 뚫고 가는 정도를 투자율이라고 한다.

직선 도선과 앙페르 법칙

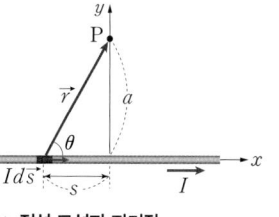

폐곡선

전류 I가 흐르는 종이면에 고정된 무한히 긴 직선 도선으로부터 거리 r만큼 떨어진 원형의 폐곡선을 잡으면 각 점에서 자기장 $\vec{B}$와 미소 길이 $d\vec{s}$는 평행하고 직선 도선을 중심으로 대칭적이므로, 폐곡선 위의 모든 점에서 자기장의 세기는 일정하다. 따라서 앙페르 법칙은 다음과 같다.

$$\oint\vec{B}\cdot d\vec{s}=B(2\pi r)=\mu_0I$$

직선 도선으로부터 거리 r만큼 떨어진 P점에서 자기장의 세기 B는 다음과 같다.

$$B=\frac{\mu_0I}{2\pi r}$$

(2) 원형 도선에 흐르는 전류에 의한 자기장

그림과 같이 x축상의 한 점 O를 중심으로 하고, 반지름이 R인 고정된 원형 도선에 전류 I가 흐르고 있다. 이때 원형 도선에 흐르는 전류 요소 $I\vec{ds}$는 원형 도선의 중심으로부터 거리 x만큼 떨어진 x축상의 P점까지의 거리 벡터 $\vec{r}$와 수직이고, P점에서의 자기장 $\vec{dB}$도 거리 벡터 $\vec{r}$와 수직이므로, 비오–사바르 법칙은 다음과 같다.

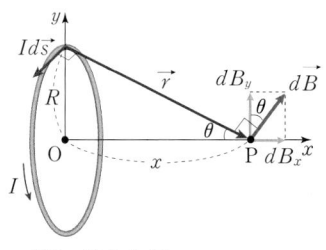

▲ 원형 도선과 자기장

$$dB=\frac{\mu_0}{4\pi}\frac{Ids}{r^2}=\frac{\mu_0}{4\pi}\frac{Ids}{x^2+R^2}$$

여기서 원형 도선에 흐르는 각 전류 요소 $I\vec{ds}$에 의한 자기장 $\vec{dB}$를 원형 도선을 따라 적분하면 x축에 수직인 성분 dB_y는 모두 상쇄되므로 x축에 나란한 성분 dB_x만 계산하면 된다.

$$dB_x=dB\sin\theta=dB\frac{R}{r}=dB\frac{R}{\sqrt{x^2+R^2}}=\frac{\mu_0}{4\pi}\frac{RIds}{(x^2+R^2)^{\frac{3}{2}}}$$

원형 도선을 따라 적분하면 P점에서 자기장의 세기 B는 다음과 같다.

$$B=\oint dB_x=\frac{\mu_0}{4\pi}\frac{I(2\pi R)R}{(x^2+R^2)^{\frac{3}{2}}}$$

이때 $2\pi R$는 미소 길이 $\vec{ds}$를 폐곡선에 따라 적분한 값으로, 원형 도선의 중심에서는 $x=0$이므로 원형 도선 중심에서의 자기장의 세기 B_0은 다음과 같다.

$$B_0=\frac{\mu_0 I}{2R}$$

(3) 솔레노이드에 흐르는 전류에 의한 자기장

그림과 같이 도선을 촘촘하게 감은 솔레노이드에 전류 I_0이 흐르면, 내부에는 솔레노이드의 축에 평행한 방향으로 균일한 자기장이 형성된다. 이때 솔레노이드의 단면에 폐경로 abcda를 잡으면 앙페르 법칙은 다음과 같다.

$$\oint \vec{B}\cdot\vec{ds}=\int_a^b \vec{B}\cdot\vec{ds}+\int_b^c \vec{B}\cdot\vec{ds}+\int_c^d \vec{B}\cdot\vec{ds}+\int_d^a \vec{B}\cdot\vec{ds}$$

여기서 자기장 $\vec{B}$와 경로 bc, da의 미소 길이 $\vec{ds}$는 수직이므로 적분한 값이 0이 되고, 경로 cd는 자기장이 0이므로 적분한 값이 0이 된다. 따라서 경로 ab만 적분하면 되므로, $\oint \vec{B}\cdot\vec{ds}=Bl=\mu_0 I$이다.

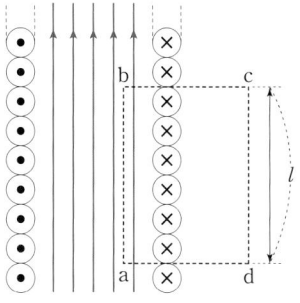

▲ 솔레노이드와 자기장

이때 솔레노이드의 단위 길이당 도선의 감은 수가 n이면 적분 경로를 관통하는 전체 전류 $I=nlI_0$이므로, 솔레노이드 내부에서 자기장의 세기 B는 다음과 같다.

$$B=\mu_0 nI_0$$

단위 길이당 도선의 감은 수 n
도선의 감은 수가 N이고, 솔레노이드의 길이가 l일 때, 단위 길이당 도선의 감은 수 $n=\dfrac{N}{l}$이다.

01 전류에 의한 자기장

2. 자기장

① 자기장과 자기력선

1. **자기장** (❶　　　)이 작용하는 공간으로, 크기와 방향을 모두 가지는 벡터량이다.
- 자기장의 방향은 자기장 내의 한 점에 나침반을 놓았을 때 나침반 자침의 (❷　　　)극이 가리키는 방향이다.
2. **자기력선** 자기장 내에서 나침반 자침의 N극이 가리키는 방향을 연속적으로 이은 선
- 자기력선은 N극에서 나와 S극을 향하는 방향으로 폐곡선을 이룬다.
- 자기력선은 중간에 분리되거나 교차되지 않는다.
- 자기력선 위의 한 점에서 그은 접선 방향이 그 지점에서의 (❸　　　)의 방향이다.
- 자기력선이 조밀할수록 그 위치에서 자기장의 세기가 세다.
3. (❹　　　) 자기장에 수직인 어떤 단면을 지나는 자기력선의 총 개수
4. **자기장의 세기** 자기장에 수직인 단위 면적(1 m²)을 지나는 자기 선속을 자기장의 세기라고 한다. 자기장에 수직인 단면적 S를 지나는 자기 선속이 Φ일 때 자기장의 세기 B는 다음과 같다.

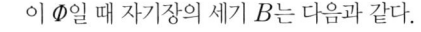

$$B=\frac{\Phi}{S} \ [\text{단위: } \mathrm{T}(\text{테슬라})]$$

$\Phi=BS$

② 전류에 의한 자기장

1. **직선 도선에 흐르는 전류에 의한 자기장** 도선에 수직인 면에 도선을 중심으로 한 (❺　　　) 모양의 자기장이 형성된다.
- 자기장의 방향은 오른손의 엄지손가락을 직선 도선에 흐르는 전류의 방향으로 향하게 할 때 나머지 네 손가락이 도선을 감아쥐는 방향이고, 자기장의 세기는 전류의 세기에 (❻　　　)

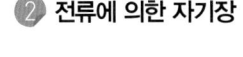

하고, 도선으로부터의 수직 거리에 반비례한다. ➡ $B=k\dfrac{I}{r}$

2. **원형 도선에 흐르는 전류에 의한 자기장** 원형 도선이 이루는 원의 중심에는 도선이 이루는 면에 수직인 방향으로 자기장이 형성된다.
- 원형 도선의 중심에서 자기장의 방향은 오른손의 네 손가락을 원형 도선에 흐르는 전류의 방향으로 감아쥘 때 엄지손가락이 가리키는 방향이고, 자기장의 세기는 전류의 세기에 비례하고,

도선이 만드는 원의 (❼　　　)에 반비례한다. ➡ $B=k'\dfrac{I}{r}$

3. **솔레노이드에 흐르는 전류에 의한 자기장** 솔레노이드 내부에는 솔레노이드의 축에 (❽　　　)한 방향으로 자기장이 형성된다.
- 솔레노이드 내부에서 자기장의 방향은 오른손의 네 손가락을 솔레노이드에 흐르는 전류의 방향으로 감아쥘 때 엄지손가락이

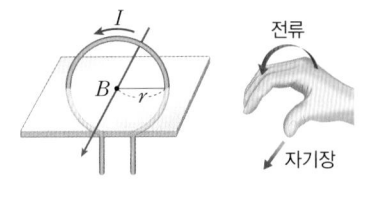

가리키는 방향이고, 자기장의 세기는 전류의 세기에 비례하고, 단위 길이당 도선의 감은 수에 비례한다.
➡ $B=k''nI$

01 자기장과 자기력선에 대한 설명으로 옳은 것만을 보기에서 있는 대로 고르시오.

보기
ㄱ. 전자석 내부에도 자기장이 존재한다.
ㄴ. 자기력선의 밀도는 자기장의 세기에 비례한다.
ㄷ. 솔레노이드 내부의 자기력선은 코일 중심부에 밀집되어 있으며, 밀도가 불균일하다.

02 그림은 자석 주위의 자기장의 일부를 자기력선으로 나타낸 것이다.

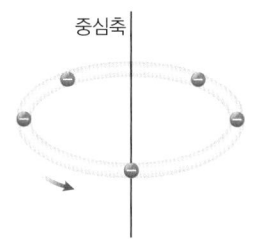

이에 대한 설명으로 옳은 것만을 보기에서 있는 대로 고르시오.

보기
ㄱ. P 쪽에 자석의 N극이 있다.
ㄴ. 자기장의 세기는 a점에서가 b점에서보다 세다.
ㄷ. c점에서 자기장의 방향은 ⓛ이다.

03 평행한 두 직선 도선에 같은 세기의 전류가 같은 방향으로 흐를 때와 반대 방향으로 흐를 때, 두 직선 도선 주위의 자기장을 자기력선으로 나타낸 것으로 옳은 것을 보기에서 각각 골라 순서대로 쓰시오. (단, ⊗는 전류가 종이면에 수직으로 들어가는 방향, ⊙는 전류가 종이면에서 수직으로 나오는 방향이다.)

보기
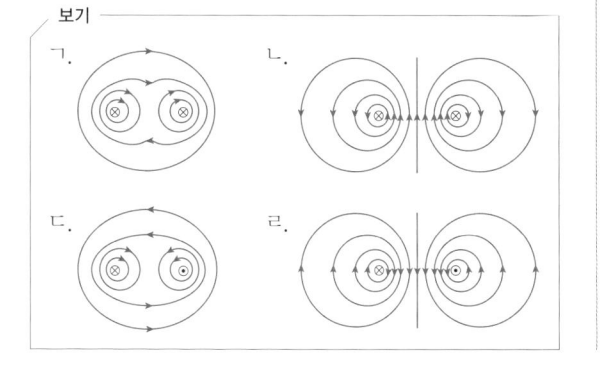

04 지면으로부터 높이 5 m인 곳에 수평으로 놓여 있는 고압선에 세기가 100 A인 전류가 흐르고 있다. 지면에서 자기장의 세기는 몇 T인지 구하시오. (단, 비례 상수 $k=2\times10^{-7}$ T·m/A이다.)

05 그림과 같이 균일하게 대전된 절연체 원형 고리가 중심축을 회전축으로 하여 1초당 100번 회전하고 있다. 이때 고리의 반지름은 2 cm이고, 총 전하량은 2×10^{-8} C이다.

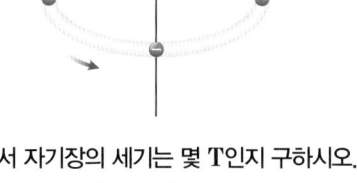

고리 중심에서 자기장의 세기는 몇 T인지 구하시오. (단, 비례 상수 $k'=2\pi\times10^{-7}$ T·m/A이다.)

06 그림 (가)는 길이가 l이고 도선의 감은 수가 N인 솔레노이드에 세기가 $2I$인 전류가 화살표 방향으로 흐르는 모습을, (나)는 길이가 $2l$이고 도선의 감은 수가 $4N$인 솔레노이드에 세기가 I인 전류가 화살표 방향으로 흐르는 모습을 나타낸 것이다.

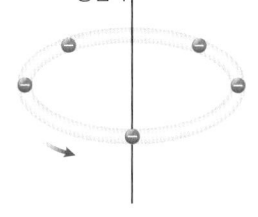

(가)와 (나)의 솔레노이드 내부에서 자기장의 세기의 비 ((가) : (나))를 구하시오.

07 그림과 같이 xy 평면에 고정된 무한히 긴 평행한 직선 도선 A와 B에 각각 세기가 4 A, 1 A인 전류가 흐를 때 A로부터 8 cm 떨어진 P점에서 자기장이 0이었다. A에는 전류가 $+y$ 방향으로 흐른다.

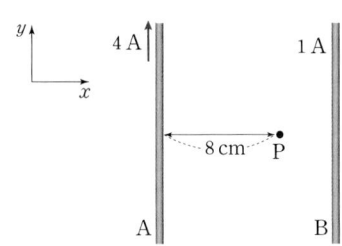

⑴ B에 흐르는 전류의 방향을 쓰시오.

⑵ A와 B 사이의 거리는 몇 cm인지 구하시오.

08 그림은 xy 평면에서 무한히 긴 평행한 직선 도선 A, B, C가 y축과 나란하게 $x=1$, 2, 4인 점에 고정되어 있는 모습을 나타낸 것이다. A와 B에는 각각 세기가 I_0인 전류가 $+y$ 방향으로 흐르고, $x=3$인 점에서 자기장은 0이다.

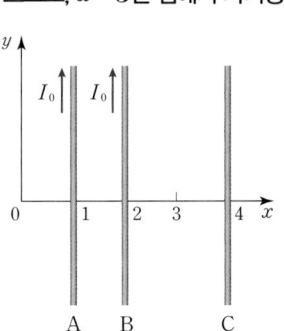

C에 흐르는 전류의 방향과 세기를 구하시오.

09 그림은 무한히 긴 두 직선 도선과 O점을 중심으로 하고 반지름이 r인 원형 도선으로 이루어져 있는 도선에 세기가 I인 전류가 화살표 방향으로 흐르는 모습을 나타낸 것이다.

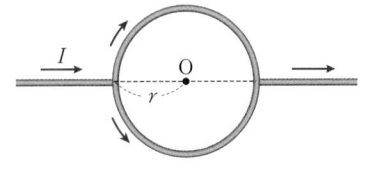

O에서 자기장의 세기를 구하시오.

10 그림 (가)와 (나)는 중심이 같고, 반지름이 각각 $2r$, r인 종이면에 고정된 두 원형 도선에 세기가 각각 I_1, I_2인 전류가 화살표 방향으로 흐르는 모습을 나타낸 것이다. (가)와 (나)의 원형 도선의 중심에서 자기장의 세기는 각각 B, $\frac{1}{2}B$이고, 방향은 반대이다.

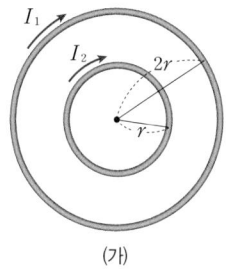
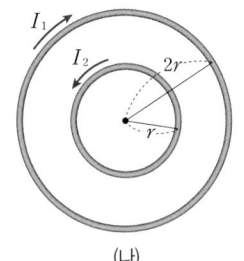

(가)　　　　　　(나)

$I_1 : I_2$를 구하시오.

11 그림은 중심이 같고, 반지름이 각각 r, $2r$인 종이면에 고정된 원형 도선 A와 B에 세기가 각각 I_1, I_2인 전류가 흐르는 모습을 나타낸 것이다. 전류의 세기는 I_1이 I_2보다 세고, 원형 도선의 중심에서 자기장의 세기의 최댓값은 최솟값의 2배이다.

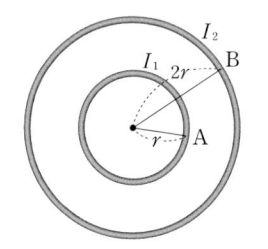

$\dfrac{I_1}{I_2}$을 구하시오.

개념 적용 문제

01 전류에 의한 자기장

> 정답과 해설 180쪽

01 > 자기장과 자기력

그림은 자석의 A 부분 주위의 자기장을 자기력선으로 나타낸 것으로, 자기장 내의 한 점에 작은 자석을 가만히 놓았더니 자석이 점선을 따라 직선 운동을 하였다. P는 작은 자석에서 A 쪽에 가까운 자극이다.

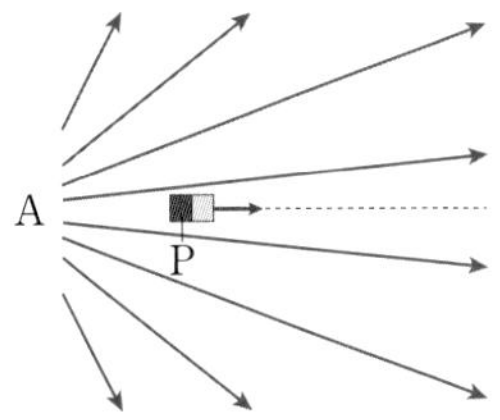

이에 대한 설명으로 옳은 것만을 보기에서 있는 대로 고른 것은? (단, 모든 마찰은 무시하고, 자석은 회전하지 않는다.)

보기
ㄱ. A는 N극이다.
ㄴ. P는 N극이다.
ㄷ. 자석의 속력은 점점 증가한다.

① ㄴ ② ㄷ ③ ㄱ, ㄴ ④ ㄱ, ㄷ ⑤ ㄱ, ㄴ, ㄷ

• A에서 멀어질수록 자기장의 세기는 감소한다.

고난도

02 > 직선 도선에 흐르는 전류에 의한 자기장

그림은 xy 평면에 수직으로 고정된 직선 도선에 전류가 흐를 때 y축과 $45°$를 이루는 직선 위에 고정된 나침반 P와 Q의 자침이 $45°$만큼 회전하여 N극이 각각 $-x$ 방향, $+y$ 방향을 가리키는 모습을 나타낸 것이다.

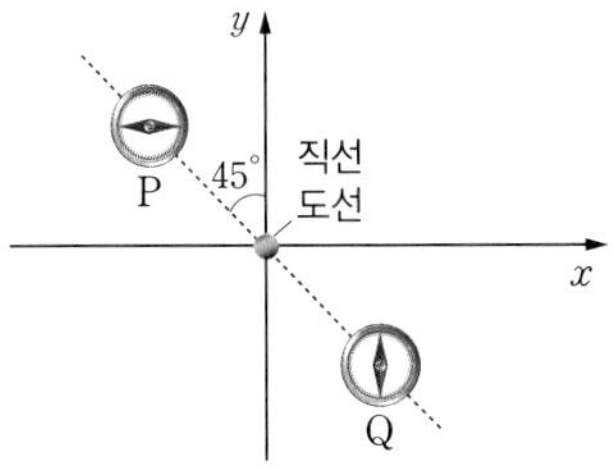

이에 대한 설명으로 옳은 것만을 보기에서 있는 대로 고른 것은? (단, 나침반의 크기는 무시한다.)

보기
ㄱ. 지구 자기장의 방향은 y축과 $45°$를 이룬다.
ㄴ. 직선 도선으로부터 P와 Q까지의 거리는 같다.
ㄷ. 직선 도선에 흐르는 전류의 방향은 xy 평면에 수직으로 들어가는 방향이다.

① ㄴ ② ㄷ ③ ㄱ, ㄴ ④ ㄱ, ㄷ ⑤ ㄱ, ㄴ, ㄷ

• 나침반 자침의 N극이 가리키는 방향은 직선 도선에 흐르는 전류에 의한 자기장과 지구 자기장의 벡터 합의 방향이다.

03 ▷ 두 직선 도선에 흐르는 전류에 의한 자기장

그림 (가)는 x축상에 고정된 xy 평면에 수직인 무한히 긴 직선 도선 A와 B를 나타낸 것으로, A와 B에는 각각 일정한 세기의 전류가 흐르고 있다. A와 B 사이의 간격은 $3d$이다. 그림 (나)는 A와 B에 흐르는 전류에 의한 자기장을 거리 x에 따라 나타낸 것이다.

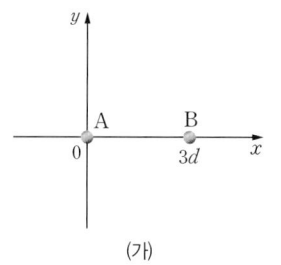 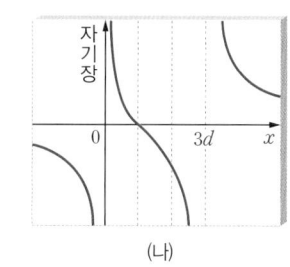

(가)　　　　(나)

이에 대한 설명으로 옳은 것만을 보기에서 있는 대로 고른 것은?

> 보기
> ㄱ. $x=-2d$인 점과 $x=2d$인 점에서 자기장의 방향은 같다.
> ㄴ. 도선에 흐르는 전류의 방향은 A와 B가 같다.
> ㄷ. 도선에 흐르는 전류의 세기는 A가 B의 2배이다.

① ㄱ　　　② ㄴ　　　③ ㄱ, ㄴ　　　④ ㄱ, ㄷ　　　⑤ ㄴ, ㄷ

• 직선 도선에 흐르는 전류에 의한 자기장의 세기는 전류의 세기에 비례하고, 도선으로부터의 수직 거리에 반비례한다.

04 ▷ 두 직선 도선에 흐르는 전류에 의한 자기장

그림 (가)는 xy 평면에 고정된 무한히 긴 직선 도선 A에 전류가 $+y$ 방향으로 흐르는 모습을 나타낸 것이다. 이때 x축상의 점 P, Q, R에서 자기장의 세기는 각각 B_0, $2B_0$, B_0이다. 그림 (나)는 (가)에서 Q에 전류가 흐르는 무한히 긴 직선 도선 B를 가만히 놓았을 때 P에서 자기장이 0인 모습을 나타낸 것이다.

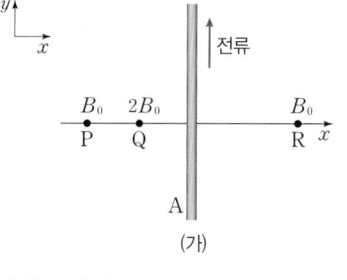 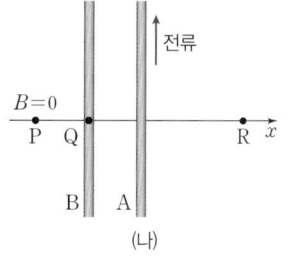

(가)　　　　(나)

(나)의 R에서 자기장의 세기는?

① $\dfrac{1}{3}B_0$　　② $\dfrac{1}{2}B_0$　　③ $\dfrac{2}{3}B_0$　　④ $\dfrac{4}{3}B_0$　　⑤ $2B_0$

• (나)의 P에서 자기장이 0이므로, B에는 전류가 $-y$ 방향으로 흐른다.

05 > 세 직선 도선에 흐르는 전류에 의한 자기장

그림은 무한히 긴 직선 도선 A, B, C가 정육면체의 세 모서리에 각각 고정되어 있는 모습을 나타낸 것이다. 이때 B와 C에는 각각 세기가 I_0인 전류가 $+x$ 방향, $+y$ 방향으로 흐른다.

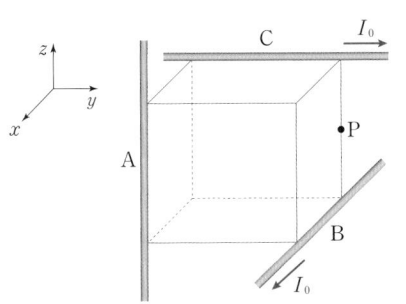

· P에서 B와 C에 흐르는 전류에 의한 합성 자기장의 세기와 A에 흐르는 전류에 의한 자기장의 세기는 같고, 방향은 반대이다.

B와 C를 잇는 모서리의 중점인 P점에서 자기장이 0일 때, A에 흐르는 전류의 방향과 세기는?

	방향	세기		방향	세기
①	$+z$ 방향	$2\sqrt{2}I_0$	②	$-z$ 방향	$2\sqrt{2}I_0$
③	$+z$ 방향	$4I_0$	④	$-z$ 방향	$4I_0$
⑤	$+z$ 방향	$4\sqrt{2}I_0$			

06 > 직선 도선과 원형 도선에 흐르는 전류에 의한 자기장

그림 (가)는 서로 수직으로 고정된 무한히 긴 직선 도선 A와 B에 각각 세기가 10 A, 40 A인 전류가 화살표 방향으로 흐르는 모습을 나타낸 것이다. 이때 A와 B로부터 각각 1 cm, 2 cm 떨어져 있는 P점에서 자기장의 세기는 B_0이다. 그림 (나)는 무한히 긴 직선 도선과 Q점을 중심으로 하고 반지름이 1 cm인 원형 도선으로 이루어져 있는 도선에 세기가 10 A인 전류가 화살표 방향으로 흐르는 모습을 나타낸 것이다.

· 도선에 흐르는 전류에 의한 자기장의 방향은 앙페르 오른나사 법칙으로 찾는다.

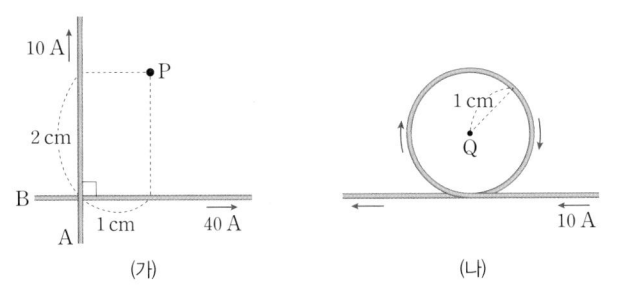

(가)	(나)

이에 대한 설명으로 옳은 것만을 보기에서 있는 대로 고른 것은? (단, $\pi=3$으로 계산한다.)

보기
ㄱ. (가)의 P에서 자기장의 방향은 종이면에서 수직으로 나오는 방향이다.
ㄴ. (나)의 Q에서 자기장의 세기는 $4B_0$이다.
ㄷ. (가)에서 A에 흐르는 전류의 방향을 반대로 하면 P에서 자기장의 세기는 $3B_0$이 된다.

① ㄱ   ② ㄷ   ③ ㄱ, ㄴ   ④ ㄴ, ㄷ   ⑤ ㄱ, ㄴ, ㄷ

07 ❭ 직선 도선과 원형 도선에 흐르는 전류에 의한 자기장

그림 (가)와 (나)는 두 직선 도선과 O점을 중심으로 하고 반지름이 각각 r, $2r$인 두 반원형 도선으로 이루어져 있는 도선에 세기가 I인 전류가 화살표 방향으로 흐르는 모습을 나타낸 것이다.

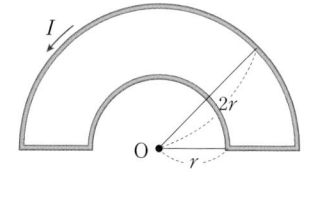 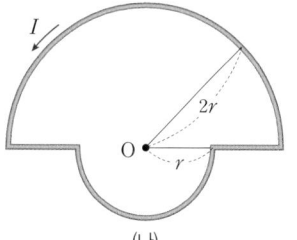

(가) (나)

(가)와 (나)의 O에서 자기장의 세기를 각각 $B_{(가)}$, $B_{(나)}$라고 할 때, $B_{(가)} : B_{(나)}$는?

① 1 : 2　　② 1 : 3　　③ 1 : 4　　④ 3 : 1　　⑤ 4 : 1

• (가)에서는 두 원형 도선에 의한 자기장의 방향이 반대이고, (나)에서는 자기장의 방향이 같다.

08 ❭ 솔레노이드에 흐르는 전류에 의한 자기장

그림 (가), (나)는 전압이 일정한 전원 장치와 저항에 각각 길이가 L이고 도선의 감은 수가 N인 솔레노이드, 길이가 $2L$이고 도선의 감은 수가 N인 솔레노이드를 연결한 모습을 나타낸 것이다. (가)와 (나)에서 전원 장치의 전압과 저항의 저항값은 같다.

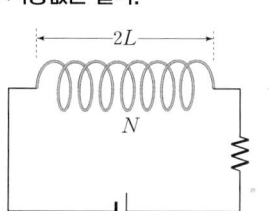

(가) (나)

이에 대한 설명으로 옳은 것만을 보기에서 있는 대로 고른 것은?

> 보기
> ㄱ. 솔레노이드에 흐르는 전류의 세기는 (가)와 (나)에서가 같다.
> ㄴ. 솔레노이드 내부에서 자기장의 방향은 (가)와 (나)에서가 같다.
> ㄷ. 솔레노이드 내부에서 자기장의 세기는 (가)에서가 (나)에서의 2배이다.

① ㄴ　　② ㄷ　　③ ㄱ, ㄴ　　④ ㄱ, ㄷ　　⑤ ㄱ, ㄴ, ㄷ

• 솔레노이드 내부에서 자기장의 세기는 전류의 세기에 비례하고, 단위 길이당 도선의 감은 수에 비례한다.

09 > 솔레노이드에 흐르는 전류에 의한 자기장

그림과 같이 동일한 원통에 길이가 l이고 도선의 감은 수가 각각 N, $2N$인 솔레노이드 A와 B를 중심축이 일치하도록 놓았다. A와 B에는 세기가 각각 I_1, I_2인 전류가 화살표 방향으로 흐르며, A 내부에서 A에 흐르는 전류에 의한 자기장의 세기와 B 내부에서 B에 흐르는 전류에 의한 자기장의 세기는 같다. 이때 P점과 Q점은 A와 B의 중심축을 잇는 직선상의 점이다.

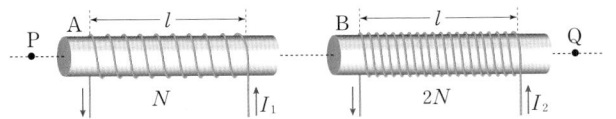

이에 대한 설명으로 옳은 것만을 보기에서 있는 대로 고른 것은?

보기
ㄱ. $I_1 = 2I_2$이다.
ㄴ. P와 Q에서 자기장의 방향은 같다.
ㄷ. A와 B 사이에는 서로 끌어당기는 자기력이 작용한다.

① ㄱ   ② ㄷ   ③ ㄱ, ㄴ   ④ ㄴ, ㄷ   ⑤ ㄱ, ㄴ, ㄷ

• 솔레노이드 내부에서 자기장의 세기는 전류의 세기에 비례하고, 단위 길이당 도선의 감은 수에 비례한다.

10 > 솔레노이드에 흐르는 전류에 의한 자기장과 자기력

다음은 솔레노이드에 흐르는 전류에 의한 자기장에 관한 실험 과정이다.

(가) 그림과 같이 용수철을 이용하여 천장에 매달린 막대자석과 중심축이 일치하도록 솔레노이드를 연직으로 고정한 후, 솔레노이드에 전원 장치, 가변 저항기, 검류계, 스위치를 연결한다.

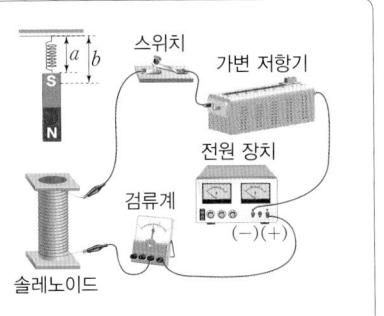

(나) 스위치를 닫기 전 용수철의 길이 a를 측정한다.
(다) 전원 장치의 전압을 0으로 조정하고, 스위치를 닫는다.
(라) 막대자석이 진동하지 않도록 전압을 서서히 증가시켜 전압이 V일 때 용수철의 길이 b를 측정한다.

이에 대한 설명으로 옳은 것만을 보기에서 있는 대로 고른 것은?

보기
ㄱ. 전류가 흐를 때 솔레노이드의 위쪽은 S극이 된다.
ㄴ. (라)에서 전압이 $2V$가 되면 솔레노이드 내부에서 자기장의 세기도 2배가 된다.
ㄷ. (라)에서 솔레노이드가 자석에 작용하는 자기력의 크기는 용수철이 자석에 작용하는 힘의 크기와 같다.

① ㄴ   ② ㄷ   ③ ㄱ, ㄴ   ④ ㄱ, ㄷ   ⑤ ㄱ, ㄴ, ㄷ

• 솔레노이드 내부에서 자기장의 세기는 전류의 세기에 비례한다.

02 전자기 유도

학습 Point   전자기 유도 〉 렌츠 법칙 〉 패러데이 법칙 〉 발전기와 교류

1 전자기 유도

도선에 흐르는 전류에 의해 자기장이 형성되는 것처럼 많은 과학자들은 자기장에 의해서도 전류를 발생시킬 수 있을 것이라 생각하고, 이를 위해 노력하였다. 이후 패러데이에 의해 이 현상이 발견되었고, 이를 통해 오늘날 전기 에너지를 안정적으로 확보하고 이용할 수 있게 되었다.

1. 전자기 유도

(1) 1831년, 패러데이(Faraday, M., 1791~1867, 영국)와 헨리(Henry, J., 1797~1878)는 독립적으로 자석과 코일을 이용한 여러 가지 실험을 통해 시간에 따라 변화하는 자기장의 영향을 받는 회로에 전류가 유도되어 흐른다는 사실을 발견하였다. 그림 (가)와 같이 코일에 검류계를 연결하고 코일에 자석을 가까이 가져가면 코일에 순간적으로 전류가 흘러 검류계의 바늘이 움직인다. 자석의 움직임을 멈추면 코일에는 전류가 흐르지 않아 검류계의 바늘은 0을 가리킨다. 코일에서 자석을 멀리 하면 다시 코일에 순간적으로 전류가 흐르는데, 이때 전류는 처음과 반대 방향으로 흘러 검류계의 바늘이 반대 방향으로 움직인다. 또 그림 (나)와 같이 전지와 스위치를 연결한 코일과 검류계를 연결한 코일을 마주 보게 놓고 스위치를 닫거나 열어 전지와 스위치를 연결한 코일에 흐르는 전류를 조절하면 검류계를 연결한 코일에 순간적으로 전류가 흘러 검류계의 바늘이 움직인다.

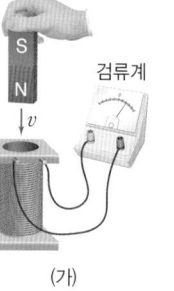
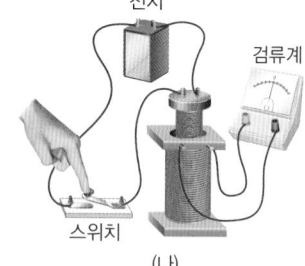
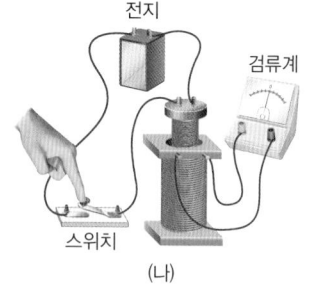

(가)   (나)

▲ 전자기 유도

(2) **전자기 유도**: 자기장이 일정하고 코일의 모양이나 위치가 변하지 않을 때는 전류가 흐르지 않지만, 코일을 지나는 자기 선속이 시간에 따라 변하면 전류가 흐른다. 이처럼 코일을 지나는 자기 선속이 변할 때 코일에 전류가 유도되는 현상을 전자기 유도라고 한다.

① 유도 기전력: 전자기 유도에 의해 코일 양단에 유도되는 전압을 유도 기전력이라고 한다.

② 유도 전류: 코일이 닫힌회로를 이룰 때 유도 기전력에 의해 흐르는 전류를 유도 전류라고 한다.

전자기 유도

자석 대신 전지를 연결한 코일을 검류계를 연결한 코일에 대하여 상대적으로 움직일 때에도 검류계를 연결한 코일에 순간적으로 전류가 흘러 검류계의 바늘이 움직인다.

2. 렌츠 법칙

(1) **렌츠 법칙**: 도선으로 이루어진 닫힌회로 내에 발생한 유도 전류는 닫힌회로를 지나는 자기 선속의 변화를 방해하는 방향으로 흐른다. ➡ 코일에 자석을 가까이 하거나 멀리 할 때 코일에는 자석의 운동을 방해하는 방향으로 유도 전류가 흐른다.

(2) **유도 전류의 방향**: 오른손의 엄지손가락을 자기 선속의 변화를 방해하는 방향으로 향하게 할 때 나머지 네 손가락이 도선을 감아쥐는 방향으로 유도 전류가 흐른다.

렌츠(Lenz, H. F. E., 1804~1865, 독일)
렌츠는 전자기학을 연구하여 도체의 전기 저항이 온도에 비례함을 밝히고, 전자기 유도에 관한 렌츠 법칙을 발견하였다.

그림 (가)와 같이 코일에 자석의 N극을 가까이 할 때 코일을 지나는 아래 방향의 자기 선속이 점점 증가하므로, 이를 방해하는 방향인 위쪽으로 자기장이 발생하도록 유도 전류는 B → ⓖ → A 방향으로 흐른다.

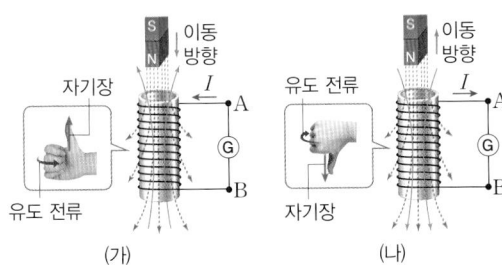

▲ **자석의 운동과 유도 전류의 방향**

그림 (나)와 같이 코일에서 자석의 N극을 멀리 할 때 코일을 지나는 아래 방향의 자기 선속이 점점 감소하므로, 이를 방해하는 방향인 아래쪽으로 자기장이 발생하도록 유도 전류는 A → ⓖ → B 방향으로 흐른다.

3. 패러데이 법칙

(1) **자기 선속**: 자기장에 수직인 어떤 단면을 지나는 자기력선의 총 개수로, 자기장의 세기가 셀수록, 단면적이 넓을수록 자기 선속이 크다. 세기가 B인 균일한 자기장에 수직인 단면에 대해 단면적 S가 θ만큼 기울어져 있을 때 자기 선속 Φ는 다음과 같다.

$$\Phi = BS\cos\theta$$

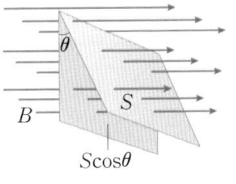

▲ **자기 선속**

단면적이 자기장에 수직일 때 $\theta = 0°$이므로, 자기 선속 $\Phi = BS\cos0° = BS$로 최댓값을 갖는다. 그러나 단면적이 자기장에 평행일 때 $\theta = 90°$이므로, 자기 선속은 0이다.

(2) **패러데이 법칙**: 전자기 유도에서 자석과 코일의 상대적인 운동 속력이 빠를수록, 자기장이 센 자석을 사용할수록 같은 시간 동안 코일을 지나는 자기 선속의 변화가 크므로, 유도 전류의 세기가 세진다. 또 코일의 감은 수가 많을수록 각 원형 도선을 지나는 자기 선속에 의한 유도 기전력이 더해지므로 유도 전류의 세기가 세진다. 이와 같은 사실을 통해 패러데이는 유도 기전력과 자기 선속의 관계를 확인하고, 패러데이 법칙을 발표하였다.

① 유도 기전력의 크기는 코일을 지나는 자기 선속의 시간 변화율에 비례하고, 코일의 감은 수에 비례한다. 시간 Δt 동안 N번 감은 코일을 지나는 자기 선속의 변화량을 $\Delta\Phi$라고 할 때 코일에 발생하는 유도 기전력 V는 다음과 같다.

유도 기전력과 유도 전류
유도 전류의 세기는 유도 기전력에 비례하며, 유도 기전력이 발생하더라도 회로가 닫혀 있지 않으면 유도 전류는 흐르지 않는다.

$$V = -N\frac{\Delta\Phi}{\Delta t} \text{ (단위: V)}$$

② (−)부호는 유도 전류가 코일을 지나는 자기 선속의 변화를 방해하는 방향으로 흐른다는 것을 나타내며, 렌츠 법칙을 의미한다.

2 전자기 유도 현상이 일어나는 다양한 경우

집중 분석 124쪽~125쪽

전자기 유도 현상은 자기 선속 Φ가 시간 t에 따라 변할 때 일어난다. 이때 자기 선속 $\Phi=BS$이므로, 유도 기전력 $V=-N\dfrac{\Delta(BS)}{\Delta t}$로 나타낼 수 있다.

1. 단면적 S는 일정하고, 자기장의 세기 B가 변하는 경우

자기장이 지나는 코일의 단면적의 변화량 ΔS가 0이므로, 유도 기전력 $V=-NS\dfrac{\Delta B}{\Delta t}$이다.

➡ 유도 기전력의 크기는 자기장의 세기의 시간 변화율에 비례한다.

(1) 단면적은 일정하고, 자기장의 세기가 변하는 다양한 경우

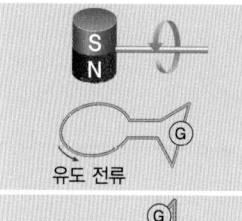 유도 전류	정지해 있는 검류계를 연결한 원형 도선 주위에서 자석이 회전할 때 원형 도선을 지나는 자기장의 세기가 변하므로, 원형 도선에 유도 전류가 흐른다.
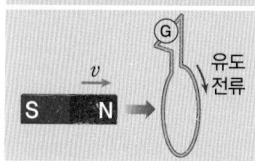	정지해 있는 검류계를 연결한 원형 도선에 자석을 가까이 하거나 멀리 할 때 원형 도선을 지나는 자기장의 세기가 변하므로, 원형 도선에 유도 전류가 흐른다.
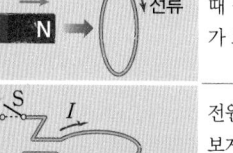 유도 전류	전원과 스위치를 연결한 원형 도선과 검류계를 연결한 원형 도선을 마주 보게 놓고 스위치를 닫거나 열어 전원과 스위치를 연결한 원형 도선에 흐르는 전류를 조절할 때 검류계를 연결한 원형 도선을 지나는 자기장의 세기가 변하므로, 검류계를 연결한 원형 도선에 유도 전류가 흐른다.
유도 전류	정지해 있는 일정한 세기의 전류가 흐르는 원형 도선에 검류계를 연결한 원형 도선을 가까이 하거나 멀리할 때 검류계를 연결한 원형 도선을 지나는 자기장의 세기가 변하므로, 검류계를 연결한 원형 도선에 유도 전류가 흐른다.

(2) 전자기 유도 현상이 일어날 때 자기장−시간 그래프: 단면적 S는 일정하고, 자기장의 세기 B가 변할 때 유도 기전력 $V=-NS\dfrac{\Delta B}{\Delta t}$이다. 이때 $\dfrac{\Delta B}{\Delta t}$는 자기장의 세기−시간 그래프에서 기울기에 해당하므로, 유도 기전력은 자기장의 세기−시간 그래프의 기울기의 절댓값에 비례한다. 그림 (가)는 자기장 영역에 놓인 단면적이 S인 도선의 모습을 나타낸 것이다. 또 (나)는 자기장 영역의 자기장의 세기를 시간에 따라 나타낸 것이고, (다)는 도선에 유도되는 기전력을 시간에 따라 나타낸 것이다.

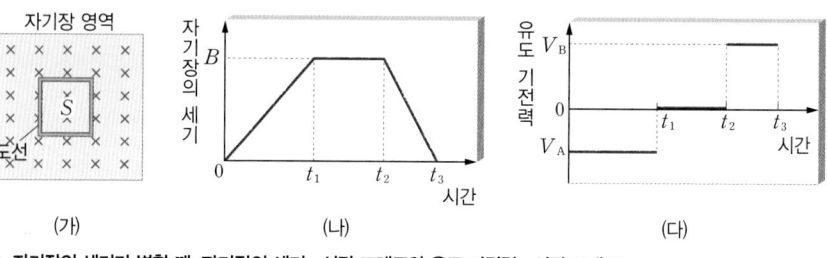

▲ 자기장의 세기가 변할 때, 자기장의 세기−시간 그래프와 유도 기전력−시간 그래프

자기장의 세기−시간 그래프에서 기울기의 부호

자기장의 세기−시간 그래프에서 기울기의 부호는 유도 전류가 흐르는 방향과 관계된다.

· 기울기 > 0인 경우: 자기 선속의 증가를 방해하는 방향으로 유도 전류가 흐른다.

· 기울기 < 0인 경우: 자기 선속의 감소를 방해하는 방향으로 유도 전류가 흐른다.

(나)에서 $0 \sim t_1$ 동안 도선을 지나는 자기장의 세기가 일정하게 증가하므로 유도 기전력의 크기는 일정하고, $t_2 \sim t_3$ 동안 자기장의 세기가 일정하게 감소하므로 유도 기전력의 크기는 일정하다. 이때 $0 \sim t_1$ 동안의 기울기가 $t_2 \sim t_3$ 동안의 기울기보다 절댓값이 작으므로 $0 \sim t_1$ 동안 유도 기전력의 절댓값이 $t_2 \sim t_3$ 동안 유도 기전력의 절댓값보다 작고, 유도 기전력의 방향은 서로 반대 방향이다. 그리고 $t_1 \sim t_2$ 동안 도선을 지나는 자기장의 세기가 일정하므로 유도 기전력은 0이다.

구분	$0 \sim t_1$ 동안	$t_1 \sim t_2$ 동안	$t_2 \sim t_3$ 동안
자기 선속의 시간 변화율	$\dfrac{BS}{t_1}$	0	$\dfrac{BS}{t_3 - t_2}$
유도 기전력	$V_A = -\dfrac{BS}{t_1}$	0	$V_B = -\dfrac{BS}{t_3 - t_2}$

예제

그림 (가)는 단면적이 $0.4 \ \mathrm{m}^2$인 원형 도선을 수직으로 지나는 자기장의 모습을 나타낸 것이고, (나)는 자기장의 세기를 시간에 따라 나타낸 것이다. 이때 원형 도선에 유도되는 기전력은 몇 V인지 구하시오.

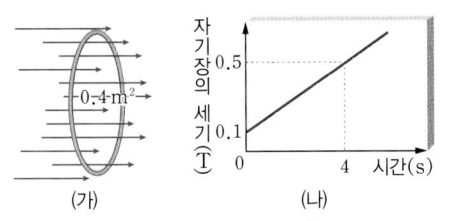

(가) (나)

해설 $0 \sim 4$초 동안 원형 도선을 지나는 자기장의 세기가 0.4 T만큼 변하므로, 이 시간 동안의 자기 선속의 변화량은 $0.4 \ \mathrm{T} \times 0.4 \ \mathrm{m}^2 = 0.16 \ \mathrm{Wb}$이다. 따라서 유도 기전력 $V = -N\dfrac{\varDelta \varPhi}{\varDelta t} = -1 \times \dfrac{0.16 \ \mathrm{Wb}}{4 \ \mathrm{s}} = -0.04 \ \mathrm{V}$이다. 이때 (−)부호는 방향을 의미하며, 유도 기전력의 크기는 0.04 V이다.

정답 0.04 V

2. 자기장의 세기 B는 일정하고, 단면적 S가 변하는 경우

코일을 지나는 자기장의 세기의 변화량 $\varDelta B$가 0이므로, 유도 기전력 $V = -NB\dfrac{\varDelta S}{\varDelta t}$이다.

➡ 유도 기전력의 크기는 코일의 단면적의 시간 변화율에 비례한다.

(1) 자기장의 세기는 일정하고, 단면적이 변하는 다양한 경우

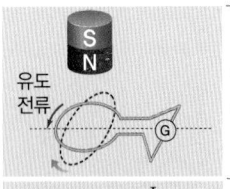 정지해 있는 자석 주위에서 검류계를 연결한 원형 도선이 회전할 때 자기장에 수직인 원형 도선의 단면적이 변하므로, 원형 도선에 유도 전류가 흐른다.

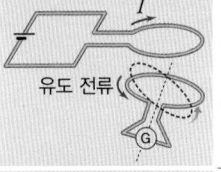 정지해 있는 일정한 세기의 전류가 흐르는 원형 도선 주위에서 검류계를 연결한 원형 도선이 회전할 때 자기장에 수직인 검류계를 연결한 원형 도선의 단면적이 변하므로, 검류계를 연결한 원형 도선에 유도 전류가 흐른다.

균일한 자기장 내에 수직으로 놓인 원형 도선이 빠져나가거나 들어올 때 원형 도선의 자기장이 지나는 부분의 면적이 변하므로, 원형 도선에 유도 전류가 흐른다.

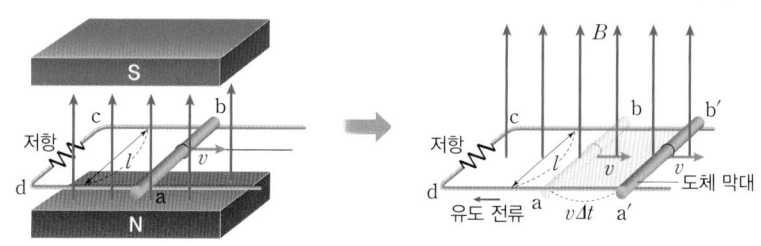

예제

그림은 균일한 자기장 내에서 코일이 일정한 각속도로 회전하고 있는 어느 순간의 모습을 나타낸 것이다.

(1) 그림에서 코일이 반시계 방향으로 회전하는 순간, 코일에 유도되는 전류의 방향을 ㉠, ㉡ 중에서 고르시오.

(2) 코일에 유도되는 기전력을 크게 하기 위한 방법을 두 가지만 쓰시오.

해설 (1) 코일이 반시계 방향으로 회전하는 순간, 자기장에 수직인 단면적이 감소하므로, 코일을 지나는 자기 선속이 감소한다. 따라서 렌츠 법칙에 의해 이를 방해하는 방향인 오른쪽으로 자기장이 발생하도록 유도 전류는 ㉠으로 흐른다.

(2) 유도 기전력의 크기는 자기 선속의 시간 변화율에 비례한다. 따라서 자기장이 더 센 자석으로 바꾸거나, 코일의 회전 속력을 더 빠르게 하여 자기장에 수직인 코일의 단면적의 변화율을 크게 한다.

정답 (1) ㉠ (2) 자기장이 더 센 자석으로 바꾼다. 코일의 회전 속력을 빠르게 한다.

(2) 자기장 내에서 운동하는 도선에 발생하는 유도 기전력

그림과 같이 균일한 자기장 내에 수직으로 놓인 ㄷ자형 노선 위에서 도체 막대를 일정한 속력으로 잡아당기면 ㄷ자형 도선과 도체 막대가 만드는 회로에 유도 전류가 흐른다.

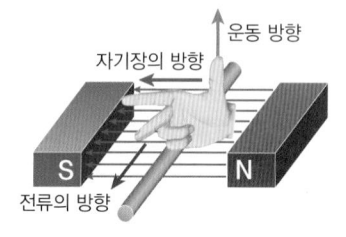

▲ **자기장 내에서 운동하는 도체 막대에 발생하는 유도 기전력**

① **유도 전류**: 균일한 자기장 내에 수직으로 놓인 ㄷ자형 도선 위에서 도체 막대를 일정한 속력으로 잡아당길 때 자기장이 지나는 사각형 abcd의 면적이 증가하므로, 사각형 abcd를 지나는 자기 선속이 증가한다. 따라서 렌츠 법칙에 의해 이를 방해하는 방향인 아래쪽으로 자기장이 발생하도록 유도 전류는 a → d → c → b 방향으로 흐른다.

② **유도 기전력**: 세기가 B인 균일한 자기장 내에 수직으로 놓인 ㄷ자형 도선 위에서 길이가 l인 도체 막대를 일정한 속력 v로 잡아당길 때 유도 기전력 V는 다음과 같이 구할 수 있다. 도체 막대를 일정한 속력으로 잡아당길 때 자기장의 세기는 일정하고 면적이 변화하므로, 유도 기전력의 크기는 사각형 abcd의 면적의 시간 변화율에 비례한다. 시간 Δt 동안 도체 막대가 움직인 거리는 $v\Delta t$이므로, 사각형 abcd의 면적은 $lv\Delta t$만큼 증가한다.

따라서 자기 선속의 시간 변화율 $\dfrac{\Delta \Phi}{\Delta t}=\dfrac{B\Delta S}{\Delta t}=\dfrac{Blv\Delta t}{\Delta t}=Blv$이고 사각형 abcd의 감은 수가 1회이므로, 유도 기전력 V는 다음과 같다.

$$V=-N\frac{\Delta \Phi}{\Delta t}=-\frac{B\Delta S}{\Delta t}=-Blv$$

이처럼 균일한 자기장 내에 수직으로 놓인 ㄷ자형 도선 위에서 도체 막대가 일정한 속력으로 운동하면 일정한 크기의 유도 기전력이 발생한다.

자기장 내에서 운동하는 도선에 흐르는 유도 전류의 방향

자기장 내에서 운동하는 도선에 흐르는 유도 전류의 방향은 다음과 같은 방법으로도 찾을 수 있다.

오른손의 엄지, 검지, 중지 손가락을 서로 직각이 되게 하고 엄지손가락이 도선의 운동 방향을, 검지 손가락이 자기장의 방향을 향하게 할 때 중지 손가락이 가리키는 방향이 유도 전류의 방향이다. 이를 플레밍의 오른손 법칙이라고 한다.

③ 외력이 도체 막대에 하는 일: ㄷ자형 도선에 연결된 저항의 저항값을 R라고 할 때, 옴의 법칙을 이용하여 사각형 abcd에 흐르는 유도 전류의 세기 I를 구하면 다음과 같다.

$$I = \frac{V}{R} = \frac{Blv}{R}$$

또 자기장 내에 놓인 전류가 흐르는 도선에는 자기력이 작용한다. 세기가 B인 균일한 자기장 내에 수직으로 놓인 길이가 l인 도선에 세기가 I인 전류가 흐를 때 도선에 작용하는 자기력의 크기 $F = BIl$이므로, 여기에 사각형 abcd에 흐르는 전류의 세기를 대입하면 자기장 내에서 속력 v로 운동하는 도체 막대에 작용하는 자기력의 크기 F는 다음과 같다.

$$F = \frac{B^2 l^2 v}{R}$$

이때 자기력의 방향은 전류의 방향과 자기장의 방향에 모두 수직이므로, 자기력은 도체 막대에 왼쪽으로 작용한다. 따라서 도체 막대를 일정한 속력 v로 잡아당기기 위해서는 자기력과 같은 크기의 힘을 반대 방향인 오른쪽으로 작용해야 한다. 이때 외력이 단위 시간 동안 도체 막대에 하는 일인 일률 P는 다음과 같다.

$$P = Fv = \frac{(Blv)^2}{R} = \frac{V^2}{R}$$

이를 통해 외력이 단위 시간 동안 도체 막대에 하는 일이 저항에서 소모되는 전력이 된다는 것을 알 수 있다. 즉, 도체 막대를 일정한 속력 v로 잡아당기기 위해 필요한 일이 전기 에너지로 전환된 것이므로, 이는 에너지 보존 법칙의 당연한 결과이다.

시야확장 ➕ 로런츠 힘과 유도 기전력

❶ **로런츠 힘**: 자기장 내에 놓인 도선에 전류가 흐르면 도선은 자기장으로부터 힘을 받게 된다. 이는 도선에 전류가 흐를 때 전류의 방향과 반대 방향으로 운동하는 자유 전자가 힘을 받기 때문이다. 이처럼 자기장 내에서 운동하는 대전 입자가 받는 힘을 로런츠 힘이라고 한다.

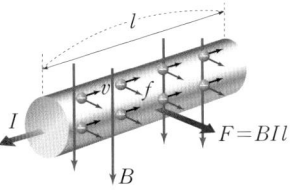

- 힘의 크기: 세기가 B인 균일한 자기장 내에 수직으로 놓인 길이가 l인 도선에 세기가 I인 전류가 흐를 때 도선에 작용하는 자기력의 크기 $F = BIl$이다. 이때 시간 t 동안 전하량이 e인 자유 전자 N개가 속력 v로 도선의 단면을 지날 때 전류의 세기 I는 단위 시간 동안 도선의 단면적을 지나는 전하량이므로 $I = \frac{Ne}{t}$이고, 자유 전자가 이동한 거리 $l = vt$이다. 따라서 자유 전자가 받는 자기력 $F = B\left(\frac{Ne}{t}\right)l = BNe\left(\frac{l}{t}\right) = NevB$이고, 도선을 지나는 자유 전자 한 개가 받는 힘 $f = \frac{F}{N} = evB$이다. 즉, 자기장의 세기가 B, 입자의 전하량이 q, 입자의 속력이 v일 때, 로런츠 힘 $F = qvB$이다.
- 힘의 방향: 자기장의 방향과 입자의 운동 방향에 모두 수직인 방향이다.

❷ **로런츠 힘과 유도 기전력**: 자기장 내에 수직으로 놓인 도선이 운동할 때 도선 속 자유 전자들도 도선과 같은 방향으로 힘을 받아 이동하게 된다. 이에 따라 도선의 양 끝에서는 전위차가 만들어지는데, 이것이 유도 기전력이다. 즉, 유도 기전력이 발생하는 까닭은 전자가 받는 로런츠 힘 때문이다.

로런츠 힘의 방향

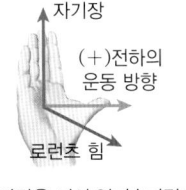

오른손 손바닥을 펴서 엄지손가락과 나머지 네 손가락이 서로 수직이 되게 하고 엄지손가락이 (+)전하의 운동 방향을, 네 손가락이 자기장의 방향을 향하게 할 때 손바닥이 향하는 방향이 로런츠 힘의 방향이다.

예제

1. 그림과 같이 세기가 **0.4 T**인 균일한 자기장 내에 수직으로 놓인 ㄷ자형 도선 위에 길이가 **0.3 m**인 도체 막대 **ab**를 놓고 크기가 **F**인 일정한 힘으로 오른쪽으로 잡아당겼더니 **ab**가 **10 m/s**의 속력으로 등속 직선 운동을 하였다. 이때 도선의 저항은 **6 Ω**이다. (단, 모든 마찰은 무시한다.)

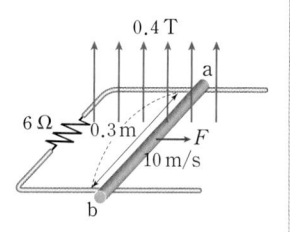

(1) ab에 유도되는 기전력은 몇 V인지 구하시오.

(2) ab를 잡아당기는 힘의 크기 F는 몇 N인지 구하시오.

해설 (1) 균일한 자기장 내에서 운동하는 도선에 발생하는 유도 기전력 $V=-Blv$이므로, ab에 유도되는 기전력 V는 다음과 같다.

$V=-0.4\ T\times0.3\ m\times10\ m/s=-1.2\ V$

이때 $(-)$부호는 방향을 의미하며, 유도 기전력의 크기는 1.2 V이다.

(2) 회로에 흐르는 전류의 세기 I를 구하면 $I=\dfrac{1.2\ V}{6\ Ω}=0.2$ A이다. 이때 자기력의 방향은 전류의 방향과 자기장의 방향에 모두 수직이므로, ab에 작용하는 자기력의 방향은 왼쪽이다. 따라서 ab가 등속 직선 운동을 하기 위해서는 자기력과 같은 크기의 힘을 반대로 작용해야 한다. 자기장 내에 놓인 전류가 흐르는 도선에 작용하는 자기력의 크기 $F=BIl$이므로, ab에 작용하는 자기력의 크기를 F'이라고 할 때 F'은 다음과 같다.

$F'=0.4\ T\times0.2\ A\times0.3\ m=0.024\ N$

따라서 ab를 잡아당기는 힘의 크기 F는 0.024 N이다.

정답 (1) 1.2 V (2) 0.024 N

---

2. 그림과 같이 세기가 **4 T**인 균일한 자기장 내에 수직으로 놓인 ㄷ자형 도선 위에 길이가 **0.5 m**인 도체 막대 **ab**를 놓고 일정한 힘으로 오른쪽으로 잡아당겼더니 **ab**가 **5 m/s**의 일정한 속력으로 운동하였다. 이때 도선의 저항은 **10 Ω**이다. (단, 모든 마찰은 무시한다.)

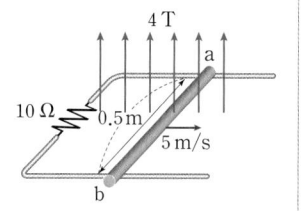

(1) 도선에 흐르는 유도 전류의 세기는 몇 A인지 구하시오.

(2) 도선의 저항에서 소모되는 전력은 몇 W인지 구하시오.

(3) ab가 10 m/s의 속력으로 등속 직선 운동을 하기 위해서는 몇 N의 힘으로 도체 막대를 잡아당겨야 하는지 구하시오.

해설 (1) 균일한 자기장 내에서 운동하는 도선에 발생하는 유도 기전력 $V=-Blv$이므로, ab에 유도되는 기전력 V는 다음과 같다.

$V=-4\ T\times0.5\ m\times5\ m/s=-10\ V$

이때 $(-)$부호는 방향을 의미하며, 유도 기전력의 크기는 10 V이다. 따라서 도선에 흐르는 유도 전류의 세기 $I=\dfrac{10\ V}{10\ Ω}=1$ A이다.

(2) 소비 전력 $P=I^2R$이므로, 도선의 저항에서 소모되는 전력 $P=(1\ A)^2\times10\ Ω=10\ W$이다.

(3) ab가 10 m/s의 속력으로 운동할 때 ab에 유도되는 기전력 $V=-4\ T\times0.5\ m\times10\ m/s=-20\ V$이다. 이때 $(-)$부호는 방향을 의미하며, 유도 기전력의 크기는 20 V이다.

도체 막대에 대한 일률은 도선의 저항에서 소모되는 전력과 같으므로, $P=Fv=\dfrac{V^2}{R}$에서 $F=\dfrac{V^2}{vR}$이다. 따라서 ab가 10 m/s의 속력으로 등속 직선 운동을 하기 위해서 필요한 힘 F는 다음과 같다.

$F=\dfrac{(20\ V)^2}{10\ m/s\times10\ Ω}=4\ N$

이는 자기장 내에 놓인 전류가 흐르는 도선에 작용하는 자기력의 크기 $F=BIl$로도 구할 수 있다. ab가 10 m/s의 속력으로 운동할 때 도선에 흐르는 전류의 세기 $I=\dfrac{20\ V}{10\ Ω}=2$ A이므로, ab가 10 m/s의 속력으로 등속 직선 운동을 하기 위해서 필요한 힘 F는 다음과 같다.

$F=4\ T\times2\ A\times0.5\ m=4\ N$

정답 (1) 1 A (2) 10 W (3) 4 N

③ 발전기와 교류

자석과 코일의 상대적인 운동을 전기 에너지로 전환하는 전자기 유도 현상은 여러 분야에서 다양하게 활용되고 있다. 특히 발전기는 전자기 유도 현상을 이용한 대표적인 장치이다.

1. 발전기

전자기 유도를 이용하여 역학적 에너지를 전기 에너지로 바꾸는 장치를 발전기라고 하며, 발전기는 자석과 코일로 구성되어 있다.

(1) 유도 전류

그림과 같이 균일한 자기장 내에 놓인 코일이 360° 회전할 때 자기장에 수직인 코일의 단면적이 주기적으로 변하므로, 코일을 지나는 자기 선속이 변한다. 따라서 렌즈 법칙에 의해 이러한 변화를 방해하는 방향의 자기장이 발생하도록 유도 전류는 다음과 같이 흐른다.

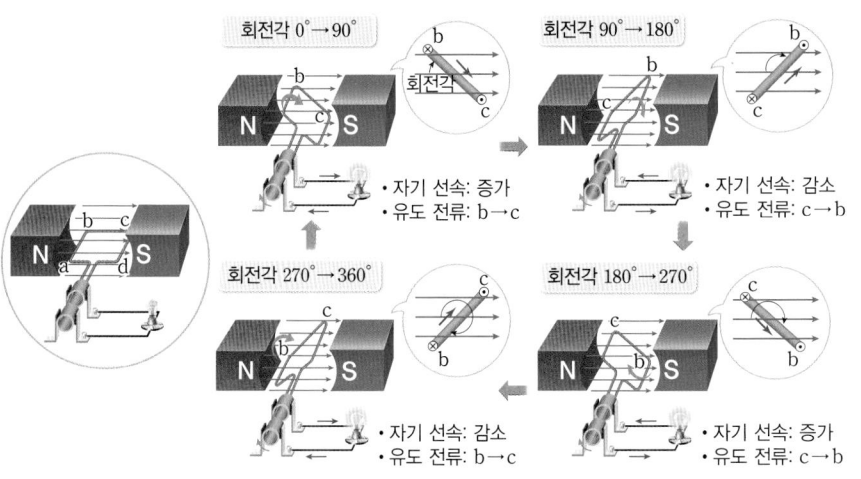

▲ **발전기의 유도 전류의 방향**

(2) 유도 기전력

그림과 같이 세기가 B인 균일한 자기장 내에 단면적이 S, 도선의 감은 수가 N인 코일이 일정한 각속도 ω로 회전할 때 유도 기전력 V는 다음과 같이 구할 수 있다. 코일이 일정한 각속도로 회전할 때 자기장의 세기는 일정하고 자기장에 수직인 단면적이 주기적으로 변하므로, 유도 기전력의 크기는 코일의 단면적의 시간 변화율에 비례한다. 이때 코일의 단면적과 자기장이 이루는 각

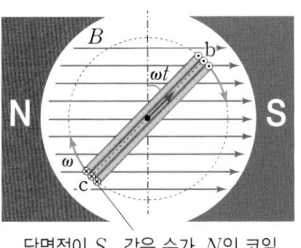

단면적이 S, 감은 수가 N인 코일
▲ **발전기의 유도 기전력**

도는 ωt이므로, 코일을 지나는 자기 선속 $\Phi = BS\cos\omega t$이다. 따라서 자기 선속의 시간 변화율 $\dfrac{\Delta\Phi}{\Delta t} = -BS\omega\sin\omega t$이므로, 유도 기전력 V는 다음과 같다.

$$V = -N\frac{\Delta\Phi}{\Delta t} = NBS\omega\sin\omega t = V_0\sin\omega t$$

이때 V_0은 $NBS\omega$로, 최대 전압을 의미한다.

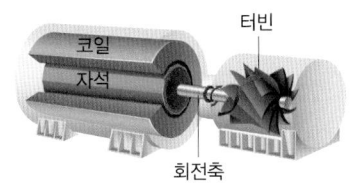

발전기

일반적으로 실제 발전소의 발전기에서는 코일 대신 자석이 회전하며, 발전기의 자석을 회전시킬 때 터빈을 이용한다. 즉, 외부에서 고온·고압의 수증기나 흐르는 물 등을 이용하여 터빈을 회전시키면 터빈에 연결된 자석이 회전하여 전기 에너지를 발생시킨다.

전자기 유도의 이용

• 킥보드의 발광 바퀴: 움직일 때만 빛을 내는 킥보드 바퀴는 바퀴 축에 여러 개의 영구 자석이 고정되어 있고, 그 주위를 철심에 감긴 코일이 바퀴와 함께 돌아가도록 만들어져 있다. 바퀴가 회전하면 코일에 유도 전류가 흘러 발광 다이오드에 불이 켜진다.

• 전기 기타의 픽업 장치: 기타 줄의 진동을 전기 신호로 바꾸는 전기 기타의 픽업 장치는 여러 개의 자석에 도선을 감아 놓은 코일로, 기타 줄 바로 아래에 위치한다. 자석에 의해 자화된 기타 줄이 진동하면 코일에 유도 전류가 흐른다.

(3) 자기 선속과 유도 기전력

그림은 균일한 자기장 내에 놓인 코일이 회전하는 모습을 정면에서 바라보았을 때 코일을 지나는 자기 선속과 유도 기전력의 변화를 나타낸 것이다.

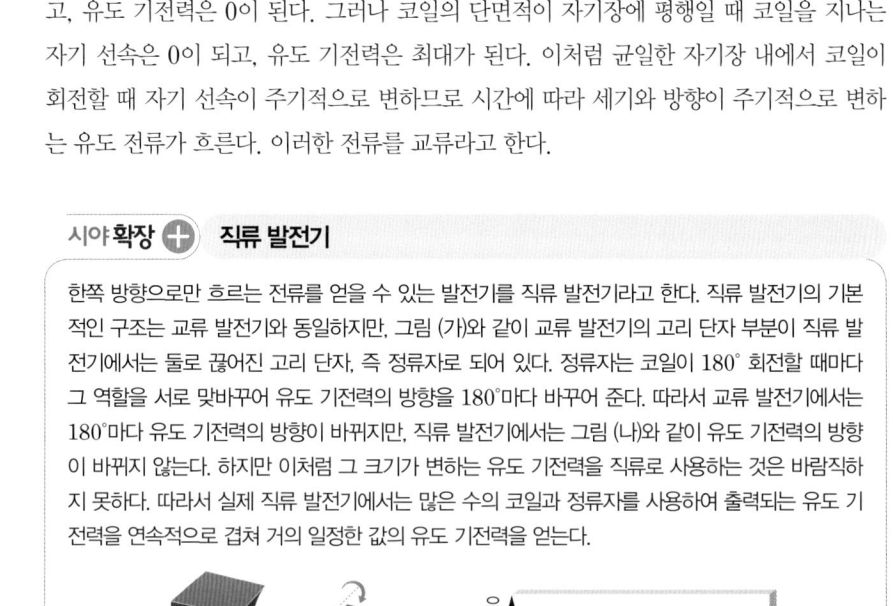

$$\frac{\Delta\Phi}{\Delta t}=-BS\omega\sin\omega t$$

$$V=-N\frac{\Delta\Phi}{\Delta t}=NBS\omega\sin\omega t=V_0\sin\omega t$$

◀ 발전기에서 자기 선속과 유도 기전력의 변화

코일의 단면적이 자기장에 수직인 순간 자기장이 지나는 코일의 단면적이 가장 크므로, 유도 기전력도 최대라고 생각할 수 있다. 하지만 유도 기전력은 단면적의 크기가 아닌 단면적의 시간 변화율에 비례하므로, 코일의 단면적이 자기장에 평행인 순간 유도 기전력이 최대가 된다. 즉, 코일의 단면적이 자기장에 수직일 때 코일을 지나는 자기 선속은 최대가 되고, 유도 기전력은 0이 된다. 그러나 코일의 단면적이 자기장에 평행일 때 코일을 지나는 자기 선속은 0이 되고, 유도 기전력은 최대가 된다. 이처럼 균일한 자기장 내에서 코일이 회전할 때 자기 선속이 주기적으로 변하므로 시간에 따라 세기와 방향이 주기적으로 변하는 유도 전류가 흐른다. 이러한 전류를 교류라고 한다.

시야확장 ➕ 직류 발전기

한쪽 방향으로만 흐르는 전류를 얻을 수 있는 발전기를 직류 발전기라고 한다. 직류 발전기의 기본적인 구조는 교류 발전기와 동일하지만, 그림 (가)와 같이 교류 발전기의 고리 단자 부분이 직류 발전기에서는 둘로 끊어진 고리 단자, 즉 정류자로 되어 있다. 정류자는 코일이 180° 회전할 때마다 그 역할을 서로 맞바꾸어 유도 기전력의 방향을 180°마다 바꾸어 준다. 따라서 교류 발전기에서는 180°마다 유도 기전력의 방향이 바뀌지만, 직류 발전기에서는 그림 (나)와 같이 유도 기전력의 방향이 바뀌지 않는다. 하지만 이처럼 그 크기가 변하는 유도 기전력을 직류로 사용하는 것은 바람직하지 못하다. 따라서 실제 직류 발전기에서는 많은 수의 코일과 정류자를 사용하여 출력되는 유도 기전력을 연속적으로 겹쳐 거의 일정한 값의 유도 기전력을 얻는다.

(가)

(나)

2. 교류

(1) 직류와 교류

그림 (가)와 같이 전류의 세기와 방향이 일정한 전류를 직류라고 하고, (나)와 같이 전류의 세기와 방향이 주기적으로 변하는 전류를 교류라고 한다. 안정적인 전류를 필요로 하는 전기 회로, 휴대 전화

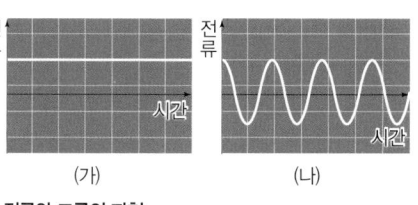

▲ **직류와 교류의 파형**

등은 직류를 사용하고, 큰 전류를 필요로 하는 전기 제품은 교류를 사용한다.

(2) 교류의 특성

① **교류 전압과 교류 전류**: 저항 R에 주기적으로 변하는 값인 교류 전압 $V=V_0\sin\omega t$를 걸어 주면 교류 전류 I가 흐른다. 옴의 법칙을 이용하여 교류 전류 I를 구하면 다음과 같다.

$$I=\frac{V}{R}=\frac{V_0}{R}\sin\omega t=I_0\sin\omega t$$

이때 I_0은 $\frac{V_0}{R}$으로, 최대 전류를 의미한다.

② **교류의 진동수**: 전압과 전류가 주기적으로 변하는 교류에서 전압 또는 전류가 한 번 진동하는 데 걸리는 시간을 주기 T라고 하고, 1초 동안 진동하는 횟수를 진동수(주파수) f라고 한다. 이때 진동수 f는 다음과 같이 나타낼 수 있다.

$$f=\frac{\omega}{2\pi}=\frac{1}{T}$$

진동수의 단위로는 Hz(헤르츠)를 사용한다. 우리나라에 공급되는 교류 전원의 진동수는 60 Hz이지만, 국가에 따라서는 50 Hz를 사용하는 곳도 있다.

③ **교류의 실효값**: 교류 전압과 교류 전류는 시간에 따라 크기와 방향이 변하므로 이들의 순간값을 측정하기 어렵다. 따라서 이를 나타내기 위해 평균값을 사용하는데, 한 주기 동안의 평균값은 0이 되므로, 방향에 관계없는 제곱의 평균값을 이용한다. 즉, 한 주기 동안 교류 전압 또는 교류 전류의 제곱의 평균값의 제곱근을 이용하여 교류 전압이나 교류 전류의 세기를 표시하는데, 이를 교류 전압 또는 교류 전류의 실효값이라고 한다.

교류 전압계와 교류 전류계로 측정하는 교류 전압과 교류 전류는 모두 실효값이다. 따라서 교류 전압 $V=V_0\sin\omega t$와 교류 전류 $I=I_0\sin\omega t$에서 교류 전압의 실효값 V_e와 교류 전류의 실효값 I_e를 구하면 다음과 같다.

$$V_e=\sqrt{\overline{V^2}}=\frac{V_0}{\sqrt{2}},\ I_e=\sqrt{\overline{I^2}}=\frac{I_0}{\sqrt{2}}$$

- **교류의 실효값과 직류**: 교류의 실효값은 직류와 똑같은 효과를 나타내는 값으로, 이 실효값으로 직류에서의 공식을 그대로 적용하여 계산한다. 즉, 교류 전압 1 V는 직류 전압 1 V와 동일한 에너지를 공급하고, 교류 전류 1 A도 직류 전류 1 A와 동일한 에너지를 공급하는 효과를 낸다. 또한 직류 전력 1 W와 교류 전력 1 W는 같은 에너지량이다.

- **교류의 실효값의 사용**: 전기 기구에 표시된 값은 일반적으로 실효값을 나타낸 것이다. 따라서 가정에서 사용하는 220 V의 교류 전압은 $+220\sqrt{2}$ V$\sim-220\sqrt{2}$ V 사이에서 변한다는 것을 의미한다.

교류 기호

교류의 실효값

- **교류 전압의 실효값**

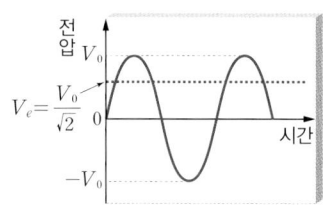

- **교류 전류의 실효값**

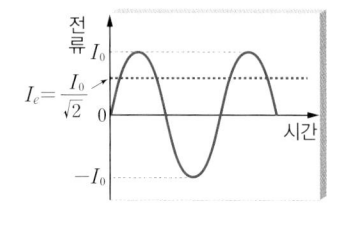

전자기 유도 현상이 일어나는 다양한 경우

전자기 유도 현상이 일어나기 위해서는 반드시 자기 선속이 시간에 따라 변해야 한다. 전자기 유도 현상이 일어나는 다양한 경우에서 유도 전류의 방향과 유도 기전력을 구해 보자.

❶ 세기가 일정한 자기장 영역을 도선이 지나는 경우

그림은 종이면에 수직으로 들어가는 방향으로 세기가 B인 균일한 자기장 영역을 한 변의 길이가 l인 정사각형 도선이 일정한 속력 v로 통과하는 모습을 나타낸 것이다.

- 도선이 자기장 영역에 들어갈 때: 도선을 지나는 자기 선속이 종이면에 수직으로 들어가는 방향으로 증가하므로 유도 전류는 반시계 방향으로 흐르고, 유도 기전력 $V=Blv$이다.
- 도선이 자기장 영역 내를 지날 때: 도선을 지나는 자기 선속이 일정하므로, 유도 전류는 흐르지 않는다.
- 도선이 자기장 영역에서 나갈 때: 도선을 지나는 자기 선속이 종이면에 수직으로 들어가는 방향으로 감소하므로 유도 전류는 시계 방향으로 흐르고, 유도 기전력 $V=Blv$이다.

❷ 세기가 다른 자기장 영역을 도선이 지나는 경우

그림 (가)는 세기가 각각 B, $2B$인 자기장 영역 Ⅰ, Ⅱ를 한 변의 길이가 l인 정사각형 도선이 일정한 속력 v로 통과하는 모습을, (나)는 세기가 각각 B, $2B$인 자기장 영역 Ⅰ, Ⅲ을 정사각형 도선이 일정한 속력 v로 통과하는 모습을 나타낸 것이다. (×: 종이면에 수직으로 들어가는 방향 • : 종이면에서 수직으로 나오는 방향)

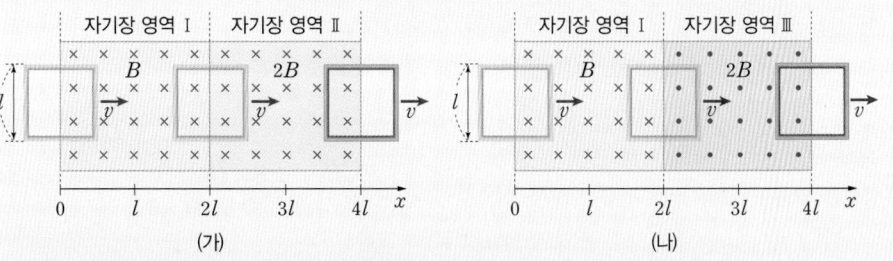

(가) (나)

(1) (가)와 같이 자기장의 방향이 같은 두 영역을 도선이 지나는 경우

- 도선이 자기장 영역 Ⅰ에 들어갈 때: 도선을 지나는 자기 선속이 종이면에 수직으로 들어가는 방향으로 증가하므로 유도 전류는 반시계 방향으로 흐르고, 유도 기전력 $V=Blv$이다.
- 도선이 자기장 영역 Ⅱ에서 나갈 때: 도선을 지나는 자기 선속이 종이면에 수직으로 들어가는 방향으로 감소하므로 유도 전류는 시계 방향으로 흐르고, 유도 기전력 $V=2Blv$이다.
- 도선이 자기장 영역 Ⅰ에서 자기장 영역 Ⅱ로 들어갈 때: 도선을 지나는 자기 선속이 종이면에 수직으로 들어가는 방향으로 증가하므로 유도 전류는 반시계 방향으로 흐른다. 이때 유도 기전력은 도선의 오른쪽과 왼쪽 부분에서 발생하는 유도 기전력의 차와 같으므로, 유도 기전력 $V=2Blv-Blv=Blv$이다.

➡ **정사각형 도선의 오른쪽 부분 위치에 따른 유도 기전력 그래프**

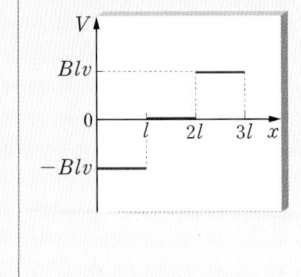

자기장의 방향이 같은 두 영역을 도선이 지나는 경우
자기 선속의 시간적 변화율은 두 영역에서의 자기장의 세기의 차에 비례한다.

자기장의 방향이 반대인 두 영역을 도선이 지나는 경우
자기 선속의 시간적 변화율은 두 영역에서의 자기장의 세기의 합에 비례한다.

➡ **정사각형 도선의 오른쪽 부분 위치에 따른 유도 기전력 그래프**

(2) (나)와 같이 자기장의 방향이 반대인 두 영역을 도선이 지나는 경우

- 도선이 자기장 영역 Ⅰ에 들어갈 때: 도선을 지나는 자기 선속이 종이면에 수직으로 들어가는 방향으로 증가하므로 유도 전류는 반시계 방향으로 흐르고, 유도 기전력 $V=Blv$이다.

- 도선이 자기장 영역 Ⅲ에서 나갈 때: 도선을 지나는 자기 선속이 종이면에서 수직으로 나오는 방향으로 감소하므로 유도 전류는 반시계 방향으로 흐르고, 유도 기전력 $V=2Blv$이다.

- 도선이 자기장 영역 Ⅰ에서 자기장 영역 Ⅲ으로 들어갈 때: 도선을 지나는 자기 선속이 종이면에 수직으로 들어가는 방향은 감소하고 종이면에서 수직으로 나오는 방향은 증가하므로 유도 전류는 시계 방향으로 흐른다. 이때 유도 기전력은 도선의 왼쪽과 오른쪽 부분에서 발생하는 유도 기전력의 합과 같으므로, 유도 기전력 $V=Blv+2Blv=3Blv$이다.

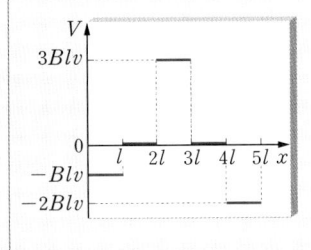

➡ 정사각형 도선의 오른쪽 부분 위치에 따른 유도 기전력 그래프

❸ 세기와 방향이 주기적으로 변하는 자기장 영역에 도선이 있는 경우

그림은 중심이 같고, 반지름이 각각 r_A, r_B인 종이면에 고정된 두 원형 도선 A, B의 모습을 나타낸 것이다. 이때 A는 전압 $V=V_0\sin\omega t$인 교류 전원에 연결되어 있다.

- 교류 전원에 연결된 A에는 시간에 따라 세기와 방향이 주기적으로 변하는 교류 전류가 흐르며, 이로 인해 자기장이 형성되고, B를 지나는 자기 선속이 주기적으로 변하므로 B에는 교류 유도 전류가 흐른다.

- 원형 도선에 전류가 흐를 때 원형 도선의 중심에서 자기장의 세기 $B=k'\dfrac{I}{r}$이므로, A에 비해 B가 매우 작다고 가정하면 A의 중심에서 자기장 세기 $B=k'\dfrac{V_0\sin\omega t}{R}\times\dfrac{1}{r_A}$이다. 따라서 B에 유도되는 기전력 $V_B=-N\dfrac{\Delta\Phi}{\Delta t}=-\dfrac{S\Delta B}{\Delta t}=-k'\dfrac{\omega V_0\cos\omega t}{R}\times\dfrac{\pi r_B{}^2}{r_A}$이다.

❯ 정답과 해설 181쪽

유제

그림 (가)는 세기가 B_0인 균일한 자기장 내에 수직으로 놓인 ㄷ자형 도선 위에 놓인 도체 막대가 $x=x_0$과 $x=3x_0$ 사이에서 왕복 운동을 하는 모습을 나타낸 것이다. 그림 (나)는 도체 막대의 위치 x를 시간 t에 따라 나타낸 것이다.

이에 대한 설명으로 옳은 것만을 보기에서 있는 대로 고른 것은?

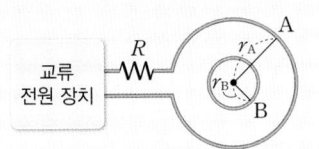

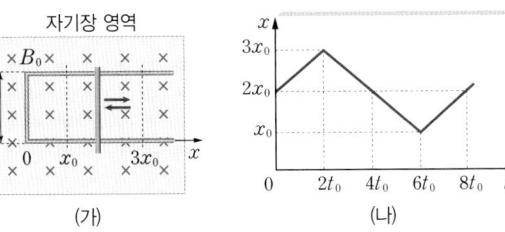

(가) / (나)

보기
ㄱ. $4t_0$일 때 유도 기전력의 크기는 $\dfrac{Blx_0}{2t_0}$이다.

ㄴ. t_0일 때와 $7t_0$일 때 도선에 흐르는 유도 전류의 세기는 같다.

ㄷ. $3t_0$일 때와 $5t_0$일 때 도선에 흐르는 유도 전류의 방향은 같다.

① ㄱ   ② ㄷ   ③ ㄱ, ㄴ   ④ ㄴ, ㄷ   ⑤ ㄱ, ㄴ, ㄷ

02 전자기 유도

① 전자기 유도

1. **전자기 유도** 코일을 지나는 (❶   )이 변할 때 코일에 전류가 유도되는 현상
- (❷   ): 전자기 유도에 의해 코일 양단에 유도되는 전압
- (❸   ): 코일이 닫힌회로를 이룰 때 유도 기전력에 의해 흐르는 전류

2. **렌츠 법칙** 도선으로 이루어진 닫힌회로 내에 생긴 유도 전류는 닫힌회로를 지나는 자기 선속의 변화를 (❹   )하는 방향으로 흐른다.

3. **패러데이 법칙** 유도 기전력 V의 크기는 코일을 지나는 자기 선속 Φ의 시간 변화율에 비례하고, 코일의 감은 수 N에 비례한다.

$$V = -N\frac{\Delta\Phi}{\Delta t} \text{ (단위: V)}$$

- 자석과 코일의 상대적인 운동 속력이 (❺   ), 자기장이 센 자석을 사용할수록, 코일의 감은 수가 많을수록 유도 전류의 세기가 세진다.

② 전자기 유도 현상이 일어나는 다양한 경우

1. 코일의 단면적은 일정하고 자기장의 세기가 변하는 경우 유도 기전력의 크기는 자기장의 세기의 시간 변화율에 비례하고, 자기장의 세기는 일정하고 코일의 단면적이 변하는 경우 유도 기전력의 크기는 코일의 단면적의 시간 변화율에 (❻   )한다.

2. **자기장 내에서 운동하는 도선에 발생하는 유도 기전력**

- 유도 전류: 균일한 자기장 내에 수직으로 놓인 ㄷ자형 도선 위에서 도체 막대를 일정한 속력으로 잡아당길 때, 자기 선속의 변화를 방해하는 방향인 아래쪽으로 자기장이 발생하도록 유도 전류는 a → d → c → b 방향으로 흐른다.

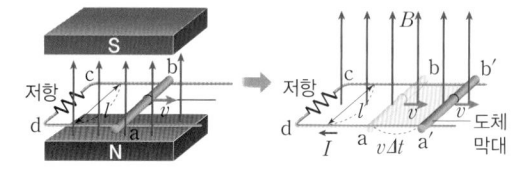

- 유도 기전력: 세기가 B인 균일한 자기장 내에 수직으로 놓인 ㄷ자형 도선 위에서 길이가 l인 도체 막대를 일정한 속력 v로 잡아당길 때, 유도 기전력 $V = -N\frac{\Delta\Phi}{\Delta t} = -\frac{B\Delta S}{\Delta t} = -B\frac{lv\Delta t}{\Delta t} = -Blv$이다.

③ 발전기와 교류

1. (❼   ) 전자기 유도를 이용하여 역학적 에너지를 전기 에너지로 바꾸는 장치

- 유도 전류: 균일한 자기장 내에 놓인 코일이 회전할 때 자기장에 수직인 코일의 단면적이 주기적으로 변하므로, 시간에 따라 세기와 방향이 주기적으로 변하는 유도 전류가 흐른다.

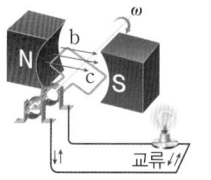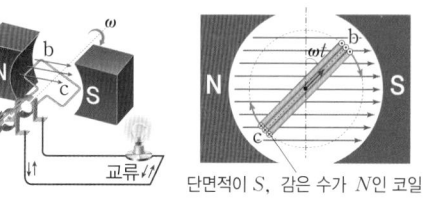

단면적이 S, 감은 수가 N인 코일

- 유도 기전력: 세기가 B인 균일한 자기장 내에 단면적이 S, 도선의 감은 수가 N인 코일이 일정한 각속도 ω로 회전할 때, 유도 기전력 $V = -N\frac{\Delta\Phi}{\Delta t} = NBS\omega\sin\omega t = V_0\sin\omega t$이다.

2. (❽   ) 전류의 세기와 방향이 주기적으로 변하는 전류

01 그림 (가)는 종이면에 수직으로 들어가는 방향의 균일한 자기장 내에 한 변의 길이가 0.1 m인 정사각형 도선이 고정되어 있는 모습을 나타낸 것이다. 이때 도선의 저항은 10 Ω이다. 그림 (나)는 (가)에서 자기장의 세기를 시간에 따라 나타낸 것이다.

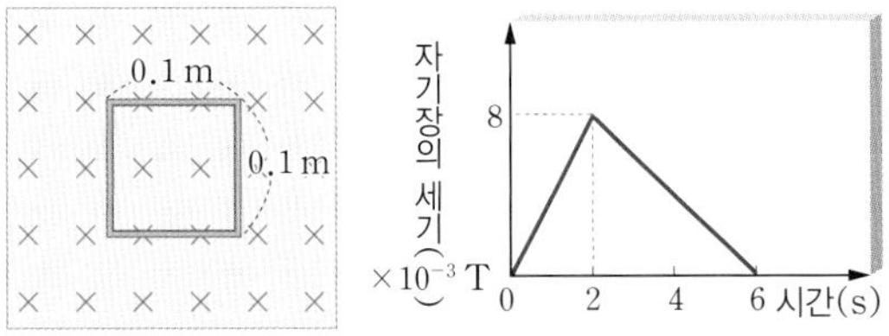

(가)

(나)

(1) 1초일 때 도선에 흐르는 전류의 세기와 방향을 구하시오.

(2) 4초일 때 도선에 흐르는 전류의 세기와 방향을 구하시오.

02 그림은 종이면에 수직으로 들어가는 방향의 균일한 자기장 내에서 사각형 도선 abcd를 일정한 속력 v로 오른쪽으로 잡아당기는 모습을 나타낸 것이다. 이때 자기장의 세기는 B이고, 도선 ab의 길이는 l이다.

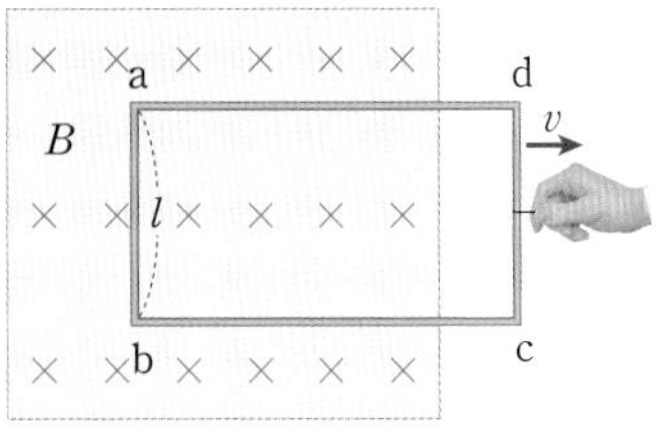

(1) ab 양단에 유도되는 기전력의 크기를 구하시오.

(2) a와 b 사이에 흐르는 유도 전류의 방향을 화살표로 나타내시오.

03 그림과 같이 종이면에 고정되어 있는 무한히 긴 직선 도선 A에 세기가 I인 전류가 화살표 방향으로 흐르고, 같은 평면에서 동일한 원형 도선 B, C가 각각 A의 왼쪽과 오른쪽에서 화살표 방향으로 일정한 속력 v로 운동한다.

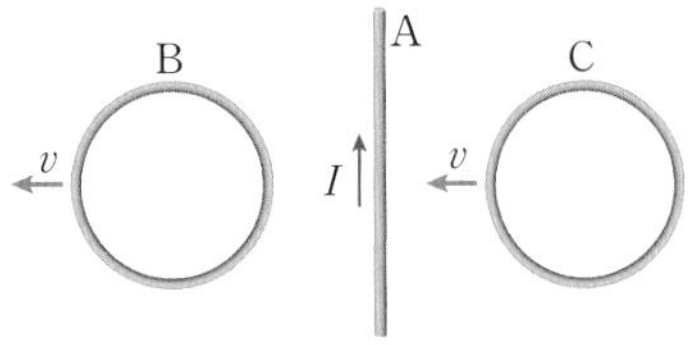

B, C에 흐르는 유도 전류의 방향을 각각 쓰시오.

04 그림과 같이 자석 사이에 수평으로 놓인 ㄷ자형 도선 위에서 도체 막대 cd를 일정한 속력으로 잡아당긴다. 이에 대한 설명으로 옳은 것만을 보기에서 있는 대로 고르시오.

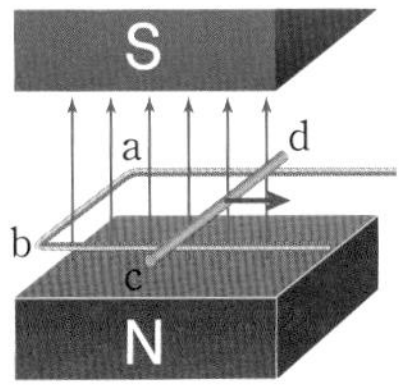

보기
ㄱ. 도체 막대를 한번 잡아당기면 저절로 계속 움직인다.
ㄴ. 도체 막대를 빨리 움직일수록 a와 b 사이에 흐르는 유도 전류의 세기는 증가한다.
ㄷ. 도체 막대를 오른쪽으로 잡아당기면 도체 막대에서 유도 전류는 c → d 방향으로 흐른다.

05 그림은 균일한 자기장 내에서 코일이 일정한 각속도 ω로 회전하고 있는 모습을 나타낸 것이다. 이때 자기장의 방향과 코일의 단면적에 수직인 방향이 이루는 각은 θ이다.

(1) 저항 R에 흐르는 교류의 진동수 f와 각속도 ω 사이의 관계를 쓰시오.

(2) 코일에 유도되는 기전력이 최대일 때와 최소일 때, θ는 각각 몇 도(°)인지 구하시오.

01 › 유도 전류의 세기

그림은 코일의 중심축을 따라 막대자석을 일정한 속력으로 움직일 때, 속력 v로 아래쪽으로 운동하는 막대자석의 N극 끝이 P점을 지나는 순간 검류계 바늘이 오른쪽으로 θ만큼 회전한 모습을 나타낸 것이다. 표는 막대자석이 P를 통과할 때 막대자석의 아래쪽 끝의 자극, 속력, 운동 방향을 나타낸 것이다.

• 코일 내부를 지나는 자기 선속의 시간 변화율이 클수록 유도 전류의 세기가 세다.

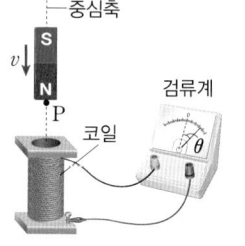

실험	자극	속력	운동 방향
I	N	$2v$	아래쪽
II	S	$2v$	아래쪽
III	S	v	위쪽

이에 대한 설명으로 옳은 것만을 보기에서 있는 대로 고른 것은?

보기
ㄱ. 실험 I에서 검류계 바늘의 회전각은 θ보다 크다.
ㄴ. 실험 I과 II에서 검류계 바늘의 회전각의 크기는 같다.
ㄷ. 실험 I과 III에서 검류계 바늘의 회전 방향은 같다.

① ㄴ ② ㄷ ③ ㄱ, ㄴ ④ ㄱ, ㄷ ⑤ ㄱ, ㄴ, ㄷ

02 › 자기장의 세기가 변하는 경우의 전자기 유도

그림 (가)는 종이면에 수직으로 들어가는 방향의 균일한 자기장 내에 저항값이 R인 저항이 연결된 단면적이 S인 원형 도선이 고정되어 있는 모습을 나타낸 것이다. 그림 (나)는 (가)에서 자기장의 세기를 시간에 따라 나타낸 것이다.

• 유도 기전력의 크기는 자기장의 세기의 시간 변화율이 클수록 크다.

(가)

(나)

이에 대한 설명으로 옳은 것만을 보기에서 있는 대로 고른 것은?

보기
ㄱ. 유도 기전력의 크기는 1초일 때가 5초일 때의 2배이다.
ㄴ. 1초일 때 저항에는 유도 전류가 b → 저항 → a 방향으로 흐른다.
ㄷ. 3초일 때 유도 전류의 세기는 $\dfrac{2B_0 S}{R}$이다.

① ㄱ ② ㄴ ③ ㄱ, ㄴ ④ ㄱ, ㄷ ⑤ ㄴ, ㄷ

• 유도 기전력의 크기는 자기 선속의 시간 변화율에 비례한다.

03 ❯ 자기장 영역을 도선이 지나는 경우의 전자기 유도

그림 (가)는 종이면에 수직으로 들어가는 방향의 균일한 자기장 영역을 정삼각형 도선이 $+x$ 방향의 일정한 속력으로 들어가는 순간의 모습을 나타낸 것이다. 그림 (나)는 도선의 꼭짓점인 P점의 위치를 시간에 따라 나타낸 것이다.

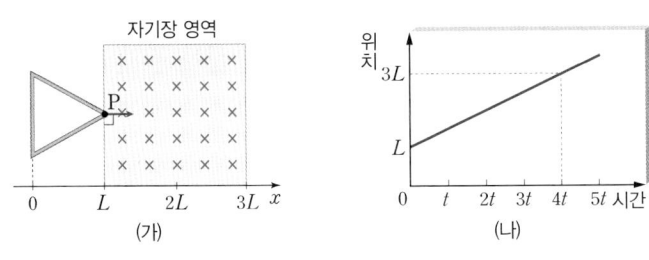

(가)   (나)

이에 대한 설명으로 옳은 것만을 보기에서 있는 대로 고른 것은?(단, 도선은 회전하지 않는다.)

> **보기**
> ㄱ. t일 때 도선에는 유도 전류가 반시계 방향으로 흐른다.
> ㄴ. 유도 기전력의 크기는 $0.5t$일 때와 $1.5t$일 때가 같다.
> ㄷ. 도선을 지나는 자기 선속은 t일 때와 $5t$일 때가 같다.

① ㄱ   ② ㄷ   ③ ㄱ, ㄴ   ④ ㄱ, ㄷ   ⑤ ㄴ, ㄷ

• 패러데이 법칙에서 유도 기전력 $V = -N\dfrac{\Delta(BS)}{\Delta t}$ 이다.

04 ❯ 자기장 영역을 도선이 지나는 경우의 전자기 유도

그림 (가)는 폭이 $2d$인 자기장 영역을 한 변의 길이가 d인 정사각형 도선이 일정한 속력으로 통과하는 모습을 나타낸 것이다. 그림 (나)는 도선이 자기장 영역에 들어가는 순간부터 완전히 빠져나올 때까지 자기장의 세기를 시간에 따라 나타낸 것이다.

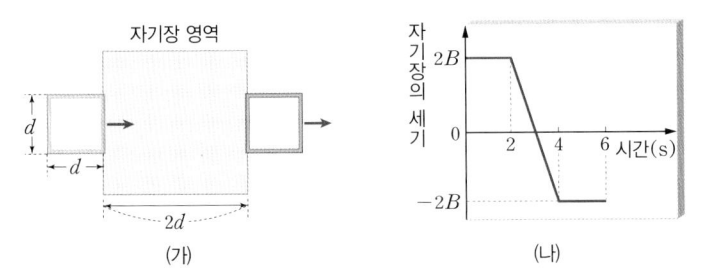

(가)   (나)

이에 대한 설명으로 옳은 것만을 보기에서 있는 대로 고른 것은?(단, 자기장이 종이면에서 수직으로 나오는 방향을 (+)로 한다.)

> **보기**
> ㄱ. 유도 기전력의 크기는 3초일 때가 1초일 때의 2배이다.
> ㄴ. 도선에 흐르는 유도 전류의 방향은 1초일 때와 5초일 때가 같다.
> ㄷ. 도선의 속력이 2배가 되면, 3.5초일 때 유도 전류의 세기는 2배가 된다.

① ㄱ   ② ㄴ   ③ ㄱ, ㄴ   ④ ㄱ, ㄷ   ⑤ ㄴ, ㄷ

05 ❯ 두 자기장 영역을 도선이 지나는 경우의 전자기 유도

그림은 균일한 자기장 영역 Ⅰ, Ⅱ를 길이가 **4 m**인 직사각형 도선이 $+x$ 방향의 **1 m/s**의 일정한 속력으로 통과하는 모습을 나타낸 것이다. 이때 Ⅰ에서 자기장의 세기는 B_0이고, Ⅱ에서 자기장의 방향은 종이면에 수직으로 들어가는 방향이다. **0초**일 때 도선이 Ⅰ에 들어가기 시작하고, **3초**일 때와 **5초**일 때 도선에 흐르는 유도 전류의 세기와 방향은 같다.

• 유도 전류의 세기는 자기 선속의 시간 변화율에 비례한다.

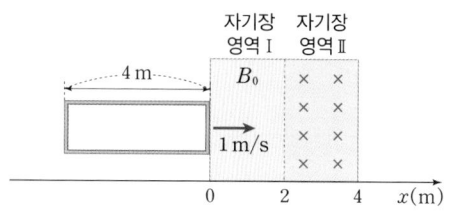

이에 대한 설명으로 옳은 것만을 보기에서 있는 대로 고른 것은?(단, Ⅰ에서 자기장의 방향은 종이면에 수직이다.)

─ 보기 ─

ㄱ. 자기장의 방향은 Ⅰ과 Ⅱ에서가 같다.

ㄴ. 자기장의 세기는 Ⅱ에서 B_0이다.

ㄷ. 1초일 때 도선에는 유도 전류가 시계 방향으로 흐른다.

① ㄱ   ② ㄴ   ③ ㄱ, ㄴ   ④ ㄱ, ㄷ   ⑤ ㄴ, ㄷ

06 고난도 ❯ 두 자기장 영역을 도선이 지나는 경우의 전자기 유도

그림 (가)는 xy 평면에 수직인 방향의 균일한 자기장 영역 Ⅰ, Ⅱ를 발광 다이오드(LED)가 연결된 정사각형 도선이 $+x$ 방향으로 일정한 속력으로 통과하는 모습을 나타낸 것이다. **p**점은 도선에 고정된 점이다. 그림 (나)는 (가)에서 도선에 흐르는 전류의 세기를 p의 위치에 따라 나타낸 것이다.

• LED가 연결된 도선에는 유도 전류가 시계 방향으로만 흐른다.

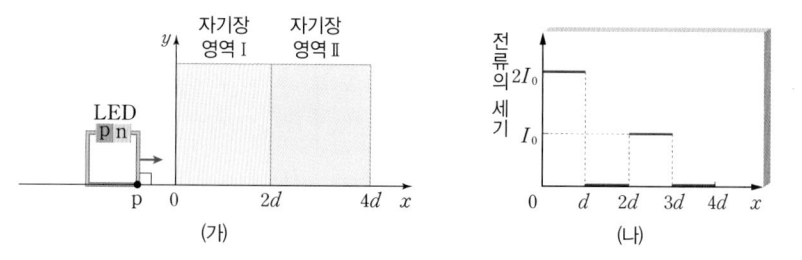

이에 대한 설명으로 옳은 것만을 보기에서 있는 대로 고른 것은?

─ 보기 ─

ㄱ. 자기장의 방향은 Ⅰ과 Ⅱ에서가 같다.

ㄴ. 자기장의 세기는 Ⅰ에서가 Ⅱ에서의 2배이다.

ㄷ. p가 $x=4.5d$를 지날 때 LED에 흐르는 유도 전류의 세기는 $3I_0$이다.

① ㄱ   ② ㄴ   ③ ㄷ   ④ ㄱ, ㄴ   ⑤ ㄴ, ㄷ

07 ＞ 세 자기장 영역을 도선이 지나는 경우의 전자기 유도

그림 (가)는 세기가 B인 균일한 자기장 영역을 한 변의 길이가 d인 정사각형 도선 A가 일정한 속력 v로 들어갈 때 A에 세기가 I_0인 전류가 흐르는 모습을 나타낸 것이다. 그림 (나)는 xy 평면에 수직인 방향의 균일한 자기장 영역 Ⅰ, Ⅱ, Ⅲ에서 A의 중심이 원점에 있도록 A가 정지해 있는 모습을 나타낸 것이다. (나)에서 A가 $+x$ 방향으로 일정한 속력 v로 운동할 때는 세기가 $2I_0$인 전류가 시계 방향으로, A가 $+y$ 방향으로 일정한 속력 v로 운동할 때는 세기가 $2I_0$인 전류가 반시계 방향으로 흐른다.

• 자기장 영역 Ⅰ, Ⅱ, Ⅲ에서의 자기장의 세기를 각각 B_1, B_2, B_3이라고 하고, 관계를 구한다.

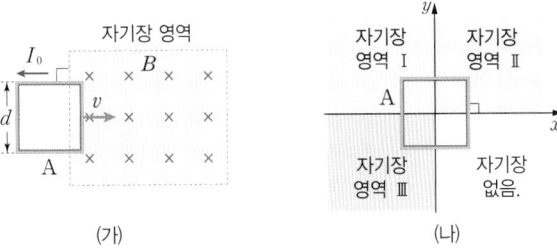
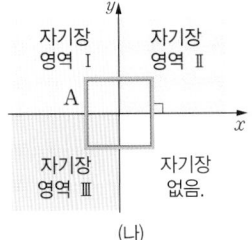

(가)   (나)

(나)에서 A가 $-y$ 방향으로 일정한 속력 v로 운동할 때 유도 전류의 세기와 방향으로 옳은 것은? (단, 도선은 회전하지 않는다.)

	세기	방향		세기	방향
①	I_0	시계 방향	②	I_0	반시계 방향
③	$2I_0$	시계 방향	④	$2I_0$	반시계 방향
⑤	$4I_0$	시계 방향			

08 ＞ 전자기 유도와 역학적 에너지

그림은 고정된 코일에 전압 센서를 연결한 후 막대자석을 코일의 중심축 위에서 연직 방향으로 가만히 떨어뜨리는 모습을 나타낸 것이다. 표는 전압 센서로 측정한 유도 기전력을 시간에 따라 나타낸 것으로, ㉠은 자석의 N극을 아래로 하여 높이 h에서 떨어뜨렸을 때의 측정값이다.

• 자석의 역학적 에너지의 일부는 전자기 유도에 의해 전기 에너지로 전환된다.

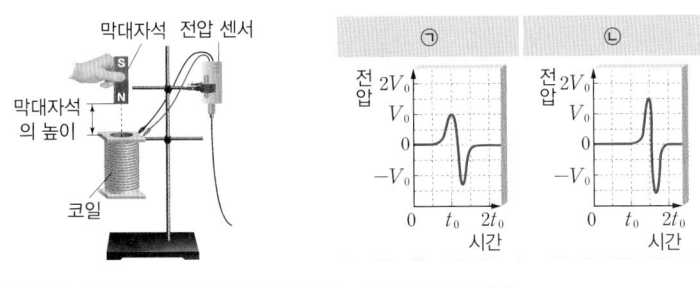

㉡에 대한 설명으로 옳은 것만을 보기에서 있는 대로 고른 것은?

보기
ㄱ. 자석의 처음 높이는 h보다 크다.
ㄴ. 자석의 S극을 아래로 하여 떨어뜨렸다.
ㄷ. 자석의 역학적 에너지는 코일을 통과하기 전과 후가 같다.

① ㄱ   ② ㄴ   ③ ㄱ, ㄴ   ④ ㄱ, ㄷ   ⑤ ㄴ, ㄷ

고난도

09 ❯ 자기장 내에서 도선이 운동하는 경우의 전자기 유도

그림 (가)는 종이면에 수직으로 들어가는 방향의 균일한 자기장 내에 수직으로 놓인 저항이 연결된 ㄷ자형 도선 위에 도체 막대가 놓여 있는 모습을 나타낸 것이다. 그림 (나)는 (가)에서 자기장의 세기 B를 시간 t에 따라 나타낸 것이고, (다)는 (가)에서 도체 막대의 위치 x를 시간 t에 따라 나타낸 것이다.

> 도체 막대에 작용하는 자기력의 크기 $F = BIl$이다.

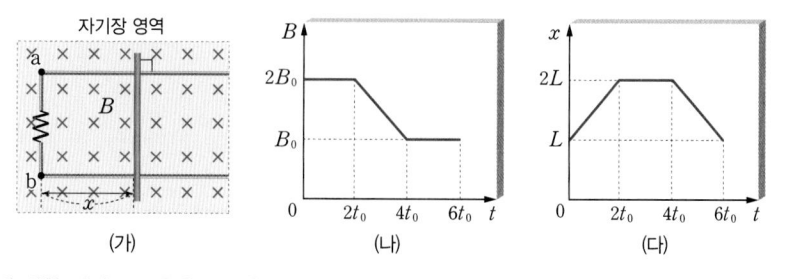

(가)　　　　　(나)　　　　　(다)

이에 대한 설명으로 옳은 것만을 보기에서 있는 대로 고른 것은?

┌ 보기 ────────────────────────────────
ㄱ. 저항에 흐르는 전류의 세기는 t_0일 때와 $3t_0$일 때가 같다.
ㄴ. 저항에 흐르는 전류의 방향은 $3t_0$일 때와 $5t_0$일 때가 같다.
ㄷ. 도체 막대에 작용하는 자기력의 크기는 t_0일 때가 $5t_0$일 때의 2배이다.
└──────────────────────────────────────

① ㄴ　　　② ㄷ　　　③ ㄱ, ㄴ　　　④ ㄱ, ㄷ　　　⑤ ㄴ, ㄷ

10 ❯ 자기장 내에서 도선이 운동하는 경우의 전자기 유도

그림은 연직 아래 방향의 균일한 자기장 내의 경사면에 놓인 ㄷ자형 도선 위에 도체 막대를 경사면 위쪽으로 움직이는 순간의 모습을 나타낸 것이다.

전류계에 흐르는 유도 전류의 세기 I를 시간 t에 따라 나타낸 것으로 가장 적절한 것은? (단, 모든 마찰은 무시한다.)

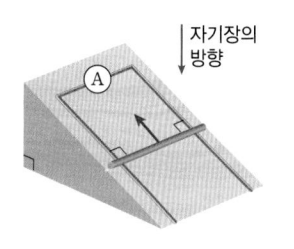

자기장의 방향

> 도체 막대에는 유도 전류가 도체 막대의 운동을 방해하는 방향으로 흘러 자기력이 작용한다.

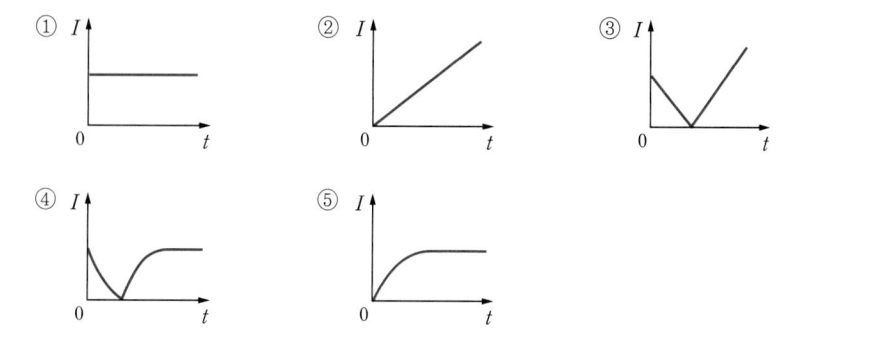

11 > 교류의 발생

그림은 자석 사이에 놓인 코일이 일정한 각속도로 회전할 때 자기력선과 θ의 각을 이루고 있는 순간 전구에 불이 켜져 있는 모습을 나타낸 것이다.

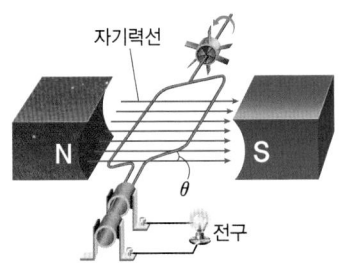

자기력선

θ

전구

이에 대한 설명으로 옳은 것만을 보기에서 있는 대로 고른 것은?

보기

ㄱ. 코일이 1회전 하는 동안 전구의 밝기는 일정하다.

ㄴ. 코일이 1회전 하는 동안 전구에 흐르는 전류의 방향은 일정하다.

ㄷ. 코일의 각속도가 증가하면 전구에 걸리는 전압의 최댓값이 증가한다.

① ㄱ   ② ㄷ   ③ ㄱ, ㄴ   ④ ㄴ, ㄷ   ⑤ ㄱ, ㄴ, ㄷ

• 코일의 회전에 의한 유도 기전력 $V = V_0 \sin \omega t$ 형태의 교류 전압이다.

12 > 교류의 특성

그림은 자석 사이에 놓인 사각형 도선 abcd가 회전축을 중심으로 시계 방향으로 회전하는 모습을 나타낸 것이다. 이때 S_1과 S_2는 각각 도선 cd, ab에 부착된 원형 고리로, 각각 브러시 B_1, B_2와 접촉하며 회전한다.

사각형 도선이 한 바퀴 회전하는 동안 저항에 흐르는 전류를 시간에 따라 나타낸 것으로 가장 적절한 것은? (단, 저항에 전류가 화살표 방향으로 흐를 때를 (+)로 한다.)

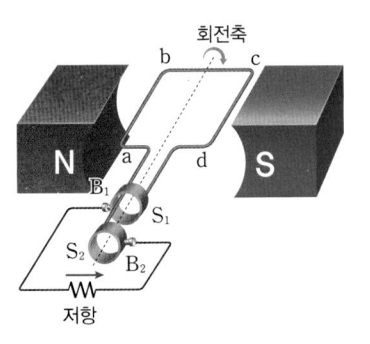

회전축

저항

• 사각형 도선이 한 바퀴 회전하는 동안 자기 선속은 증가-감소-증가-감소를 반복한다.

① 전류 / 0 / 시간

② 전류 / 0 / 시간

③ 전류 / 0 / 시간

④ 전류 / 0 / 시간

⑤ 전류 / 0 / 시간

03 상호유도

학습 Point 상호유도 〉 상호유도에 의한 유도 전류의 방향 〉 상호유도 기전력 〉 상호유도의 이용

 상호유도　　　　　　　　　　　　　　(탐구) 141쪽

패러데이 법칙에 따르면 코일을 지나는 자기 선속이 시간에 따라 변하면 유도 기전력이 발생한다. 따라서 코일과 자석의 상대적인 운동 없이도 자기장의 세기가 시간에 따라 변한다면 자기 선속이 시간에 따라 변하므로, 유도 기전력이 발생한다. 이때 전류가 흐르는 도선도 주위 공간에 자기장을 형성하므로, 전류의 세기를 조절하여 자기장의 세기를 변화시킬 수 있다.

1. 상호유도

(1) 그림과 같이 원형 철심에 1차 코일과 2차 코일을 감고, 1차 코일에는 전원 장치와 스위치, 가변 저항기를, 2차 코일에는 검류계를 연결한다. 스위치를 닫은 상태에서 가변 저항기를 조절하여 1차 코일에 흐르는 전류의 세기를 변화시키거나, 전류의 세기를 일정하게 하고 스위치를 닫거나 열어 1차 코일에 흐르는 전류의 세기를 변화시키는 순간 2차 코일에 전류가 흘러 검류계의 바늘이 움직인다. 이는 1차 코일에

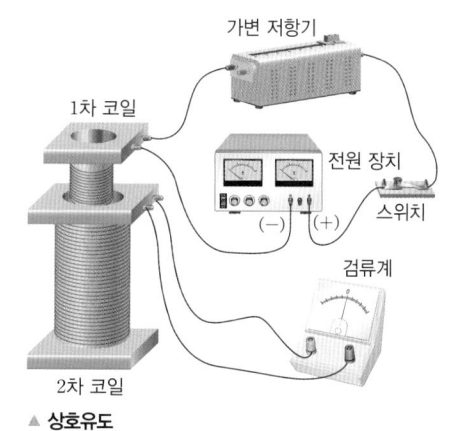

▲ **상호유도**

흐르는 전류에 의해 자기장이 형성되어 2차 코일을 지나가기 때문이다. 즉, 1차 코일에 흐르는 전류가 변하면 1차 코일에 흐르는 전류에 의한 자기장이 변하므로, 2차 코일을 지나는 자기 선속이 변하여 2차 코일에 유도 기전력에 의한 전류가 흐르게 된다.

(2) **상호유도:** 2개의 코일을 가까이 놓고 한쪽 코일(1차 코일)에 흐르는 전류의 세기를 변화시키면 다른 코일(2차 코일)에 유도 기전력이 발생하는 현상을 상호유도라고 한다.

2. 상호유도에 의한 유도 전류의 방향

(1) **상호유도에 의한 유도 전류의 방향:** 2차 코일에 흐르는 유도 전류의 방향은 1차 코일에 의한 자기 선속의 변화를 방해하는 방향이다.

(2) 1차 코일에 흐르는 전류 I_1이 증가하면 2차 코일에는 I_1에 의해 형성되는 자기장과 반대 방향으로 자기장을 형성하도록 유도 전류가 흐르고, 1차 코일에 흐르는 전류 I_1이 감소하면 2차 코일에는 I_1에 의해 형성되는 자기장과 같은 방향으로 자기장을 형성하도록 유도 전류가 흐른다.

> **1차 코일과 2차 코일**
> 일반적으로 전원에 연결되어 있는 코일을 1차 코일, 다른 코일을 2차 코일이라고 한다.

3. 상호유도 기전력

(1) 그림과 같이 감은 수가 각각 N_1, N_2인 1차 코일과 2차 코일을 가까이 놓고, 1차 코일에는 전원, 스위치, 저항을, 2차 코일에는 검류계를 연결한다. 스위치를 닫으면 1차 코일에 흐르는 전류 I_1이 증가하므로, 2차 코일을 지나

심화 142쪽~144쪽

▲ 상호유도 기전력

는 자기 선속 Φ_2가 증가하여 2차 코일에 유도 기전력 V_2가 발생한다.

(2) 유도 기전력 V_2는 2차 코일을 지나는 자기 선속 Φ_2의 변화량에 비례하고, 자기 선속 Φ_2는 1차 코일에 흐르는 전류 I_1에 의한 자기장의 세기 B_1에 비례한다. 즉, 자기 선속 Φ_2는 1차 코일에 흐르는 전류 I_1에 비례한다.

$$\Phi_2 \propto I_1$$

따라서 시간 Δt 동안 1차 코일에 흐르는 전류의 세기가 ΔI_1만큼 변할 때 2차 코일에 발생하는 상호유도 기전력 V_2는 다음과 같다.

$$V_2 = -N_2\frac{\Delta \Phi_2}{\Delta t} = -N_2\frac{\Delta \Phi_2}{\Delta I_1}\cdot\frac{\Delta I_1}{\Delta t} = -M\frac{\Delta I_1}{\Delta t} \text{ (단위: V)}$$

이때 비례 상수 M을 상호유도 계수 또는 상호 인덕턴스라고 하며, 이는 코일의 모양, 감은 수, 두 코일의 상대적 위치, 코일 주위의 물질 등에 의해 결정된다. 상호유도 계수의 단위로는 H(헨리)를 사용하며, 1차 코일에 흐르는 전류의 변화가 1초 동안 1 A일 때 2차 코일에 발생하는 유도 기전력이 1 V이면 상호유도 계수를 1 H라고 한다.

$$1\ \text{H} = 1\ \text{V}\cdot\text{s/A} = 1\ \text{Wb/A} = 1\ \text{T}\cdot\text{m}^2/\text{A}$$

(3) 두 코일의 역할을 바꾸어도 서로 대칭이기 때문에 같은 모양의 식이 성립한다. 즉, 시간 Δt 동안 2차 코일에 흐르는 전류의 세기가 ΔI_2만큼 변할 때 1차 코일에 발생하는 상호유도 기전력 V_1은 다음과 같다.

$$V_1 = -N_1\frac{\Delta \Phi_1}{\Delta t} = -M\frac{\Delta I_2}{\Delta t}$$

상호유도 기전력의 효과
렌츠 법칙에 따라 1차 코일에 의해 형성되는 자기장의 변화를 방해한다.

예제

그림은 철심에 1차 코일과 2차 코일을 감고, 1차 코일에는 전원과 가변 저항을, 2차 코일에는 저항을 연결한 모습을 나타낸 것이다. 이때 두 코일의 상호유도 계수는 0.5 H이다.

가변 저항을 조절하여 1차 코일에 흐르는 전류의 세기가 0.2초 동안 0.1 A에서 0.3 A로 변했을 때, 2차 코일에 유도되는 기전력의 크기는 몇 V인지 구하시오.

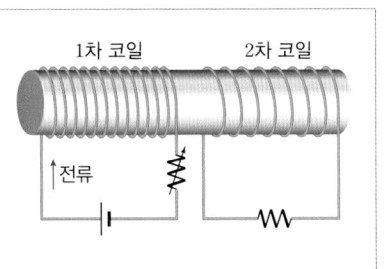

해설 2차 코일에 발생하는 상호유도 기전력 $V_2 = -M\frac{\Delta I}{\Delta t}$이므로, $V_2 = -0.5\ \text{H} \times \frac{0.2\ \text{A}}{0.2\ \text{s}} = -0.5$ V이다. 이때 (−)부호는 방향을 의미하며, 유도 기전력의 크기는 0.5 V이다.

정답 0.5 V

그림과 같이 전지와 코일, 저항을 연결하고, 스위치를 닫으면 전류가 즉시 일정한 값이 되지 않고, 서서히 증가하여 일정한 값에 이르게 된다. 또 스위치를 열면 전류는 즉시 0이 되지 않고, 서서히 감소하여 0이 된다. 코일에 흐르는 전류가 일정하면 코일 내부의 자기장도 일정하지만, 스위치를 닫거나 여는 순간처럼 코일에 흐르는 전류가 변하면 코일에 흐르는 전류에 의한 자기장이 변하므로, 코일의 내부를 지나는 자기 선속이 변하여 코일에 유도 기전력에 의한 전류가 흐르게 된다.

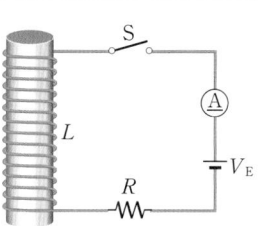

❶ **자체 유도**: 코일에 흐르는 전류의 세기가 변할 때 그 코일 자체에 유도 기전력이 발생하는 현상을 자체 유도라고 한다.

❷ **자체 유도에 의한 유도 전류의 방향**: 코일에 흐르는 유도 전류의 방향은 전류의 변화를 방해하는 방향이다.

❸ **자체 유도 기전력**: 시간 Δt 동안 코일에 흐르는 전류의 세기가 ΔI만큼 변할 때 코일에 발생하는 자체 유도 기전력 V는 다음과 같다.

$$V = -N\frac{\Delta \Phi}{\Delta t} = -L\frac{\Delta I}{\Delta t}$$

이때 비례 상수 L을 자체 유도 계수 또는 자체 인덕턴스라고 하며, 이는 코일의 모양, 감은 수, 코일 주위의 물질 등에 의해 결정된다. 자체 유도 계수의 단위로는 H(헨리)를 사용한다.

❹ **코일에 흐르는 전류**
- 스위치를 닫는 순간(전류가 증가할 때): 스위치를 닫는 순간 코일에 흐르는 전류의 세기는 즉시 $\frac{V_E}{R}$가 되지 않고, 서서히 증가하여 충분한 시간이 지난 후에 $\frac{V_E}{R}$가 된다. 이는 스위치를 닫는 순간 전류가 증가하면서 전지의 기전력 V_E와 반대 방향으로 유도 기전력이 발생하기 때문이다.

- 스위치를 닫고 있는 동안(전류가 일정할 때): 코일에 일정한 전류가 흐를 때는 전류의 변화가 없으므로, 유도 기전력은 0이다.

- 스위치를 여는 순간(전류가 감소할 때): 코일에 세기가 $\frac{V_E}{R}$인 전류가 흐를 때 스위치를 열면 전류는 순간적으로 0이 된다. 이때 전류의 급격한 변화는 큰 자기 선속의 변화를 일으키고, 이를 방해하는 방향으로 유도 기전력이 발생하여 유도 전류가 코일에 흐르던 전류의 방향과 같은 방향으로 흐르게 된다. 따라서 코일에 흐르는 전류는 즉시 0이 되지 않고, 짧은 시간 동안 감소하여 0이 된다. 즉, 스위치를 닫을 때보다 열 때 훨씬 큰 유도 기전력이 발생하므로, 스위치를 열 때 불꽃이 튀는 것을 관찰할 수도 있다.

(가) 코일에 흐르는 전류의 변화

(나) 유도 기전력의 변화

자체 유도 그래프에서 스위치를 닫을 때보다 열 때 더 큰 유도 기전력이 발생하는 까닭 스위치를 닫을 때는 전지의 기전력 이상으로는 유도 기전력이 발생하지 않는다. 이는 외력보다 관성이 더 클 수 없는 것과 같은 원리이다. 반면 스위치를 열 때는 전지가 없어지므로 전지의 영향력 없이 전류의 변화에 의해 유도 기전력이 발생하기 때문에 전지의 기전력보다 더 커질 수 있다.

2 상호유도의 이용

상호유도 현상은 일상생활에서 변압기에 많이 이용되지만, 최근에는 공간을 통해 정보와 에너지를 전달할 수 있는 무선 인식과 무선 충전 기술에서도 많이 이용되고 있다.

1. 변압기

(1) **변압기:** 상호유도를 이용하여 전압을 변화시키는 장치를 변압기라고 한다.

(2) **변압기의 구조:** 일반적으로 변압기는 사각형 모양의 철심에 두 개의 코일이 각각 감긴 구조이다. 이때 철심은 코일을 지나는 자기 선속을 증가시키고, 1차 코일에서 발생한 자기 선속이 모두 2차 코일을 지나도록 해 준다. 즉, 1차 코일에서 발생하는 자기 선속 Φ_1과 2차 코일에서 발생하는 자기 선속 Φ_2는 같다.

$$\Phi_1 = \Phi_2$$

따라서 1차 코일에 교류를 공급하면 1차 코일의 자기 선속이 주기적으로 변하고, 이에 따라 2차 코일을 지나는 자기 선속도 주기적으로 변하므로 2차 코일에 상호유도에 의해 교류가 생성된다.

(3) **전압과 전류 변환:** 패러데이 법칙에 따르면 감은 수가 N_1인 1차 코일에 공급되는 기전력 V_1과 자기 선속 Φ_1 사이에는 다음과 같은 관계가 있다.

$$V_1 = -N_1 \frac{\Delta \Phi_1}{\Delta t}$$

마찬가지로 감은 수가 N_2인 2차 코일에 유도되는 기전력 V_2와 자기 선속 Φ_2 사이에는 다음과 같은 관계가 있다.

$$V_2 = -N_2 \frac{\Delta \Phi_2}{\Delta t}$$

이때 $\Phi_1 = \Phi_2$이므로, 식을 정리하면 다음과 같은 관계가 성립한다.

$$\frac{V_1}{N_1} = \frac{V_2}{N_2}$$

1차 코일과 2차 코일의 감은 수의 비를 조절하여 교류 전압을 쉽게 높이거나 낮출 수 있다. 에너지 손실이 없는 이상적인 변압기에서는 에너지 보존 법칙에 따라 1차 코일에 공급되는 전력 P_1과 2차 코일에 유도되는 전력 P_2가 같아야 한다. 따라서 1차 코일과 2차 코일에 흐르는 전류의 세기를 각각 I_1, I_2라고 하면 $V_1 I_1 = V_2 I_2$이므로, 다음의 관계가 성립한다.

$$\frac{V_1}{V_2} = \frac{N_1}{N_2} = \frac{I_2}{I_1}$$

➡ 코일의 양단에 걸리는 전압은 코일의 감은 수에 비례하고, 코일에 흐르는 전류의 세기는 코일의 감은 수에 반비례한다.

(4) **변압기의 이용:** 변압기는 송전 과정에서 손실되는 전력을 줄이기 위해 발전소에서 송전 전압을 높이거나, 가정에서 전력을 사용하기 위해 전압을 220 V까지 낮추는 곳에 많이 이용된다. 또 전자 회로 안에도 각 부품에 적절한 전압이 걸리도록 이용된다.

▲ **변압기의 구조와 원리**

변압기의 철심
변압기의 철심은 자기 선속의 통로로 사용된다. 보통 철에 규소를 3~5 % 첨가하여 제조한 규소 강판이 많이 사용된다.

예제

1. 그림은 1차 코일과 2차 코일의 감은 수가 각각 **30회**, **15회**인 변압기의 2차 코일에 저항값이 **40 Ω**인 저항을 연결하였을 때 세기가 **2.5 A**인 전류가 흐르는 모습을 나타낸 것이다. (단, 변압기에서의 전력 손실은 무시한다.)

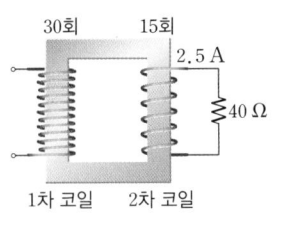

30회   15회
2.5 A
40 Ω
1차 코일   2차 코일

(1) 1차 코일의 양단에 걸리는 전압은 몇 V인지 구하시오.
(2) 1차 코일에 흐르는 전류의 세기는 몇 A인지 구하시오.

해설 (1) 2차 코일의 양단에 걸리는 전압 V_2를 구하면 $V_2 = 2.5\ A \times 40\ Ω = 100\ V$이다. 이때 1차 코일과 2차 코일의 양단에 걸리는 전압과 감은 수는 $\dfrac{V_1}{N_1} = \dfrac{V_2}{N_2}$의 관계가 있다. 따라서 $\dfrac{V_1}{30} = \dfrac{100\ V}{15}$이므로, 1차 코일의 양단에 걸리는 전압 $V_1 = 200\ V$이다.

(2) 에너지 보존 법칙에 따라 1차 코일에 공급되는 전력 P_1과 2차 코일에 유도되는 전력 P_2가 같아야 하므로, $\dfrac{V_1}{V_2} = \dfrac{N_1}{N_2} = \dfrac{I_2}{I_1}$이다. 따라서 1차 코일에 흐르는 전류의 세기를 I_1이라고 하면 $\dfrac{200\ V}{100\ V} = \dfrac{2.5\ A}{I_1}$에서 $I_1 = 1.25\ A$이다.

정답 (1) 200 V (2) 1.25 A

2. 입력 전압이 **500 V**이고, 1차 코일과 2차 코일의 감은 수가 각각 **100회**, **400회**인 변압기가 있다. 이 변압기의 효율이 **80 %**라고 할 때, 2차 코일에 저항값이 **200 Ω**인 저항을 연결하였다면 1차 코일에 흐르는 전류의 세기는 몇 A인지 구하시오.

해설 1차 코일과 2차 코일의 양단에 걸리는 전압과 감은 수는 $\dfrac{V_1}{N_1} = \dfrac{V_2}{N_2}$의 관계가 있다. 따라서 $\dfrac{500\ V}{100} = \dfrac{V_2}{400}$이므로, 2차 코일의 양단에 걸리는 전압 $V_2 = 2000\ V$이다. 변압기의 효율이 80 %라는 것은 1차 코일의 에너지의 80 %만 2차 코일로 전달된다는 의미이고, 소비 전력 $P = VI = \dfrac{V^2}{R}$이므로, 1차 코일에 흐르는 전류의 세기를 I_1이라고 하면 $(500\ V \times I_1) \times 0.8 = \dfrac{(2000\ V)^2}{200\ Ω}$에서 $I_1 = 50\ A$이다.

정답 50 A

시야확장 ➕ 교류 송전과 손실 전력

발전소에서 소비지로 전력을 송전할 때 송전선의 저항에 의해 전력 손실이 발생한다. 송전선의 저항을 R, 송전선에 흐르는 전류의 세기를 I라고 할 때 손실 전력 P_L은 다음과 같다.

$$P_L = I^2 R = \frac{V_L^2}{R} = V_L I$$

이때 V_L은 송전선 양단의 전위차이다. 일반적으로 송전선 양단의 전위차 대신 발전소에서 내보내는 송전 전압 V_0을 알고 있는 경우가 많으므로, 손실 전력 $P_L = I^2 R$로 구하는 경우가 많다.

변압기에서 2차 코일의 양단에 걸리는 전압을 높일수록 2차 코일에 흐르는 전류가 감소하므로, 발전소에서 일정한 전력을 공급할 때 송전 전압을 높일수록 전류가 감소하여 손실 전력을 줄일 수 있다. 우리나라의 경우 발전소에서 생산된 전력은 초고압 변전소에서 약 345 kV나 약 154 kV의 전압으로 높여 송전한다. 이는 발전소에 따라 약 765 kV로 높여 송전하기도 한다. 이후 1차 변전소와 2차 변전소, 주상 변압기를 거쳐 일반 가정에는 220 V의 교류 전압으로 전력이 공급된다.

송전탑   송전탑

발전소 초고압   1차 변전소   2차 변전소   주상 변압기   가정
       변전소

▲ 전력 수송 과정

송전 과정에서 높은 전압을 사용하는 까닭

전력 P를 송전할 때 송전 전압을 n배 높이면 $P = VI$에서 송전 전류의 세기가 $\dfrac{1}{n}$배가 되므로, $P_L = I^2 R$에서 손실 전력은 $\dfrac{1}{n^2}$배로 줄어든다.

2. 고압 방전 장치

상호유도를 이용하여 가까이 있는 두 금속 사이에 순간적으로 큰 전압을 걸어 방전이 일어나도록 하는 장치를 고압 방전 장치라고 한다.

(1) **고압 방전 장치의 원리**: 그림과 같이 접점이 붙어 있을 때 1차 코일에 전원이 공급되면 접점 쪽으로 전류가 흘러 1차 코일에 자기장이 발생하므로, 1차 코일은 전자석이 되어 철을 당긴다. 1차 코일 쪽으로 철이 당겨지면 접점이 떨어져 축전기가 충전되므로 순간적으로 큰 전류가 흐르지만, 시간이 지날수록 축전기에 충전된 전하량이 증가하여 전류가 작아지다가 완전히 충전되면 전류의 흐름이 차단된다. 전류의 흐름이 차

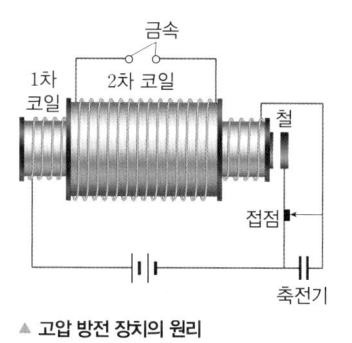

▲ 고압 방전 장치의 원리

단되면 더 이상 1차 코일 쪽으로 철이 당겨지지 않으므로, 철이 원래 위치로 돌아가 접점이 다시 붙어 순간적으로 축전기에 저장된 전하가 방전된다. 고압 방전 장치는 이러한 과정이 짧은 시간 동안 반복되는데, 이 과정에서 매우 짧은 시간 동안 1차 코일에 전류의 흐름이 끊어지게 되고 이때 2차 코일에 큰 유도 기전력이 발생하여 2차 코일에 연결된 두 금속 사이에 불꽃이 튀는 방전 현상이 일어나게 된다.

(2) **고압 방전 장치의 이용**: 자동차의 점화 플러그 등에 이용된다.

3. 무선 인식(RFID)

물체의 정보를 비접촉 방식으로 수집, 판독한 후 저장 및 처리하는 기술을 무선 인식이라고 하며, 이는 비접촉식 식별 기술, 전자 태그 등으로 불린다.

(1) **무선 인식의 구조**: 무선 인식은 크게 태그, 리더, 호스트로 구성된다.

① 태그: 상품에 부착하는 것으로, 물체의 정보를 저장한다.

② 리더: 안테나로 태그의 정보를 수집, 판독한다.

③ 호스트: 리더에서 수집, 판독한 태그의 정보를 저장하고 처리한다.

(2) **무선 인식의 원리**: 상호유도를 이용한 무선 인식 기술은 주로 근거리에 있는 물건에 부착된 태그의 정보를 읽는 데 사용된다. 이때 리더의 안테나가 1차 코일이 되고, 태그가 2차 코일이 된다. 리더에는 교류 전원이 연결되어 있고, 태그에는 상품의 정보를 저장하고 있는 IC 회로가 코일에 연결되어 있다. 리더에 교류 전원이 공급되어 시간에 따라 변하는 교류 전류가 흐르면 1차 코일에서는 시간에 따라 변하는 자기장이 발생한다. 이때 리더의 안테나에 태그를 가까이 가져가면 상호유도에 의해 태그 속 2차 코일을 지나는 자기 선속이 시간에 따라 변하여 IC 회로에 유도 전류가 흘러 태그의 정보를 읽어 낸다.

(3) **무선 인식의 이용**: 교통 카드, 출입 카드, 도서관 무인 대출 시스템 등에 이용된다.

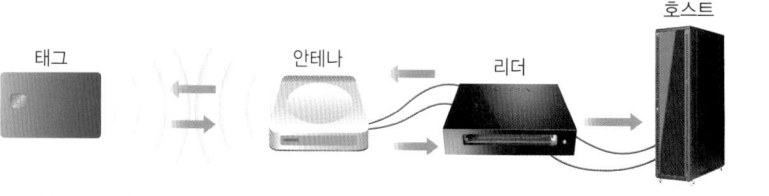

▲ 무선 인식의 원리

자동차의 점화 플러그

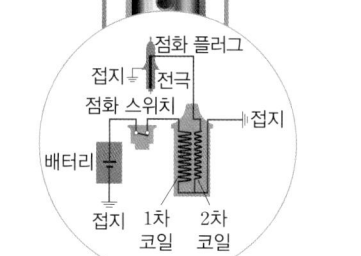

점화 스위치를 여는 순간 상호유도에 의해 점화 플러그에 큰 유도 기전력이 발생하여 불꽃이 튄다.

교통 카드

교통 카드 단말기 내부의 코일에 흐르는 교류 전류에 의해 단말기 주위에는 시간에 따라 변하는 자기장이 발생한다. 이때 단말기에 교통 카드를 가까이 가져가면 교통 카드 내부의 코일을 지나는 자기 선속이 변하므로, 코일에 유도 전류가 흐른다. 이로 인해 교통 카드 속 IC 회로가 작동되어 정보를 송수신한다.

4. 무선 충전

전력을 전선으로 전송하여 기기를 충전하는 방식 대신, 전력을 공간을 통해 무선으로 전송하여 기기를 충전하는 기술을 무선 충전이라고 한다.

(1) **무선 충전의 원리**: 상호유도를 이용한 무선 충전 기술은 가까운 거리에 있는 기기를 충전시키는 데 사용된다.

그림과 같이 무선 충전 패드가 1차 코일이 되고, 충전하려는 기기가 2차 코일이 된다. 무선 충전 패드에는 교류 전원이 연결되어 있고, 기기에는 충전을 가능하게 하는 회로가 코일에 연결되어 있다. 무선 충전 패드에 교류 전원이 공급되어 시간에 따라 변하는 교류 전류가 흐르면 1차 코일에서는 시간에 따라 변하는 자기장이 발생한다. 이때 무선 충전 패

드에 기기를 가까이 가져가면 상호유도에 의해 기기 속 2차 코일을 지나는 자기 선속이 시간에 따라 변하여 회로에 유도 전류가 흘러 기기가 충전된다.

(2) **무선 충전의 이용**: 휴대 전화 무선 충전 패드, 무선 충전 전동 칫솔, 무선 충전 전기 자동차 등에 이용된다.

▲ 무선 충전의 원리

기기

전원

무선 충전 패드

상호유도를 이용한 다른 예
· 금속 탐지기
· 공항 검색대

시야 확장 ➕ 맴돌이 전류

❶ **맴돌이 전류**: 도선을 지나는 자기 선속이 시간에 따라 변할 때 도선에는 이러한 변화를 방해하는 방향으로 유도 전류가 흐른다. 도체판을 무수히 많은 도선의 모임으로 생각할 때, 도체판을 지나는 자기 선속이 시간에 따라 변하면 도체판에도 무수히 많은 유도 전류가 흐를 것이다. 즉, 도체 내부를 지나는 자기 선속이 시간에 따라 변하면 도체 내부에 유도 기전력이 발생하여 소용돌이 모양의 닫힌 경로로 무수히 많은 유도 전류가 흐른다. 이 전류를 맴돌이 전류라고 한다.

❷ **맴돌이 전류가 발생하는 까닭**: 자기장 내에서 도체판이 진자 운동을 하는 경우를 생각해 보자. 그림 (가)와 같이 금속판이 1의 위치에서 자기장 영역으로 들어갈 때는 도체판을 지나는 자기 선속이 증가하므로, 맴돌이 전류는 반시계 방향으로 흐른다. 금속판이 2의 위치로 자기장 영역을 벗어날 때는 도체판을 지나는 자기 선속이 감소하므로, 맴돌이 전류는 시계 방향으로 흐른다. 이때 유도되는 맴돌이 전류는 도체판이 자기장 내에서 진자 운동을 할 때 항상 자기적 저항력 F_B를 만들기 때문에 도체판은 멈추게 된다.

그림 (나)와 같이 도체판에 가늘고 긴 틈을 만들면 맴돌이 전류와 이에 해당하는 자기적 저항력이 크게 감소하여 도체판은 자기장 내에서 더 자유롭게 움직일 수 있다.

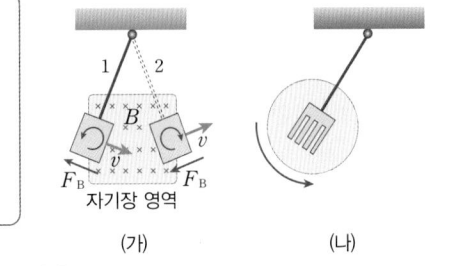

자기장 영역

(가)   (나)

▲ 맴돌이 전류가 발생하는 까닭

인덕션 레인지
유리판이나 세라믹판 아래에 1차 코일의 역할을 하는 넓은 코일을 설치하여 교류를 흘려 주면, 금속 냄비에 맴돌이 전류가 흐르면서 금속이 가열된다. 이때 금속이 아닌 부분은 뜨거워지지 않는다.

2개의 코일을 이용한 상호유도

2개의 코일에서 발생하는 상호유도 현상을 관찰하고 설명할 수 있다.

과정

1 1차 코일에 전원 장치와 스위치, 가변 저항기를 연결하고, 2차 코일에는 검류계를 연결한다.

2 가변 저항기의 저항값을 최대로 한 상태에서 전원 장치를 켠다.

3 스위치를 닫거나 여는 순간 검류계의 바늘의 움직임을 관찰한다.

4 가변 저항기의 저항값을 연속적으로 낮추면서 검류계의 바늘의 움직임을 관찰한다.

5 코일에 철심을 넣은 후 과정 **3~4**를 반복한다.

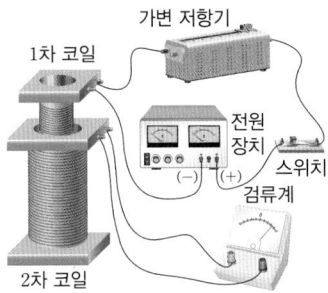

유의점
검류계는 사용 전에 영점 조정을 한다.

결과

• 스위치를 닫거나 여는 순간 검류계의 바늘이 움직인다. 이때 바늘이 움직이는 방향은 서로 반대 방향이다.
• 가변 저항기의 저항값을 연속적으로 낮추면 검류계의 바늘이 움직인다.
• 코일에 철심을 넣으면 검류계의 바늘이 움직이는 폭이 증가한다.

정리

• 스위치를 닫거나 열면 1차 코일에 흐르는 전류의 세기가 변하므로, 2차 코일에 상호유도 기전력이 발생한다.
• 1차 코일에 흐르는 전류의 세기가 증가하면 2차 코일에 상호유도 기전력이 발생한다.
• 코일에 철심을 넣으면 1차 코일에 흐르는 전류에 의한 자기 선속이 증가하므로, 2차 코일을 지나는 자기 선속의 시간 변화율도 증가하여 상호유도 기전력의 크기가 증가한다.

탐구 확인 문제

> 정답과 해설 **185**쪽

01 이 실험으로 알 수 있는 다음의 내용에 대해 서술하시오.

(1) 스위치를 닫은 상태에서 검류계에 전류가 흐르게 하는 방법을 쓰시오.

(2) 2차 코일에 흐르는 전류의 세기를 증가시키는 방법을 쓰시오.

02 그림과 같이 코일 A에는 전원 장치와 가변 저항을 연결하고, 코일 B에는 검류계를 연결하였다. 이에 대한 설명으로 옳은 것은?

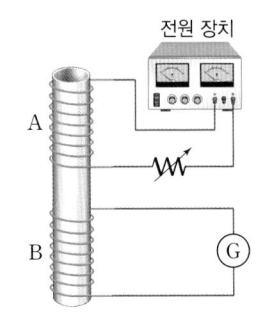

① A에 흐르는 전류의 세기가 일정하게 증가하면 B에는 유도 전류가 흐르지 않는다.
② A에 교류가 흐르면 B에 흐르는 유도 전류의 세기는 일정하다.
③ A에 세기가 센 직류가 흐르면 B에 흐르는 유도 전류의 세기도 증가한다.
④ A의 감은 수는 그대로 두고 B의 감은 수를 증가시키더라도 유도되는 기전력은 일정하다.
⑤ B의 감은 수는 그대로 두고 A의 감은 수를 증가시키면 유도되는 기전력은 감소한다.

맥스웰 방정식

가우스, 앙페르, 패러데이가 전기와 자기에 관하여 발견한 법칙은 맥스웰에 의해 4개의 방정식으로 정리되었다. 맥스웰 방정식과 그 의미를 알아보자.

① 장 개념의 발달

보스코비치(R. Boscovich, 1711~1787, 세르비아)는 한 물체와 그 물체에 힘을 작용하는 다른 물체 사이의 공간에는 힘을 전달하는 어떤 것으로 채워져 있다고 주장하고, 그것을 장이라고 불렀다. 패러데이는 역선을 이용하여 장 개념을 시각화하였으며, 장 개념은 맥스웰(J. C. Maxwell, 1831~1879, 영국)에 의해 정리되고 확장되어 중요성을 인정받게 되었다. 즉, 전기장과 자기장의 상호 작용에 관한 패러데이의 발견을 바탕으로 맥스웰은 장에서의 변화는 매우 빠르지만 유한한 광속으로 전달된다는 것을 발견하였다. 만약 장을 발생시키는 전하가 운동한다면 멀리 떨어진 전하에게는 이 정보가 즉각적으로 전달되지 않는다. 이 사실은 뉴턴 운동 제3법칙에 위배된다. 이 딜레마를 해결하기 위해 제안된 것이 아인슈타인의 상대성 이론이다.

역선
임의의 점에서 힘의 방향과 세기를 나타낸 것을 역선이라고 한다.

② 전자기학에서의 맥스웰 방정식

맥스웰은 전자기학의 발달 과정에서 확립된 가우스 법칙, 앙페르 법칙, 패러데이 법칙을 4가지 방정식으로 정리하였다.

> ㉠ $\oint E \cdot ds = \dfrac{q}{\varepsilon_0}$ (전기장에 대한 가우스 법칙)
>
> ㉡ $\oint B \cdot ds = 0$ (자기장에 대한 가우스 법칙)
>
> ㉢ $\oint E \cdot dl = -\dfrac{d\Phi_B}{dt}$ (패러데이 법칙)
>
> ㉣ $\oint B \cdot dl = \mu_0 I + \mu_0 \varepsilon_0 \dfrac{d\Phi_E}{dt}$ (앙페르-맥스웰 법칙)

(1) **전기장에 대한 가우스 법칙(㉠):** 어떤 폐곡면에 대한 전기장의 수직 성분 $E_\perp$의 면적분은 그 표면 안에 둘러싸인 총 전하량 q에 비례한다. 이때 비례 상수는 $\dfrac{1}{\varepsilon_0}$(ε_0: 유전율)이다. 즉, 전기력선은 (+)전하에서 나와 (−)전하로 들어가며, 고립된 전하(전자나 양성자)가 존재한다는 것을 의미한다. 이 법칙의 실험적 근거가 쿨롱 법칙이다.

(2) **자기장에 대한 가우스 법칙(㉡):** 어떤 폐곡면에 대한 자기장의 수직 성분 $B_\perp$의 면적분은 항상 0이다. 즉, 자기력선은 항상 폐곡선을 이루며, 전기장과 달리 자기장의 원천이 되는 자기 홀극이 없다는 것을 의미한다.

(3) **패러데이 법칙(㉢):** 폐곡선 내부의 자기 선속의 변화에 의해 폐곡선을 따라 전기장이 유도된다. 즉, 변화하는 자기장 또는 자기 선속이 전기장을 유도한다는 것을 의미한다. 전기장이 유도된다는 것은 유도 기전력이 생긴다는 의미이므로, 이 식은 전자기 유도 현상에서 유도 기전력 $V = \oint E \cdot dl = -\dfrac{d\Phi_B}{dt}$ 이다.

(4) **앙페르–맥스웰 법칙(ㄹ)**: 도선을 따라 흐르는 전류 I와 변위 전류 $I_d = \varepsilon_0 \dfrac{d\Phi_E}{dt}$에 의해 자기장이 유도된다. 즉, 도선에 흐르는 전류뿐만 아니라 공간상에서 전기장의 시간 변화율(변위 전류)이 자기장을 유도한다는 것을 의미한다.

- 변위 전류(I_d): 대전 입자의 운동으로 형성되는 전류가 아니라, 공간상에서 전기 선속의 시간 변화율에 따라 흐르는 전류를 변위 전류라고 한다.

그림과 같이 두 원판으로 구성된 축전기를 충전시키는 경우를 생각해 보자. 축전기가 충전되는 동안 한쪽 판에는 전류 I가 흘러 들어오고, 반대쪽 판에서는 전류 I가 흘러 나간다. 원형 경로 P를 따라 앙페르 법칙을 적용해 보면 다음과 같다.

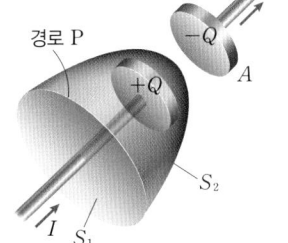

▲ **변위 전류**

$$\oint B \cdot dl = \mu_0 I_{\text{in}}$$

이때 I_{in}은 폐곡선으로 둘러싸인 단면을 지나는 전류이다.
먼저 경로 P로 둘러싸인 단면 S_1을 생각해 보면 I_{in}은 S_1을 지나는 전류 I와 같다. 그러나 볼록하게 나온 단면 S_2를 생각해 보면 S_2를 지나는 전류는 0이므로 $I_{\text{in}} = 0$이다. 따라서 하나의 경로 P를 따라 앙페르 법칙을 적용했을 때 $I_{\text{in}} = I$이면서 $I_{\text{in}} = 0$이라는 모순이 생긴다.
이 문제를 해결하기 위해 맥스웰은 공간상에서 전기 선속의 시간 변화율에 따라 흐르는 변위 전류라는 개념을 제안하였다.

축전기의 극판이 충전되면 두 극판 사이의 전기장 E와 전기 선속 Φ_E가 변한다. 축전기 극판의 면적을 S, 두 극판 사이의 간격을 d라고 하면 축전기의 전기 용량 $C = \varepsilon_0 \dfrac{S}{d}$이고, 두 극판 사이의 전위차 $V = Ed$이므로, 축전기에 충전되는 전하량 q는 다음과 같다.

$$q = CV = = \varepsilon_0 \frac{S}{d} \cdot Ed = \varepsilon_0 ES = \varepsilon_0 \Phi_E$$

축전기가 충전될 때 도선에 흐르는 전류 I_c는 단위 시간 동안 도선의 한 단면을 통과하는 전하량이므로, 다음과 같이 나타낼 수 있다.

$$I_c = \frac{dq}{dt} = \varepsilon_0 \frac{d\Phi_E}{dt}$$

또 두 극판 사이에서 전기 선속이 시간에 따라 변하므로 변위 전류 I_d는 다음과 같이 정의한다.

$$I_d = \varepsilon_0 \frac{d\Phi_E}{dt}$$

즉, 변위 전류 I_d는 축전기가 충전될 때 도선에 흐르는 전류 I_c와 같다. 따라서 변위 전류를 이용하여 앙페르 법칙을 확장하면 다음과 같고, 이를 앙페르–맥스웰 법칙이라고 한다.

$$\oint B \cdot dl = \mu_0 I_{\text{in}} = \mu_0 (I_c + I_d)$$

앙페르–맥스웰 법칙에 따르면 전류가 전혀 없는 빈 공간에서도 앙페르–맥스웰 법칙이 성립한다. 이는 전기장과 자기장이 시간에 따라 변할 때 이들이 상호 관련되어 있음을 뜻한다. 특히 공간의 어떤 영역에서 전기장이 변하면 전류와 매질 없이도 이웃 영역에 자기장이 유도되며, 이는 전자기파 개념으로 이어진다.

❸ 맥스웰 방정식의 의미

(1) **대칭성과 비대칭성:** 맥스웰 방정식을 살펴보면 ㉠과 ㉡의 좌변은 전기장과 자기장의 면적분인 $\oint E \cdot ds$, $\oint B \cdot ds$로 서로 대칭적이고, ㉢과 ㉣의 좌변도 전기장과 자기장의 선적분인 $\oint E \cdot dl$, $\oint B \cdot dl$로 서로 대칭적이다. 또 ㉢에서 자기장의 시간 변화율에 의해 전기장이 발생하고, ㉣에서 전기장의 시간 변화율에 의해 자기장이 발생하는 것도 대칭적이다.

그런데 맥스웰 방정식의 좌변은 대칭적이지만, 우변은 비대칭적이다. ㉠의 우변은 $\frac{q}{\varepsilon_0}$로 전하량 q가 있지만, ㉡의 우변은 0으로 아무것도 없다. 이는 전기에서 (+)전하와 (−)전하가 독립적으로 존재할 수 있으나, 자기에서는 N극이나 S극이 독립적으로 존재할 수 없다는 것을 의미한다. 즉, 고립된 자하(자기 홀극)가 존재하지 않는다는 것이다. 또한 ㉢과 ㉣의 우변은 각각 $\frac{d\Phi_B}{dt}$, $\frac{d\Phi_E}{dt}$가 있는 것까지는 대칭적이지만, ㉢에는 ㉣의 $\mu_0 I$에 해당하는 자기의 흐름과 같은 것이 없다. 이는 자기장이 전하의 운동이나 전기장의 시간 변화율에 의해 발생하는 반면, 전기장은 자기장의 시간 변화율에 의해서만 발생한다는 것을 의미한다.

(2) **시간에 따라 변하지 않는 경우와 변하는 경우의 맥스웰 방정식:** 맥스웰 방정식에서 장이 시간에 따라 변하지 않으면 쿨롱 법칙에 따른 정전기장이 구해진다.

반면 장이 시간에 따라 변할 때는 전기장의 변화가 전기장에 수직인 방향으로 자기장을 발생하고, 자기장의 변화가 자기장에 수직인 방향으로 전기장을 발생한다는 것을 보여준다. ㉢과 ㉣을 살펴보면 시간에 따라 변하는 한 종류의 장이 주위 영역에서 다른 종류의 장을 유도한다는 것을 알 수 있다. 즉, 시간에 따라 변하는 자기장은 전기장을 유도하고, 시간에 따라 변하는 전기장은 자기장을 유도한다. 이는 공간에 전기장을 만드는 전하나 자기장을 만드는 전류가 없어도 전기장과 자기장이 발생할 수 있다는 뜻이다. 이렇게 발생한 전기장과 자기장은 같은 위상이면서도 서로 수직하게 진동하는 파동이 되어 공간을 진행한다.

맥스웰은 이 관계로부터 시간에 따라 변하는 전기장과 자기장이 서로를 유도하며 공간의 한 영역에서 다른 영역으로 진행하는 전자기적 교란, 즉 전자기파의 존재를 예언하였다. 더 나아가 전자기파의 속력이 $\frac{1}{\sqrt{\varepsilon_0 \mu_0}} = 3 \times 10^8$ m/s임을 예언하고, 빛도 전자기파의 한 종류라는 가설을 제안하게 되었다.

(3) **자기 홀극:** 자기 홀극이 존재한다면 맥스웰 방정식의 대칭성은 훨씬 더 커질 것이다. ㉡의 우변에 ㉠의 전하 $\frac{q}{\varepsilon_0}$에 대응하는 자하에 관한 항이 나타날 것이고, ㉢의 우변에는 ㉣의 전류 I에 대응하는 자하의 흐름에 관한 항이 나타날 것이다.

자기 홀극은 맥스웰 방정식의 수학적 대칭성을 완전하게 만드는 데 도움이 된다. 그러나 자기 홀극은 실험적으로 확인되지 않았다.

03 상호유도

2. 자기장

① 상호유도

1. (❶   )　두 개의 코일을 가까이 놓고 한쪽 코일(1차 코일)에 흐르는 전류의 세기를 변화시키면 다른 코일(2차 코일)에 유도 기전력이 발생하는 현상

2. **상호유도에 의한 유도 전류의 방향**　2차 코일에 흐르는 유도 전류의 방향은 1차 코일에 의한 자기 선속의 변화를 (❷   )하는 방향

• 1차 코일에 흐르는 전류가 증가하면 2차 코일에는 1차 코일에 흐르는 전류에 의해 형성되는 자기장과 (❸   ) 방향으로 자기장을 형성하도록 유도 전류가 흐르고, 1차 코일에 흐르는 전류가 감소하면 2차 코일에는 1차 코일에 흐르는 전류에 의해 형성되는 자기장과 (❹   ) 방향으로 자기장을 형성하도록 유도 전류가 흐른다.

3. **상호유도 기전력**　시간 Δt 동안 1차 코일에 흐르는 전류의 세기가 ΔI_1만큼 변할 때 2차 코일에 발생하는 상호유도 기전력 V_2는 다음과 같다.

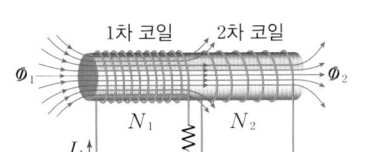

$$V_2 = -N_2 \frac{\Delta \Phi_2}{\Delta t} = -M \frac{\Delta I_1}{\Delta t} \text{ (단위: V)}$$

• 상호유도 계수(M): 코일의 모양, 감은 수, 두 코일의 상대적 위치, 코일 주위의 물질 등에 의해 결정되며, 단위로는 H(헨리)를 사용한다.

② 상호유도의 이용

1. (❺   )　상호유도를 이용하여 전압을 변화시키는 장치

• 변압기의 구조: 일반적으로 변압기는 사각형 모양의 철심에 두 개의 코일이 각각 감긴 구조이다. 이때 (❻   )은 코일을 지나는 자기 선속을 증가시키고, 1차 코일에서 발생한 자기 선속이 모두 2차 코일을 지나도록 해 준다.

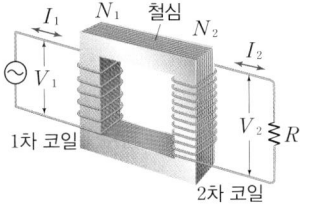

• 이상적인 변압기에서 코일의 감은 수, 전압, 전류 사이에는 다음의 관계가 성립한다.

$$\frac{V_1}{V_2} = \frac{N_1}{N_2} = \frac{I_2}{I_1}$$

• 코일의 양단에 걸리는 전압은 코일의 감은 수에 비례하고, 코일에 흐르는 전류의 세기는 코일의 감은 수에 (❼   )한다.

• 변압기의 이용: 발전소의 변압기, 가정의 변압기, 전자 회로 등

2. **고압 방전 장치**　상호유도를 이용하여 가까이 있는 두 금속 사이에 순간적으로 큰 전압을 걸어 (❽   )이 일어나도록 하는 장치 ➡ 이용: 자동차의 점화 플러그 등

3. **무선 인식(RFID)**　물체의 정보를 비접촉 방식으로 수집, 판독한 후 저장 및 처리하는 기술 ➡ 이용: 교통 카드, 출입 카드, 도서관 무인 대출 시스템 등

4. **무선 충전**　전력을 전선으로 전송하여 기기를 충전하는 방식 대신, 전력을 공간을 통해 무선으로 전송하여 기기를 충전하는 기술 ➡ 이용: 휴대 전화 무선 충전 패드, 무선 충전 전동 칫솔, 무선 충전 전기 자동차 등

01 상호유도에 의한 현상만을 보기에서 모두 고르시오.

> **보기**
> ㄱ. 코일에 자석을 가까이 가져가면 코일에 전류가 흐른다.
> ㄴ. 전동 칫솔을 무선 충전기 위에 올려놓으면 전동 칫솔이 충전된다.
> ㄷ. 전류가 흐르는 도선 주위에 나침반을 놓으면 나침반의 자침이 회전한다.

02 그림은 2중 코일의 1차 코일에는 전원과 스위치, 가변 저항기를, 2차 코일에는 검류계를 연결한 모습을 나타낸 것이다. 검류계에 전류가 흐르는 경우만을 보기에서 있는 대로 고르시오.

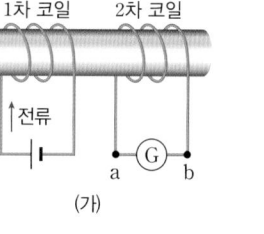

> **보기**
> ㄱ. 스위치를 닫는 순간   ㄴ. 스위치를 닫고 있을 때
> ㄷ. 스위치를 여는 순간   ㄹ. 스위치를 열고 있을 때

03 그림 (가)는 철심에 1차 코일과 2차 코일을 감고, 1차 코일에는 전원을, 2차 코일에는 검류계를 연결한 모습을 나타낸 것이다. 그림 (나)는 (가)의 1차 코일에 흐르는 전류 I를 시간 t에 따라 나타낸 것이다.

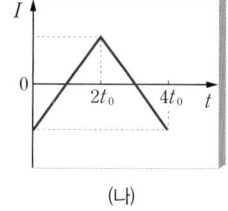

(가)   (나)

검류계에 흐르는 전류 $I_{ⓖ}$를 시간 t에 따라 나타내시오. (단, 1차 코일에 흐르는 전류는 화살표 방향일 때를, 검류계에 흐르는 전류는 a → ⓖ → b 방향일 때를 (+)로 한다.)

04 그림은 원형 철심에 코일 A와 B를 감고, A에는 전원과 스위치 S를, B에는 검류계를 연결한 모습을 나타낸 것이다.

S를 닫고 충분한 시간이 지난 후에 S를 열었다. 이에 대한 설명으로 옳은 것만을 보기에서 있는 대로 고르시오.

> **보기**
> ㄱ. S를 닫는 순간 검류계에는 a → ⓖ → b 방향으로 전류가 흐른다.
> ㄴ. S를 닫고 있는 동안 검류계에 흐르는 전류의 세기는 일정하다.
> ㄷ. S를 여는 순간 원형 철심 내부의 자기장은 즉시 0이 된다.

05 그림은 1차 코일과 2차 코일의 감은 수가 각각 $2N$, N인 변압기에서 1차 코일의 양단에 걸리는 전압이 V일 때 2차 코일에 연결된 저항에 세기가 I인 전류가 흐르는 모습을 나타낸 것이다.

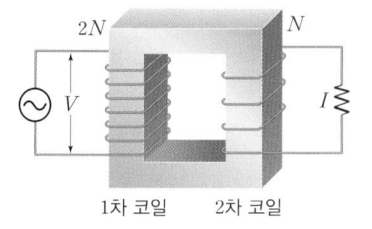

1차 코일   2차 코일

1차 코일에 공급되는 전력을 구하시오. (단, 변압기에서의 전력 손실은 무시한다.)

06 그림은 1차 코일과 2차 코일의 감은 수가 각각 N_1, N_2인 변압기의 1차 코일에는 전압이 V인 교류 전원을 연결하고, 2차 코일에는 저항값이 R인 저항을 연결한 모습을 나타낸 것이다. $N_1 < N_2$이다.

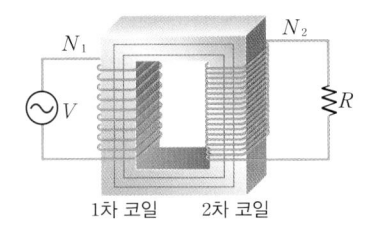

1차 코일에서가 2차 코일에서보다 큰 값을 갖는 물리량만을 보기에서 있는 대로 고르시오. (단, 변압기에서의 전력 손실은 무시한다.)

보기
ㄱ. 코일의 양단에 걸리는 전압
ㄴ. 코일에 흐르는 전류의 세기
ㄷ. 코일을 지나는 자기 선속

07 그림은 가정에서 사용하는 소형 변압기에 전기 기구(저항)를 병렬연결한 모습을 나타낸 것이다.

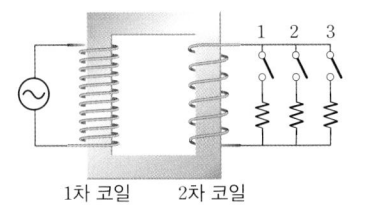

변압기에 연결된 전기 기구의 스위치 1, 2, 3을 차례로 닫을 때 나타나는 현상으로 옳은 것만을 보기에서 있는 대로 고르시오. (단, 변압기에서의 전력 손실은 무시한다.)

보기
ㄱ. 1차 코일의 양단에 걸리는 전압이 증가한다.
ㄴ. 2차 코일에 흐르는 전류의 세기가 증가한다.
ㄷ. 1차 코일에서 2차 코일로 전달하는 전력이 증가한다.

08 1차 코일과 2차 코일의 감은 수가 각각 10000회, 220회인 변압기를 회로에 연결하였을 때 2차 코일의 양단에 걸리는 전압이 220 V이고, 2차 코일에 흐르는 전류의 세기가 2 A이다. (단, 변압기에서의 전력 손실은 무시한다.)

(1) 1차 코일의 양단에 걸리는 전압(V)과 1차 코일에 흐르는 전류의 세기(A)를 각각 구하시오.

(2) 1차 코일에서 2차 코일로 전달하는 전력은 몇 W인지 구하시오.

09 전압을 높이는 장치를 승압 변압기라고 하고, 전압을 낮추는 장치를 강압 변압기라고 한다.
승압 변압기와 강압 변압기의 구조는 어떤 차이가 있을지 서술하시오.

10 그림은 인덕션 레인지의 구조를 간단히 나타낸 것이다.

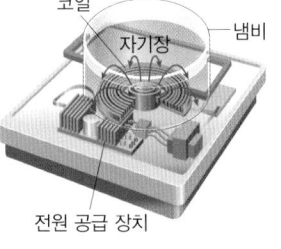

이에 대한 설명으로 옳은 것만을 보기에서 있는 대로 고르시오.

보기
ㄱ. 인덕션 레인지 내부의 코일에서 발생하는 자기장의 세기와 방향은 일정하다.
ㄴ. 냄비에는 전자기 유도에 의해 전류가 흐른다.
ㄷ. 절연체 냄비를 사용해도 음식물을 익힐 수 있다.

개념 적용 문제

03 상호유도

> 정답과 해설 186쪽

01

> 상호유도

그림은 1차 코일과 검류계가 연결된 2차 코일을 마주 보도록 고정시킨 모습을 나타낸 것이다. 1차 코일에 세기가 I_1인 전류가 화살표 방향으로 흐를 때 발생하는 자기장 B_1에 의한 2차 코일의 자기 선속은 Φ이다.

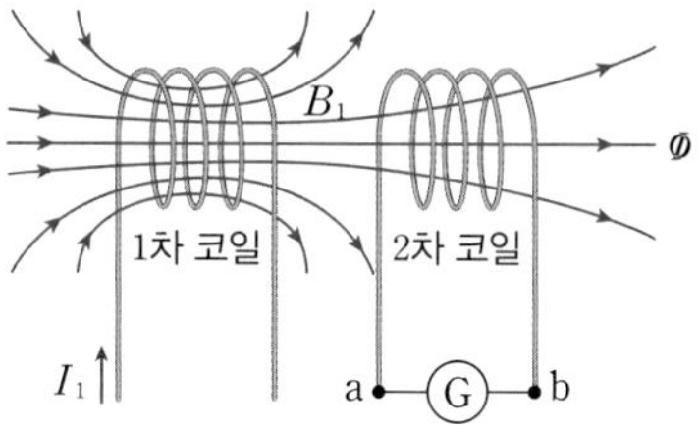

2차 코일에 일정한 세기의 전류가 b → Ⓖ → a 방향으로 흐를 때, 이에 대한 설명으로 옳은 것만을 보기에서 있는 대로 고른 것은?

보기

ㄱ. B_1의 세기가 증가한다.
ㄴ. Φ의 시간 변화율은 일정하다.
ㄷ. I_1이 감소한다.

① ㄱ ② ㄴ ③ ㄷ ④ ㄱ, ㄴ ⑤ ㄴ, ㄷ

• 2차 코일을 지나는 자기 선속의 시간 변화율이 일정하면 유도 기전력도 일정하다.

02

고난도

> 상호유도

그림 (가)는 철심에 코일 a와 b를 감고, a에는 교류 전원과 저항을, b에는 검류계를 연결한 모습을 나타낸 것이다. 그림 (나)는 a에 흐르는 전류를 시간에 따라 나타낸 것이다.

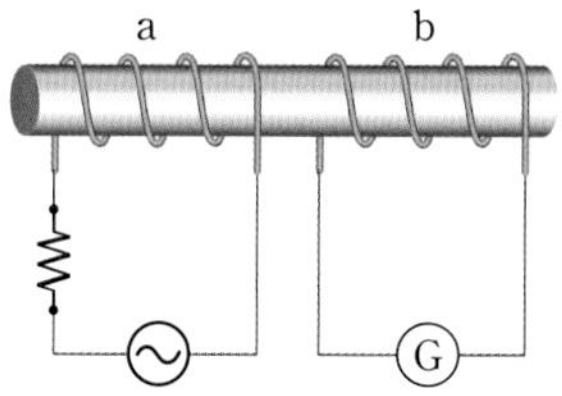

(가)

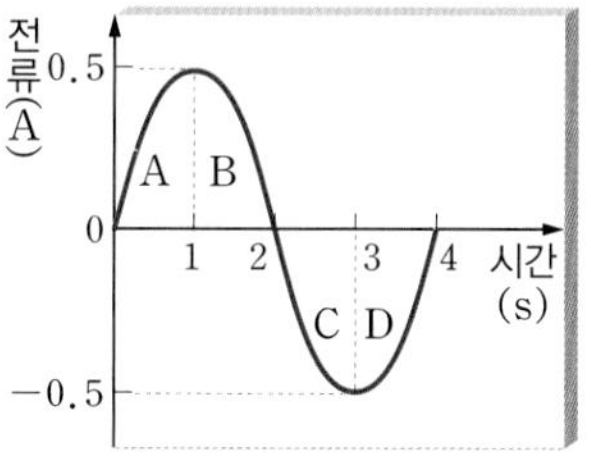

(나)

구간 A～D 중 b에 흐르는 전류의 방향이 같은 구간끼리 짝 지은 것은?

① A, B ② A, C ③ B, C ④ B, D ⑤ C, D

• b에는 a에 흐르는 전류에 의한 자기 선속의 변화를 방해하는 방향으로 유도 기전력이 발생한다.

03 ▸상호유도

그림 (가)는 철심에 코일 L_1과 L_2를 감고, L_1에는 교류 전원을, L_2에는 검류계를 연결한 모습을 나타낸 것이다. 그림 (나)는 L_2에 흐르는 전류 I를 시간 t에 따라 나타낸 것으로, 전류가 c → L_2 → d 방향으로 흐를 때를 (+)로 한다.

• 2차 코일에 흐르는 전류의 세기는 1차 코일에 흐르는 전류의 시간 변화율에 비례한다.

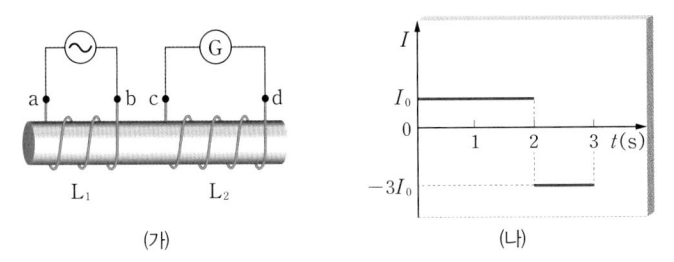

(가)　　　　　　　　(나)

이에 대한 설명으로 옳은 것만을 보기에서 있는 대로 고른 것은? (단, 0초일 때 L_1에 흐르는 전류는 0이다.)

보기
ㄱ. 0초부터 2초까지 L_1에 흐르는 전류의 세기는 일정하다.
ㄴ. 1초일 때 L_1에는 b → L_1 → a 방향으로 전류가 흐른다.
ㄷ. 3초일 때 L_1에 흐르는 전류의 세기는 0이다.

① ㄱ　　　② ㄴ　　　③ ㄱ, ㄴ　　　④ ㄱ, ㄷ　　　⑤ ㄴ, ㄷ

04 고난도 ▸교류에 의한 상호유도

그림 (가)는 중심이 같고, 반지름이 서로 다른 두 원형 도선 P와 Q가 종이면에 고정된 모습을 나타낸 것으로, P에는 교류 전원, 저항, 검류계가 연결되어 있다. 그림 (나)는 Q에 흐르는 유도 전류를 시간에 따라 나타낸 것으로, 전류가 시계 방향으로 흐를 때를 (+)로 한다.

• P에 흐르는 전류가 $I(t)$일 때 Q에 발생하는 유도 기전력은 $-M\dfrac{\Delta I(t)}{\Delta t}$이다.

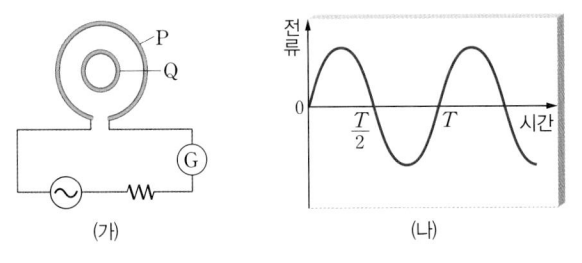

(가)　　　　　　　　(나)

P에 흐르는 전류에 대한 설명으로 옳은 것만을 보기에서 있는 대로 고른 것은?

보기
ㄱ. 0~T 동안 전류의 방향은 2번 바뀐다.
ㄴ. 전류의 세기는 $\dfrac{T}{2}$일 때가 $\dfrac{T}{4}$일 때보다 세다.
ㄷ. $\dfrac{T}{8}$일 때 P에는 전류가 시계 방향으로 흐른다.

① ㄱ　　　② ㄷ　　　③ ㄱ, ㄴ　　　④ ㄴ, ㄷ　　　⑤ ㄱ, ㄴ, ㄷ

05 ❯ 교류에 의한 상호유도

그림은 철심에 1차 코일과 2차 코일을 감고, 1차 코일에는 전압 V가 시간 t에 따라 $V = V_0 \sin\omega t$로 변하는 교류 전원과 저항값이 R인 저항을, 2차 코일에는 검류계를 연결한 모습을 나타낸 것이다. 상호유도 계수는 M이다.

이에 대한 설명으로 옳은 것만을 보기에서 있는 대로 고른 것은?

보기

ㄱ. 2차 코일에 발생하는 상호유도 기전력의 최댓값은 $\dfrac{\omega M V_0}{R}$이다.

ㄴ. 2차 코일에 발생하는 상호유도 기전력의 진동수는 $\dfrac{\omega}{2\pi}$이다.

ㄴ. 1차 코일에 전류가 화살표 방향으로 흐르는 동안 2차 코일에 흐르는 유도 전류의 방향은 일정하다.

① ㄱ   ② ㄴ   ③ ㄱ, ㄴ   ④ ㄱ, ㄷ   ⑤ ㄴ, ㄷ

• 2차 코일에 발생하는 상호유도 기전력 $V_2 = -M\dfrac{\Delta I_1}{\Delta t}$이다.

06 ❯ 변압기와 자기 선속의 변화   고난도

그림은 하나의 코일이 1차 코일과 2차 코일의 역할을 동시에 하는 변압기에서 1차 코일에는 전압이 일정한 교류 전원을 연결하고, 2차 코일에는 저항을 연결한 모습을 나타낸 것이다. 1차 회로와 2차 회로는 각각 코일이 N_1, N_2번 감긴 부분이 연결되어 있다.

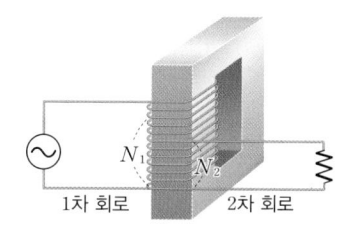

이에 대한 설명으로 옳은 것만을 보기에서 있는 대로 고른 것은?(단, 변압기에서의 전력 손실은 무시한다.)

보기

ㄱ. N_1만 증가시키면 저항의 소비 전력은 감소한다.

ㄴ. N_2만 증가시키면 1차 회로에 흐르는 전류의 세기는 증가한다.

ㄷ. N_1과 N_2를 모두 2배로 증가시키면 코일을 지나는 자기 선속의 시간 변화율은 감소한다.

① ㄴ   ② ㄷ   ③ ㄱ, ㄴ   ④ ㄱ, ㄷ   ⑤ ㄱ, ㄴ, ㄷ

• 2차 코일에 발생하는 상호유도 기전력 $V_2 = -N_2\dfrac{\Delta \Phi_2}{\Delta t}$이다.

> 변압기와 소비 전력

그림은 1차 코일과 2차 코일의 감은 수가 각각 N_1, N_2인 변압기의 1차 코일에는 교류 전원과 저항값이 $25R_0$인 송전선을 연결하고, 2차 코일에는 저항값이 R_0인 저항 2개를 각각 스위치와 함께 병렬연결한 모습을 나타낸 것이다. 교류 전원에서 공급하는 전력은 스위치 S_1과 S_2를 모두 닫았을 때가 S_1만 닫았을 때의 3배이고, S_1만 닫았을 때와 S_1과 S_2를 모두 닫았을 때 저항 1개에 흐르는 전류의 세기는 같다.

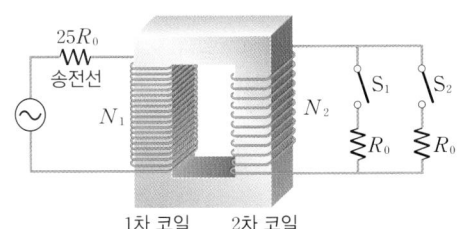

$\dfrac{N_1}{N_2}$은?

① 2   ② 3   ③ 4   ④ 5   ⑤ 9

• S_1과 S_2를 모두 닫으면 2차 코일에 흐르는 전류는 2배가 된다.

08

> 상호유도의 이용

다음은 무선 이어폰 충전에 대한 설명이다.

> 진동수가 60 Hz인 교류 전원에 무선 이어폰용 무선 충전기를 연결하면 무선 충전기의 송전용 코일에 ⓐ자기장이 발생하고, 무선 충전기에 무선 이어폰을 가까이 가져가면 상호유도에 의해 무선 이어폰의 수전용 코일에 ⓑ유도 전류가 흐른다.
>
>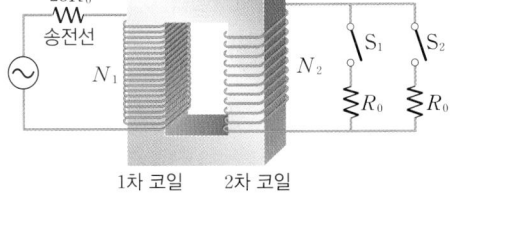

이에 대한 설명으로 옳은 것만을 보기에서 있는 대로 고른 것은?

보기

ㄱ. ⓐ의 진동수는 60 Hz이다.

ㄴ. ⓑ의 방향은 일정하다.

ㄷ. 송전용 코일에 흐르는 전류의 세기가 최대일 때 수전용 코일에 흐르는 전류의 세기도 최대이다.

① ㄱ   ② ㄴ   ③ ㄷ   ④ ㄱ, ㄷ   ⑤ ㄴ, ㄷ

• 송전용 코일에 발생하는 자기장의 세기와 방향이 변하면 수전용 코일에 유도 기전력이 발생하여 교류가 흐른다.

01 ▶ 전기장과 전기력선

그림 (가)는 전하량의 크기가 각각 q_A, q_B이고, 서로 다른 종류의 전하로 대전된 동일한 두 금속구 A와 B가 거리 r만큼 떨어져 고정된 모습을 나타낸 것이다. 그림 (나)는 (가)의 A와 B를 접촉시켰다가 다시 거리 r만큼 떨어져 고정시켰을 때 A와 B 주위의 전기장을 전기력선으로 나타낸 것이다. (가) 상태에서 A와 B 주위의 전기장을 전기력선으로 나타낸 것으로 가장 적절한 것은? (단, $q_A > q_B$이다.)

①   ②   ③

④   ⑤

• 동일한 두 금속구를 접촉시키면 전하량의 합이 절반씩 나누어진다.

02 ▶ 정전기 유도와 전기력

그림 (가)는 절연된 실에 매달린 대전된 금속구 A에 대전되지 않은 금속구 B를 가까이 가져갔을 때 A가 B에 끌려와 붙었다가 밀려나 정지한 모습을 나타낸 것이다. 그림 (나)는 (가)에서 B를 치우고 A에 대전된 금속구 C를 가까이 가져갔을 때 A가 C에 끌려와 붙었다가 밀려나 정지한 모습을 나타낸 것이다. (가)와 (나)에서 A를 매단 실이 연직선과 이루는 각은 각각 θ_1, θ_2이고, B와 C의 위치는 같다. A, B, C의 크기와 재질은 같고, (가)에서 B와 접촉하기 전 A와 (나)에서 A와 접촉하기 전 C의 전하량의 크기는 같다.

이에 대한 설명으로 옳은 것만을 보기에서 있는 대로 고른 것은?

보기

ㄱ. (가)에서 B와 접촉한 후 A와 (나)에서 C와 접촉한 후 A는 서로 같은 종류의 전하를 띤다.

ㄴ. A와 접촉한 후 전하량의 크기는 B가 C보다 크다.

ㄷ. θ_1은 θ_2보다 크다.

① ㄱ   ② ㄷ   ③ ㄱ, ㄴ   ④ ㄴ, ㄷ   ⑤ ㄱ, ㄴ, ㄷ

• 대전된 금속구에 대전되지 않은 금속구를 가까이 가져가면 대전되지 않은 금속구에서 정전기 유도가 일어나 두 금속구 사이에는 서로 끌어당기는 전기력이 작용한다.

03 > 저항의 혼합 연결
그림과 같이 저항값이 4 Ω인 저항 4개와 10 Ω인 저항 1개를 연결하였다.

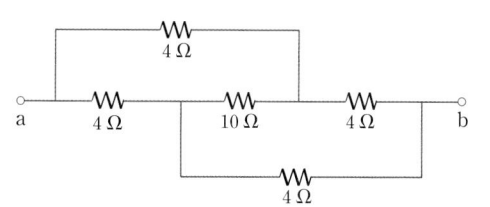

단자 a와 b 사이의 합성 저항은?

① 3 Ω   ② 4 Ω   ③ 8 Ω   ④ 16 Ω   ⑤ 26 Ω

• 전위차가 0인 저항 사이에는 전류가 흐르지 않는다.

04 > 트랜지스터를 이용한 증폭 회로에서 저항을 이용한 전압 분할
그림은 트랜지스터를 이용한 교류 신호 증폭 회로의 모습을 나타낸 것이다.

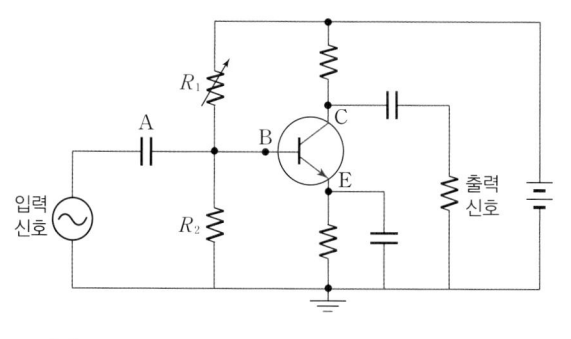

이에 대한 설명으로 옳은 것만을 보기에서 있는 대로 고른 것은?

• 트랜지스터의 출력 신호는 전류 증폭률에 따라 결정되며, 축전기에 직류 전원을 연결하면 전류가 흐르지 않는다.

> **보기**
> ㄱ. 가변 저항의 저항값인 R_1을 증가시키면 베이스와 이미터 사이에 걸리는 바이어스 전압은 증가한다.
> ㄴ. 축전기 A는 입력 신호 중 직류 성분은 차단하고, 교류 성분만 통과시킨다.
> ㄷ. R_1을 증가시키면 컬렉터 전류가 증가한다.

① ㄴ   ② ㄷ   ③ ㄱ, ㄴ   ④ ㄱ, ㄷ   ⑤ ㄱ, ㄴ, ㄷ

05 ❯ 저항의 혼합 연결과 축전기

그림은 전압이 일정한 전원에 저항값이 R인 저항 5개와 전기 용량이 각각 C_1, C_2, C_3인 축전기 3개를 연결한 모습을 나타낸 것이다. 전기 용량이 C_1, C_2인 축전기에 충전된 전하량은 같고, 전기 용량이 C_1인 축전기에 저장된 전기 에너지는 전기 용량이 C_3인 축전기에 저장된 전기 에너지의 **5배**이다.

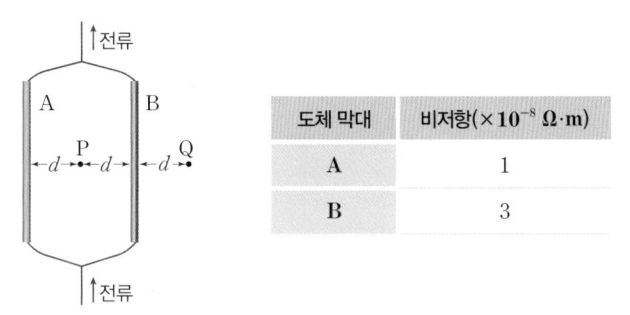

$C_1 : C_2 : C_3$은?

① $2 : 3 : 5$ ② $2 : 5 : 8$ ③ $2 : 5 : 10$

④ $4 : 5 : 20$ ⑤ $4 : 5 : 25$

> 축전기에 충전되는 전하량 $Q = CV$이고, 축전기에 저장되는 전기 에너지 $W = \frac{1}{2}CV^2$이다.

06 ❯ 비저항과 직선 도선에 흐르는 전류에 의한 자기장

그림은 세기가 일정한 전류가 흐르는 도선에 길이와 단면적이 같은 평행한 두 원통형 도체 막대 A와 B가 연결된 모습을 나타낸 것이다. 이때 도선과 A, B는 같은 평면에 고정되어 있고, A, P점, B, Q점 사이의 간격은 d로 모두 같다. 표는 A와 B의 비저항을 나타낸 것이다.

↑전류

A   B

←d→ P ←d→ ←d→ Q

↑전류

도체 막대	비저항($\times 10^{-8}$ Ω·m)
A	1
B	3

> 길이와 단면적이 같은 도체 막대에 흐르는 전류의 세기는 비저항에 반비례한다.

이에 대한 설명으로 옳은 것만을 보기에서 있는 대로 고른 것은?

보기
ㄱ. 자기장의 방향은 P와 Q에서가 같다.
ㄴ. 자기장의 세기는 P와 Q에서가 같다.
ㄷ. A와 B의 위치를 바꾸어도 P에서의 자기장의 세기는 변하지 않는다.

① ㄱ   ② ㄷ   ③ ㄱ, ㄴ   ④ ㄴ, ㄷ   ⑤ ㄱ, ㄴ, ㄷ

07 ▷ 전자기 유도

그림 (가)는 종이면에 수직으로 들어가는 방향의 균일한 자기장 영역 Ⅰ과 Ⅱ에 사각형 도선의 일부가 고정되어 있는 모습을 나타낸 것이다. 이때 도선이 Ⅰ과 Ⅱ에 걸친 면적은 각각 S, $2S$ 이다. 그림 (나)는 Ⅰ과 Ⅱ에서 자기장의 세기를 시간에 따라 나타낸 것이다.

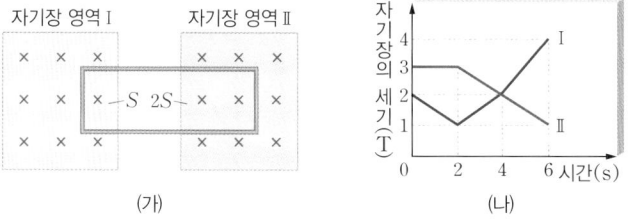

(가)　　　　　　　　(나)

이에 대한 설명으로 옳은 것만을 보기에서 있는 대로 고른 것은?

> 보기
>
> ㄱ. 1초일 때 도선에는 유도 전류가 시계 방향으로 흐른다.
> ㄴ. 3초일 때 도선에는 유도 전류가 흐르지 않는다.
> ㄷ. 도선에 흐르는 유도 전류의 세기는 5초일 때가 1초일 때보다 크다.

① ㄱ　　　② ㄷ　　　③ ㄱ, ㄴ　　　④ ㄴ, ㄷ　　　⑤ ㄱ, ㄴ, ㄷ

• 자기 선속의 변화량 $\Delta\Phi = \Delta(B \cdot S)$ 이다.

08 ▷ 상호유도

그림 (가)는 철심에 1차 코일과 2차 코일을 감고, 1차 코일에는 전압이 변하는 전원 장치를, 2차 코일에는 교류 전압계를 연결한 모습을 나타낸 것이다. 그림 (나)는 2차 코일에 연결된 교류 전압계로 측정한 전압을 시간에 따라 나타낸 것이다.

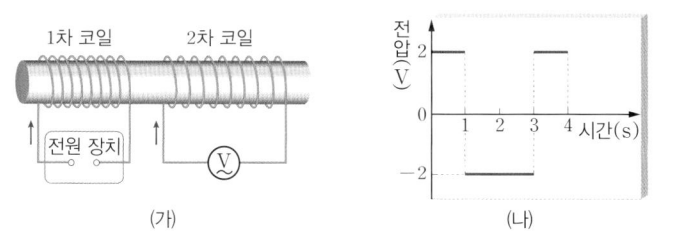

(가)　　　　　　　　(나)

1차 코일에 흐르는 전류 I를 시간 t에 따라 나타낸 것으로 가장 적절한 것은?(단, 전류가 화살표 방향으로 흐를 때를 (+)로 한다.)

• 2차 코일에 흐르는 전류의 세기는 1차 코일에 흐르는 전류의 시간 변화율에 비례하고, 2차 코일에 흐르는 전류의 방향은 1차 코일에 의한 자기 선속의 변화를 방해하는 방향이다.

01 그림은 전하량이 $+Q_0$인 점전하를 중심으로 안쪽 빈 공간의 반지름이 d이고, 두께가 d인 도체 껍질이 고정되어 있는 모습을 나타낸 것이다.

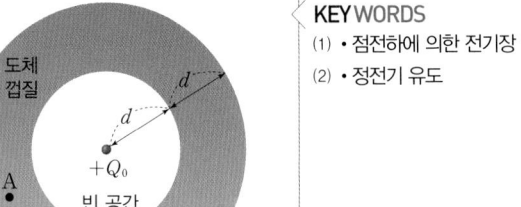

KEY WORDS
(1) • 점전하에 의한 전기장
(2) • 정전기 유도

(1) A점과 B점에서의 전기장의 모양을 서술하시오.

(2) A점에서의 전기장을 (1)에서와 같이 생각한 까닭을 서술하시오.

02 다음은 정전기 유도에 대한 실험 과정과 결과이다.

KEY WORDS
(1) • 마찰 전기
     • 정전기 유도
(2) • 전기력

[실험 과정]
(가) 재질이 다른 절연체 A와 B를 서로 마찰시킨다.
(나) 절연된 실에 매달린 (+)전하로 대전된 금속구에 A를 가까이 가져간다.
(다) 대전되지 않은 검전기의 금속판에 B를 가까이 가져간다.

[실험 결과]
과정 (나)에서 (+)전하로 대전된 금속구는 A 쪽으로 끌려가고, (다)에서 B를 가까이 가져간 검전기의 금속박은 벌어진다.

금속구

금속판

B

A

금속박

(1) 실험 결과 A, B, 금속판, 금속박이 띠는 전하의 종류를 쓰시오.

(2) 과정 (나)에서 금속구에 A 대신 B를 가까이 가져갈 때 금속구의 움직임을 예상하시오.

03

그림과 같이 전압이 220 V로 일정한 전원에 정격 전압이 110 V인 전기 기구 A, B와 정격 전압이 220 V인 전기 기구 C를 연결하였다. 각 전기 기구의 내부에는 허용 전류 이상의 전류가 흐를 때 끊어지는 퓨즈(차단 장치)가 저항에 직렬로 연결되어 있다.

KEY WORDS
(1) • 저항의 병렬연결
(2) • 저항의 직렬연결

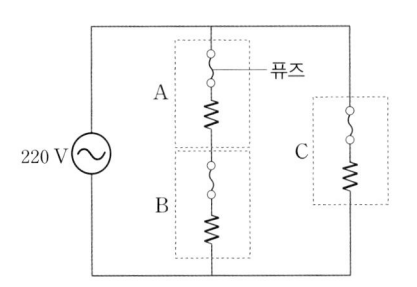

(1) 이 회로에서 알 수 있는 저항의 병렬연결의 장점 2가지를 서술하시오.

(2) 이 회로에서 알 수 있는 저항의 직렬연결의 장점 2가지를 서술하시오.

04

다음은 축전기의 충전과 방전에 대한 실험 과정이다.

KEY WORDS
(1) • 전하량
  • 합성 전기 용량
(2) • 축전기의 충전과 방전
  • 축전기에 걸리는 전압

[실험 과정]

(가) 그림과 같이 전기 용량이 각각 C_1, C_2인 축전기 A, B와 스위치 S를 연결한다.

(나) 전압이 V_0으로 일정한 전원에 A를 연결하여 완전히 충전한 후 전원을 차단한다.

(다) S를 a에 연결하여 B를 완전히 충전시킨다.

(라) S를 b에 연결하여 B를 완전히 방전시킨다.

(1) 과정 (다)에서 B에 충전되는 전하량을 구하시오.

(2) 과정 (다)와 (라)를 n번 반복하였을 때, A에 걸리는 전압을 풀이 과정과 함께 구하시오.

05 다음은 트랜지스터를 이용한 논리 게이트에 대한 설명이다.

KEY WORDS
(1) • 트랜지스터의 직렬연결과 병렬연결
 • 스위칭 작용
(2) • 순방향 바이어스와 역방향 바이어스

디지털 논리 회로에서는 트랜지스터의 스위칭 작용을 이용하여 논리 연산을 한다. 이는 회로에 전류가 흐르면 '1', 전류가 흐르지 않으면 '0'으로 나타내며, AND 게이트, OR 게이트 등의 논리 게이트를 조합하여 구성한다.

AND 게이트와 OR 게이트는 그림에서와 같이 2개의 트랜지스터를 이용한다. 각 트랜지스터의 베이스에 연결된 단자 A와 B를 입력 단자로 활용하며, 출력 단자에 발광 다이오드(LED)를 연결하여 출력 단자에 전류가 흐르는지 여부를 확인한다. AND 게이트는 2개의 트랜지스터가 직렬연결된 것으로, A와 B 중 한쪽이라도 전류가 입력되지 않으면 출력 단자에 전류가 흐르지 않는다. 즉, 두 입력 신호가 모두 '1'일 때에만 '1'을 출력한다. OR 게이트는 2개의 트랜지스터가 병렬연결된 것으로, A와 B 중 한쪽이라도 전류가 입력되면 출력 단자에 전류가 흐른다. 즉, 두 입력 신호가 모두 '0'일 때에만 '0'을 출력한다.

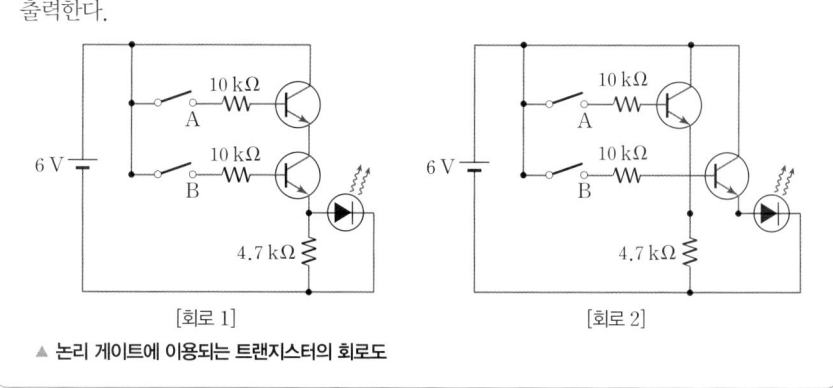

▲ 논리 게이트에 이용되는 트랜지스터의 회로도

(1) [회로 1]과 [회로 2]의 회로도를 보고, 다음의 진리표를 완성하시오.

[회로 1]			[회로 2]		
입력		출력	입력		출력
A	B	LED	A	B	LED
0	0		0	0	
0	1		0	1	
1	0		1	0	
1	1		1	1	

(2) A는 '1', B는 '0'일 때, [회로 1]과 [회로 2]에서 전류의 흐름을 트랜지스터의 동작과 관련지어 각각 서술하시오.

06 그림과 같이 y축 위에 고정된 무한히 긴 직선 도선과 yz 평면 위에 P점을 중심으로 하고 반지름이 1 m인 원형 도선이 이어져 있다. 또 y축으로부터 1 m 떨어져 xy 평면 위에 y축과 평행하게 고정된 무한히 긴 직선 도선이 있다.

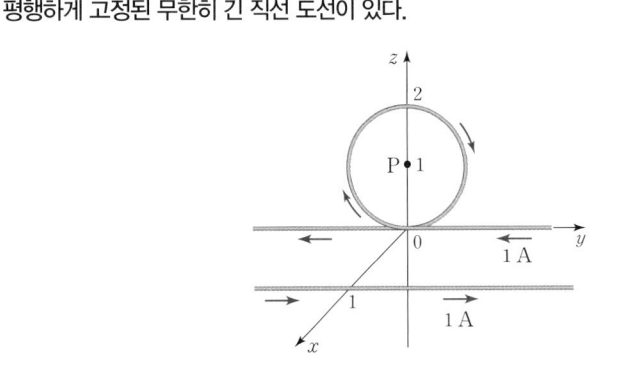

각 도선에 세기가 1 A인 전류가 화살표 방향으로 흐를 때, P에서의 자기장의 세기를 풀이 과정과 함께 구하시오. (단, $k = 2 \times 10^{-7}$ T·m/A이고, $k' = 2\pi \times 10^{-7}$ T·m/A이다.)

07 그림은 1차 코일, 2차 코일, 3차 코일의 감은 수가 각각 N_1, N_2, N_3인 변압기의 1차 코일에는 전압의 최댓값이 V_0으로 일정한 교류 전원이, 2차 코일과 3차 코일에는 저항값이 각각 R, $2R$인 저항이 연결된 모습을 나타낸 것이다. 표는 변압기의 철심을 반시계 방향으로 회전시킬 때, 교류 전원에 연결되는 코일의 감은 수 N에 따라 저항값이 R인 저항의 양단에 걸리는 전압의 최댓값 V_R를 나타낸 것이다. (단, 변압기에서의 전력 손실은 무시한다.)

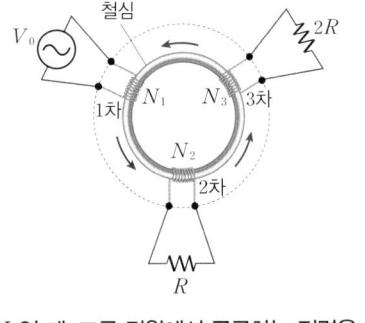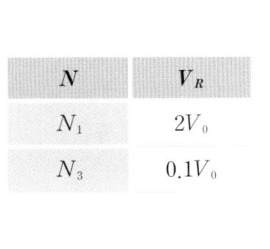

N	V_R
N_1	$2V_0$
N_3	$0.1V_0$

(1) $N = N_1$일 때, 교류 전원에서 공급하는 전력을 풀이 과정과 함께 구하시오.

(2) 교류 전원에서 공급하는 전력이 최대일 때와 최소일 때의 전력을 각각 P_{max}, P_{min}이라고 할 때, $\dfrac{P_{max}}{P_{min}}$를 구하시오.

예시 문제

다음 제시문을 읽고, 물음에 답하시오.

● 출제 의도
전기력에 의한 퍼텐셜 에너지와 광전 효과를 연관지어 전기력에 의해 구속된 전자를 탈출시키는 상황에서 빛의 입자성과 문턱 진동수의 개념을 적용할 수 있는지를 평가한다.

〈제시문 1〉 1785년, 쿨롱은 전하량이 각각 q_1, q_2인 두 전하가 거리 r만큼 떨어져 있을 때 두 전하 사이에 작용하는 전기력의 크기 $F=k\dfrac{q_1 q_2}{r^2}$(k: 쿨롱 상수)임을 알아내었다. 이에 따라 전하량이 각각 $-q$, $+Q$인 두 전하 사이에는 인력이 작용하므로, 두 전하 사이의 거리를 증가시키기 위해서는 외부에서 일을 해 주어야 한다. 따라서 $-q$인 전하는 외부로부터 받은 일과 같은 양의 에너지를 갖게 된다. 이를 전기력에 의한 퍼텐셜 에너지 E_p라고 하며, $E_p=-k\dfrac{qQ}{r}$로 주어진다.

만약 $-q$인 전하 주위에 여러 개의 $+Q$인 전하가 서로 다른 위치에 놓여 있다면 $-q$인 전하의 전기력에 의한 퍼텐셜 에너지는 각각의 $+Q$인 전하에 대해 $-q$인 전하가 갖는 전기력에 의한 퍼텐셜 에너지의 합이다. 예를 들어 $-q$인 전하로부터 $+Q$인 전하 2개가 각각 r_1, r_2만큼 떨어져 있을 때 $-q$인 전하가 갖는 전기력에 의한 퍼텐셜 에너지 $E_p=-k\dfrac{qQ}{r_1}-k\dfrac{qQ}{r_2}$이다.

〈제시문 2〉 금속판에 문턱 진동수 이상의 진동수를 가진 빛을 쪼여 줄 때 금속판 안에 있던 전자들이 튀어나오는 현상을 광전 효과라고 하며, 이때 튀어나오는 전자를 광전자라고 한다. 1905년, 아인슈타인은 '빛은 진동수에 비례하는 에너지를 갖는 광자(광양자)라고 하는 입자의 흐름이다.'라는 광양자설로 광전 효과를 설명하였다. 광양자설에 의하면 진동수가 f인 광자의 에너지 $E=hf$(h: 플랑크 상수)이다. 금속 안에 있던 전자들이 튀어나오기 위해서는 원자핵이 당기는 힘을 극복하기 위한 에너지가 필요하므로, 진동수가 f인 빛을 금속 표면에 비춰 주면 전자가 광자로부터 hf의 에너지를 얻게 되며, 전자가 튀어나오기 위해 필요한 광자의 에너지의 최솟값이 hf_0(f_0: 문턱 진동수)이므로, 튀어나온 광전자 1개가 갖는 최대 운동 에너지 $E_k=hf-hf_0$이다.

1 그림과 같이 전하량이 $+Q$인 전하 N개가 반지름이 R인 원 위에 일정한 간격으로 고정되어 있고, 전하량이 $-e$인 전자가 원의 중심에 정지해 있다. 이때 진동수가 f인 광자가 원을 포함하는 평면에 대해 수직 방향으로 운동하여 전자와 충돌하였다.

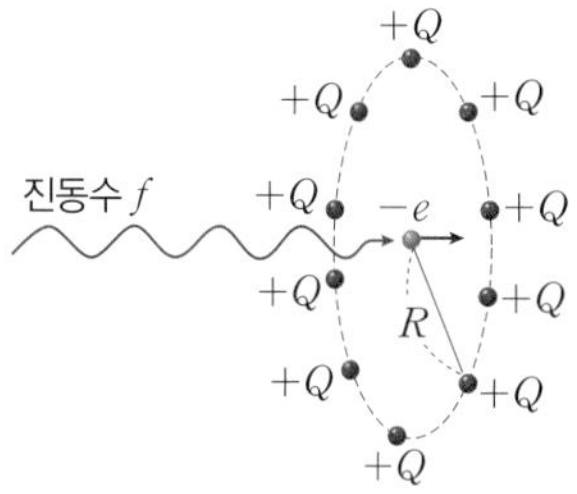

제시문에 근거하여 전자가 원을 포함하는 평면 밖으로 탈출하는 데 필요한 광자의 최소 진동수를 구하시오. (단, 전하에는 전기력만 작용하며, 전자의 가속 운동에 의한 에너지 방출은 무시한다.)

진동수 f

2 문턱 진동수가 각각 f_A, f_B인 금속판 A와 B에 진동수가 f인 빛을 비추었더니 속력이 각각 v_A, v_B인 광전자가 튀어나왔다. 제시문에 근거하여 속력의 비 $\dfrac{v_A}{v_B}$를 f_A, f_B, f로 나타내시오.

문제 해결 과정

1 진동수가 f인 광자와의 충돌에 의해 전자가 갖는 처음 위치에서의 운동 에너지를 구하고, 운동 에너지와 여러 개의 $+Q$인 전하에 대해 전자가 갖는 전기력에 의한 퍼텐셜 에너지를 고려하여 광자의 최소 진동수를 구한다.

2 튀어나온 광전자의 운동 에너지를 광자의 에너지와 문턱 진동수로 나타낸다.

예시 답안

1 진동수가 f인 광자가 전자와 충돌하면, 정지해 있던 전자는 운동 에너지 $E_k = hf$를 갖게 되고, 원을 포함하는 평면에 대해 수직 방향으로 운동하게 된다. 이때 전자와 각각의 $+Q$인 전하 사이의 거리는 모두 같고, 역학적 에너지는 보존된다. 따라서 $+Q$인 전하로부터 거리가 r만큼 떨어진 곳의 운동 에너지와 전기력에 의한 퍼텐셜 에너지를 각각 $K(r)$, $U(r)$라고 하면 처음 위치에서 $K(R) = hf$이고, 전기력에 의한 퍼텐셜 에너지는 각각의 $+Q$인 전하에 대해 전자가 갖는 전기력에 의한 퍼텐셜 에너지의 합이므로, $U(R) = -k\dfrac{NQe}{R}$이다. 이를 거리가 R일 때와 거리가 ∞일 때 역학적 에너지 보존을 이용하여 나타내면 다음과 같다.

$$K(R) + U(R) = K(\infty) + U(\infty)$$
$$hf - k\frac{NQe}{R} = K(\infty) + 0$$

전자가 원을 포함하는 평면 밖으로 탈출하려면 $K(\infty) \geq 0$이어야 하므로, $f \geq \dfrac{k}{h} \times \dfrac{NQe}{R}$를 만족해야 한다. 따라서 광자의 최소 진동수 $f = \dfrac{kNQe}{hR}$이다.

2 광전 효과에서 광전자의 운동 에너지 E_k를 문턱 진동수 f_0과 함께 나타내면 $E_k = \dfrac{1}{2}mv^2 = hf - hf_0$이다. 이 식에 금속판 A와 B의 조건을 대입하면 각각 다음과 같이 나타낼 수 있다.

$$\frac{1}{2}mv_A{}^2 = hf - hf_A$$
$$\frac{1}{2}mv_B{}^2 = hf - hf_B$$

속력의 비 $\dfrac{v_A}{v_B}$를 나타내기 위해 두 식을 정리하면 다음과 같다.

$$\frac{v_A{}^2}{v_B{}^2} = \frac{f - f_A}{f - f_B}$$

따라서 $\dfrac{v_A}{v_B} = \sqrt{\dfrac{f - f_A}{f - f_B}}$이다.

실전 문제

> 정답과 해설 **191**쪽

1 다음 제시문을 읽고, 물음에 답하시오.

〔제시문 1〕 전기장 내의 한 점에 단위 양전하(+1 C)를 놓았을 때 이 전하에 작용하는 전기력을 그 지점에서의 전기장으로 정의한다. 전기장 내에 전하량이 +q인 전하를 놓았을 때 이 전하에 전기력의 크기 F가 작용한다면 그 지점에서의 전기장의 세기 $E=\dfrac{F}{q}$이고, 단위로는 N/C를 사용한다.

〔제시문 2〕 전하량의 크기가 같고 서로 다른 종류의 전하로 대전된 평행한 두 금속판 사이의 전기력선은 (+)전하로 대전된 금속판에서 나오고 (−)전하로 대전된 금속판으로 들어간다. 두 금속판 사이의 간격이 매우 가깝다면 금속판의 가운데 부분에서 전기력선은 서로 평행하고 일정한 간격이 된다. 이때 전기력선의 간격이 일정하다는 것은 두 금속판 사이에서 전기장의 세기가 일정하다는 것을 의미하므로, 평행한 두 금속판 사이에는 방향과 세기가 일정한 전기장이 형성된다.

(1) 그림은 전하량이 **+1 C**이고, 질량이 **1 kg**인 물체가 균일한 전기장 내에서 운동할 때, 물체의 변위를 시간에 따라 나타낸 것이다. 이때 물체는 전기장에 나란한 방향으로 운동한다.
제시문에 근거하여 전기장의 세기를 구하시오. (단, 물체의 크기와 중력은 무시한다.)

(2) (1)에서와 같은 전기장 내에서 전하량이 **+2 C**이고, 질량이 **2 kg**인 물체가 전기장에 나란한 방향으로 운동하였다. **0초**일 때 물체의 속도는 (1)에서의 **0초**일 때 물체의 속도와 같고, t_0일 때 물체의 속도는 **0**이다.
0~t_0 동안과 t_0~$4t_0$ 동안 전기력이 물체에 한 일의 크기를 각각 W_1, W_2라고 할 때, 제시문에 근거하여 $W_1 : W_2$를 구하시오. (단, 물체의 크기와 중력은 무시한다.)

답안

---

2 다음 제시문을 읽고, 물음에 답하시오.

컴퓨터나 휴대 전화와 같은 대부분의 전기 기구에는 전기 에너지를 저장하는 축전기가 들어 있다.

평행판 축전기는 두 개의 동일한 극판을 서로 평행하게 마주보도록 만든 것으로, 평행판 축전기의 두 극판에 전원을 연결하면 같은 양의 (+)전하와 (−)전하가 각각의 극판에 충전된다. 이때 평행판 축전기가 일정한 전압에서 얼마나 많은 전하를 충전할 수 있는지를 나타내는 것이 전기 용량이다. 전기 용량의 단위로는 F(패럿)을 사용하며, 1 F은 축전기의 두 극판 사이에 1 V의 전압을 걸었을 때 1 C의 전하량이 충전되는 전기 용량이다.

• 출제 의도

축전기의 전기 용량과 축전기에 저장되는 전기 에너지, 축전기와 저항을 포함하는 회로에서 축전기에 걸리는 전압을 파악할 수 있는지를 평가한다.

• 문제 해결을 위한 배경 지식

• 축전기의 전기 용량: $C = \varepsilon \dfrac{S}{d}$

• 저항의 직렬연결에서 합성 저항: $R = R_1 + R_2$

• 옴의 법칙: $V = IR$

⑴ 그림은 전기 용량이 C인 동일한 평행판 축전기 A, B를 각각 전하량 Q로 충전한 후 연결한 모습을 나타낸 것이다.

A의 두 극판 사이의 거리를 **3배**로 증가시키기 위해 필요한 일 W를 Q와 C를 이용하여 풀이 과정과 함께 구하시오.

⑵ 그림은 전압이 V_0으로 일정한 전원에 전기 용량이 각각 C_A, C_B인 평행판 축전기 A, B와 저항 R, 가변 저항을 연결한 모습을 나타낸 것이다.

가변 저항의 저항값이 R의 n배일 때, A와 B에 저장되는 전기 에너지를 풀이 과정과 함께 구하고, 가변 저항이 끊어졌을 때의 결과와 비교하시오.

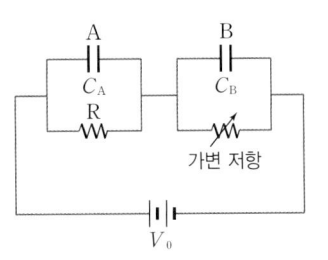

답안

answers & solutions

정답과 해설

II 전자기장

1. 전기장

01 전기장과 정전기 유도

탐구 확인 문제   19쪽

01 ①   **02** (1) 해설 참조 (2) 해설 참조 (3) 해설 참조

01 대전되지 않은 검전기의 금속판에 (+)전하로 대전된 물체를 가까이 가져가면 정전기 유도에 의해 금속판은 (−)전하를, 금속박은 (+)전하를 띤다.

① 금속박이 (+)전하를 띠므로, 두 금속박 사이에는 서로 밀어내는 전기력이 작용하여 금속박이 벌어진다.

바로 알기 ② 정전기 유도에 의해 금속판은 (−)전하를 띤다.

③ 검전기에서 전자의 이동에 의해 금속판과 금속박이 전하를 띠게 되지만, 전체적으로는 중성이다.

④ 금속박이 (+)전하를 띠므로, 두 금속박 사이에는 서로 밀어내는 전기력이 작용한다.

⑤ 금속판에 손가락을 갖다 대면 전자가 손가락을 따라 검전기로 이동하므로, 금속박은 전하를 띠지 않는다.

02 (1) 검전기를 (+)전하로 대전시키면 금속판과 금속박이 모두 (+)전하를 띤다. 따라서 두 금속박 사이에는 서로 밀어내는 전기력이 작용하여 금속박이 벌어진다.

(2) (+)전하로 대전된 검전기에 (−)전하를 띤 물체를 가까이 가져가면 전자가 금속판에서 금속박으로 이동한다. 따라서 금속박의 (+)전하의 양이 감소하므로, 금속박이 오므라든다.

(3) (+)전하로 대전된 검전기에 (+)전하로 대전된 물체를 가까이 가져가면 전자가 금속박에서 금속판으로 이동한다. 따라서 금속박의 (+)전하의 양이 증가하므로, 금속박이 더 벌어진다.

모범 답안 (1) 금속박이 벌어져 있다.

(2) 금속박이 오므라든다.

(3) 금속박이 더 벌어진다.

채점 기준	배점(%)
(1), (2), (3)을 모두 옳게 서술한 경우	100
(1), (2), (3) 중 두 가지만 옳게 서술한 경우	60
(1), (2), (3) 중 한 가지만 옳게 서술한 경우	30

개념 모아 정리하기   23쪽

❶ 인력   ❷ 전기력   ❸ 전기장   ❹ 비례

❺ 많다   ❻ 다른   ❼ 같다   ❽ 유전 분극

개념 기본 문제   24쪽~25쪽

01 $-4\sqrt{2}$ C   **02** $\dfrac{F}{8}$ **03** $h\sqrt{\dfrac{mg}{k}}$ **04** ㄱ, ㄴ

05 (1) $7:48:2$ (2) $3+2\sqrt{2}$ **06** ㄱ, ㄷ   **07** 금속판: (−)전하,

금속박: (−)전하   **08** (1) (−)전하, (+)전하 (2) 왼쪽   **09** ㄱ, ㄴ, ㄷ

01 O에서 각 점전하까지의 거리를 d라고 하면, 쿨롱 법칙 $F=k\dfrac{q_1 q_2}{r^2}$에 의해 Q, S가 각각 P에 작용하는 전기력의 크기 $F_Q=F_S=k\dfrac{2\times 2}{(\sqrt{2}d)^2}=k\dfrac{2}{d^2}$이다. 이때 Q, S가 P에 작용하는 y축 방향의 전기력은 서로 상쇄되므로, Q, S가 P에 작용하는 전기력의 합력의 크기 $F_{QS}=k\dfrac{2\sqrt{2}}{d^2}$이고, 방향은 $+x$ 방향이다. 또 R의 전하량을 q라고 하면, P와 R 사이의 거리가 $2d$이므로 R가 P에 작용하는 전기력의 크기 $F_R=k\dfrac{2\times q}{(2d)^2}=k\dfrac{q}{2d^2}$이다. P에 작용하는 전기력이 0이므로 R가 P에 작용하는 전기력의 방향은 $-x$ 방향이고, $q=-4\sqrt{2}$ C이다.

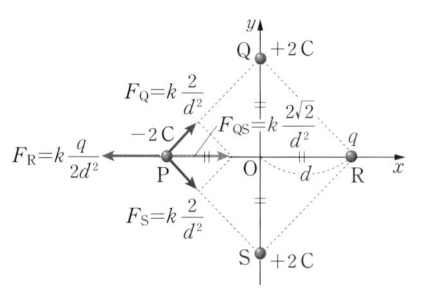

02 과정 (가)에서 A와 B 사이에는 서로 끌어당기는 전기력이 작용하므로, A와 B는 서로 다른 종류의 전하로 대전되었다. A와 B의 전하량을 각각 $+q$, $-q$라고 하면, 쿨롱 법칙 $F=k\dfrac{q_1 q_2}{r^2}$에 의해 A와 B 사이에 작용하는 전기력의 크기 $F=k\dfrac{q^2}{d^2}$이다.

과정 (나)에서 대전되지 않은 C를 $+q$인 A에 접촉시키면 A와 C의 전하량은 각각 $+\dfrac{q}{2}$, $+\dfrac{q}{2}$가 된다. 또 $+\dfrac{q}{2}$인 C를

$-q$인 B에 접촉시키면 B와 C의 전하량은 각각 $\frac{1}{2} \times \left(-q + \frac{q}{2} \right)$

$= -\frac{q}{4}$가 된다. 따라서 과정 (다)의 결과 A와 B 사이에 작

용하는 전기력의 크기 $F' = k \dfrac{\frac{q}{2} \times \frac{q}{4}}{d^2} = k \dfrac{q^2}{8d^2} = \dfrac{F}{8}$이다.

03 쿨롱 법칙 $F = k \dfrac{q_1 q_2}{r^2}$에 의해 A가 B에 작용하는 전기력의 크기

$F = k \dfrac{q^2}{h^2}$이다. 이때 B가 정지해 있으므로, A가 B에 작용하

는 전기력의 크기와 B에 작용하는 중력의 크기는 같다. 따라

서 $k \dfrac{q^2}{h^2} = mg$에서 $q = h \sqrt{\dfrac{mg}{k}}$이다.

04 ㄱ. (+)전하는 전기장의 방향으로 전기력을 받는다. 금속구

가 오른쪽으로 전기력을 받으므로, 전기장의 방향은 오른쪽

이다.

ㄴ. 금속구가 실에 매달려 연직 방향과 45°를 이루고 있으

므로, 전기력의 크기와 중력의 크기가 같다. 따라서 $qE =$

mg에서 전기장의 세기 $E = \dfrac{mg}{q}$이다.

바로 알기 ㄷ. 실이

금속구에 작용하는

힘의 크기는 금속구

에 작용하는 전기력

과 중력의 합력의 크

기와 같다.

05 ⑴ 전하량이 q인 점전하로부터 거리 r만큼 떨어진 곳에서의

전기장의 세기 $E = k \dfrac{q}{r^2}$이므로, 오른쪽을 (+)로 나타내면

E_A, E_B, E_C는 각각 다음과 같다.

$E_A = -k \dfrac{2Q}{2^2} + k \dfrac{Q}{4^2} = -k \dfrac{7Q}{16}$

$E_B = k \dfrac{2Q}{1^2} + k \dfrac{Q}{1^2} = 3kQ$

$E_C = k \dfrac{2Q}{4^2} - k \dfrac{Q}{2^2} = -k \dfrac{Q}{8}$

따라서 $E_A : E_B : E_C = \dfrac{7}{16} : 3 : \dfrac{1}{8} = 7 : 48 : 2$이다.

⑵ (+)전하가 (−)전하보다 전하량이 크므로, 전기장이 0인

곳은 (−)전하의 오른쪽에 있다. 전기장이 0인 곳의 위치를

x_0이라고 하면, $k \dfrac{2Q}{(x_0 + 1)^2} - k \dfrac{Q}{(x_0 - 1)^2} = 0$에서 $x_0 = 3 + 2\sqrt{2}$

이다.

06 ㄱ. A, B, C, D의 전기력선이 대칭적이므로, 전하량의 크기

는 모두 같다.

ㄷ. p는 A와 C의 중점이고 B와 D의 중점이므로, p에 단위

양전하(+1 C)를 놓았을 때 이 전하에 작용하는 알짜 전기력

은 0이 된다. 따라서 p에서의 전기장은 0이다.

바로 알기 ㄴ. 전기력선은 (+)전하에서 나오고 (−)전하로

들어가므로, A와 C는 (+)전하이고, B와 D는 (−)전하이다.

따라서 C와 D는 서로 다른 종류의 전하이다.

07 검전기에 플라스틱 막대를 가까이 가져가기 전에 금속박이

벌어져 있었으므로 검전기는 대전되어 있었다는 것을 알 수

있다. 만약 검전기가 (+)전하로 대전되어 있었다면 검전기

에 (−)전하로 대전된 플라스틱 막대를 가까이 가져갔을 때

전자가 금속판에서 금속박으로 이동하므로, 금속박의 (+)전

하량이 감소하여 금속박이 오므라들게 된다. 그러나 플라스

틱 막대를 가까이 가져갔을 때 금속박이 더 벌어졌으므로 검

전기는 전체적으로 (−)전하로 대전되어 있었다.

08 ⑴ 대전되지 않은 금속구에 대전체를 가까이 가져가면 금속

구에서 대전체와 가까운 쪽은 대전체와 다른 종류의 전하를,

대전체와 먼 쪽은 대전체와 같은 종류의 전하를 띠게 된다.

따라서 과정 (가)에서 A에는 (−)전하가, B에는 (+)전하가

유도된다.

⑵ 과정 (나)에서 A에 손가락을 갖다 대면 전자가 A에서 손

가락으로 이동한다. 이때 과정 (다)에서 손가락을 먼저 떼고

C를 멀리 하면 A와 B는 모두 (+)전하를 띠고, 이후 A와 B

를 분리하면 A와 B는 서로 같은 전하를 띠므로 A와 B 사이

에는 서로 밀어내는 전기력이 작용한다. 따라서 과정 (다)에

서 A에는 왼쪽으로 전기력이 작용한다.

09 ㄱ. (가)에서 A가 대전된 에보나이트 막대에 끌려와 붙었다

가 밀려났으므로, A는 도체이다. A가 정전기 유도에 의해

막대에 붙는 순간 막대에서 A로 전자가 이동하여 A는 (−)

전하를 띠게 되고, A와 막대 사이에는 서로 밀어내는 전기력

이 작용하므로, A는 막대로부터 밀려나게 된 것이다.

ㄴ. (나)에서 B가 대전된 에보나이트 막대에 끌려와 붙어 있

으므로, B는 유전체이다. 이때는 막대에서 B로 전자가 이동

하지 않고, B에서 유전 분극이 일어나 B가 막대에 붙어 있는

것이다.

ㄷ. 에보나이트 막대를 제거하면 A는 (−)전하를 띠고, B는
전하를 띠지 않는다. 이때 A와 B를 서로 가까이 하면 유전
체인 B에 유전 분극이 일어나므로, A와 B 사이에는 서로 끌
어당기는 전기력이 작용한다.

개념 적용 문제   26쪽~29쪽

01 ⑤   **02** ④   **03** ⑤   **04** ④   **05** ⑤   **06** ③

07 ②   **08** ③

01 ㄴ. (나)에서 A와 B 사이에는 척력이 작용하고, A와 D, B
와 D 사이에는 인력이 작용한다. 이때 A, B, D의 전하량이
같으므로, 각각의 전하가 다른 전하에 작용하는 전기력의 크
기는 모두 같다. A와 B 사이에 작용하는 전기력의 크기를
F라고 하면, 그림과 같이 B와 D가 A에 작용하는 전기력의
합력의 크기도 F이고, A와 D가 B에 작용하는 전기력의 합
력의 크기도 F이다.

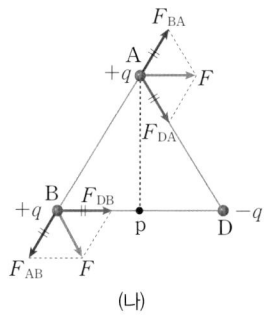

(나)

ㄷ. (가)에서 B와 C가 A에 작용하는 전기력은 척력이고,
(나)에서 B가 A에 작용하는 전기력은 척력, D가 A에 작용
하는 전기력은 인력이다. 따라서 그림과 같이 (가)에서 B와
C가 A에 작용하는 전기력의 합력의 크기는 $\sqrt{3}F$이고, (나)
에서 B와 D가 A에 작용하는 전기력의 합력의 크기는 F이
다. 전기장의 세기 $E = \dfrac{F}{q}$이므로, A가 고정된 지점에서의
전기장의 세기는 (가)에서가 (나)에서의 $\sqrt{3}$배이다.

(가)   (나)

바로 알기 ㄱ. (가)의 p에서 B와 C에 의한 합성 전기장은 0
이다. 그러나 A에 의한 전기장은 0이 아니므로, p에서 전기
장의 세기는 0이 아니다.

02 (가)에서 x축 위쪽에 분포한 전하량이 $+Q$인 전하에 의한
전기장 $E_{위}$의 방향은 $+x$축에서 아래쪽으로 45° 방향이고,
x축 아래쪽에 분포한 전하량이 $-Q$인 전하에 의한 전기장
$E_{아래}$의 방향은 $-x$축에서 아래쪽으로 45° 방향이다. 따라서
그림과 같이 (가)의 A에서 전기장(E)의 방향은 $-y$ 방향이다.
(나)에서 위쪽과 아래쪽에 대칭적으로 전하량이 $+Q$인 전하
가 분포하므로, y축 방향의 전기장이 서로 상쇄된다. 따라서
그림과 같이 (나)의 B에서 전기장(E)의 방향은 $+x$ 방향이다.

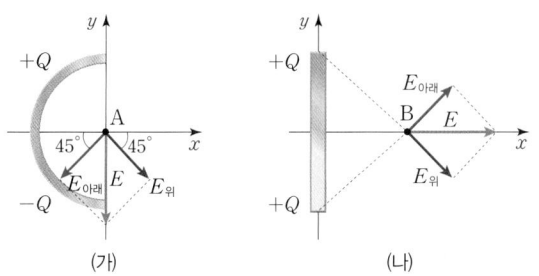

(가)   (나)

03 ㄱ, ㄷ. P가 a를 지나 b에서 정지한 후 다시 a로 운동하므로,
a와 b에서 P에 작용하는 전기력의 방향은 운동 방향과 반대
방향인 왼쪽이다. 이는 전기장의 방향과 반대 방향이므로, P
는 (−)전하이다.

바로 알기 ㄴ. 전기력선이 조밀할수록 그 위치에서 전기장의
세기가 세다. 따라서 전기장의 세기는 a에서가 b에서보다 세다.

04 ㄱ. (가)에서 전기력선이 A에서 나와 B로 들어가므로, A는
(+)전하이고 B는 (−)전하이다. 또 A와 B의 전하량을 각
각 $+q_1$, $-q_2$라고 하면, A에서 나오는 전기력선의 수가 B
로 들어가는 전기력선의 수보다 많으므로, q_1이 q_2보다 크
다. (나)에서 A와 B를 접촉시켰다가 분리하면 두 금속구의
전하량의 합이 절반씩 나뉘므로, A와 B의 전하량은 각각
$\dfrac{1}{2}(q_1 - q_2)$이다. 따라서 $q_1 > \dfrac{1}{2}(q_1 - q_2)$이므로, A의 전하
량은 (가)에서가 (나)에서보다 크다.

ㄷ. p에서 A까지의 거리를 r라고 하고 왼쪽을 (+)로 나
타내면, (가)의 p에서 전기장의 세기 $|E_{(가)}| = k\dfrac{q_1}{r^2} - k\dfrac{q_2}{(3r)^2} =$
$\dfrac{k}{9r^2}(9q_1 - q_2)$이고, (나)의 p에서 전기장의 세기 $|E_{(나)}| =$

$k\left(\dfrac{q_1-q_2}{2}\right)\left(\dfrac{1}{r^2}+\dfrac{1}{(3r)^2}\right)=\dfrac{5k}{9r^2}(q_1-q_2)$이다. 이때 $|E_{(가)}|-$

$|E_{(나)}|=\dfrac{4k}{9r^2}(q_1+q_2)>0$이므로, p에서의 전기장의 세기는 (가)에서가 (나)에서보다 크다.

바로 알기 ㄴ. (나)에서 A와 B가 모두 (+)전하이므로, p에서 전기장의 방향은 $-x$ 방향이다.

05 대전 입자는 전기장과 수직인 방향으로는 등속도 운동을 하고, 전기장 내에서 대전 입자가 받는 전기력의 크기 $F=qE$이므로 전기장과 나란한 방향으로는 가속도 $a=\dfrac{qE}{m}$인 등가속도 직선 운동을 한다. 대전 입자가 전기장에 입사할 때의 속력을 v, 대전 입자가 전기장 내에서 운동하는 데 걸린 시간을 t라고 하면, $t=\dfrac{4d}{v}$이다. 따라서 등가속도 직선 운동 식인 $s=v_0 t+\dfrac{1}{2}at^2$에서 $d=\dfrac{1}{2}at^2=\dfrac{1}{2}\left(\dfrac{qE}{m}\right)\left(\dfrac{4d}{v}\right)^2$이므로, $v=\sqrt{\dfrac{8dqE}{m}}$이다.

06 ㄱ. (다)에서 전기력선이 A에서 나와 B로 들어가므로, A는 (+)전하이고 B는 (−)전하이다. 또 B로 들어가는 전기력선의 수가 A에서 나오는 전기력선의 수보다 많으므로, 전하량의 크기는 B가 A보다 크다. 따라서 A와 B의 전하량의 합은 (−)전하이다. 즉, (가)에서 A와 B는 모두 (−)전하를 띠며, A와 B 사이에는 서로 밀어내는 전기력이 작용한다.

ㄴ. (나)에서 대전된 막대를 B 쪽에 가까이 가져갔을 때 A가 (+)전하를 띠고, B가 (−)전하를 띠게 되므로, 막대는 (+)전하로 대전되어 있다.

바로 알기 ㄷ. (다)에서 A와 B의 전하량을 각각 $+q$, $-Q$라고 하면 (가)에서 B의 전하량은 $\dfrac{q-Q}{2}$이고, (나)에서 B의 전하량은 $-Q$이다. 따라서 B에 대전된 전하량은 (나)에서가 (가)에서의 2배가 아니다.

07 ㄷ. (가)에서 B가 (−)전하를 띠므로, (나)에서 금속판은 (+)전하를 띠고 금속박은 (−)전하를 띠게 된다.

바로 알기 ㄱ. A가 대전된 막대에 끌려와 붙어 있으므로, A는 유전체이다. 즉, 유전 분극이 일어나 A는 막대에 붙어 있게 된다.

ㄴ. (가)에서 B가 막대에 끌려와 붙었다가 밀려났으므로, B는 도체이다. B가 정전기 유도에 의해 막대에 붙는 순간 막대에서 B로 전자가 이동하여 B는 (−)전하를 띤다. 또 A는 유전 분극에 의해 왼쪽 부분은 (−)전하를 띠고, 오른쪽 부분은 (+)전하를 띤다. 즉, A와 B 사이에는 척력과 인력이 모두 작용하는데, A의 오른쪽 부분이 왼쪽 부분보다 B와 거리가 더 가까우므로 인력이 더 크게 작용한다. 따라서 (가) 상태에서 A와 B 사이에는 서로 끌어당기는 전기력이 작용한다.

08 ㄱ. 정전 도장은 도체 표면에 전하를 유도하여 도체 표면을 도색하는 방법으로, '정전기 유도'를 이용한 것이다.

ㄴ. 페인트 입자가 (−)전하를 띠므로, 물체 표면은 정전기 유도에 의해 '(+)전하'를 띠게 된다.

바로 알기 ㄷ. 페인트 입자는 (−)전하를, 물체 표면은 (+)전하를 띠므로 페인트 입자와 물체 표면 사이에는 서로 끌어당기는 전기력인 '인력'이 작용하고, 페인트 입자는 모두 (−)전하를 띠므로 페인트 입자 사이에는 서로 밀어내는 전기력인 '척력'이 작용한다.

02 저항의 연결과 전기 에너지

탐구 확인 문제   43쪽

01 ④   **02** (1) 해설 참조 (2) 해설 참조

01 ④ 직렬연결에서 전체 전압은 각 저항의 양단에 걸리는 전압의 합과 같다. 따라서 직렬연결하는 저항의 개수를 증가시키면 각 저항의 양단에 걸리는 전압은 감소한다.

바로 알기 ① 직렬연결에서 각 저항의 양단에 걸리는 전압은 각 저항에 비례한다.

② 직렬연결에서 각 저항에 흐르는 전류의 세기는 모두 같다.

③ 병렬연결에서 각 저항에 흐르는 전류의 세기는 각 저항에 반비례한다.

⑤ 병렬연결에서 전체 전압은 각 저항의 양단에 걸리는 전압과 같다. 따라서 병렬연결하는 저항의 개수를 증가시키더라도 각 저항에 흐르는 전류의 세기는 일정하다.

02 (1) A에서 각 저항의 양단에 걸리는 전압은 각 저항에 비례하므로, 각 저항의 양단에 걸리는 전압은 전체 전압의 $\frac{1}{2}$배가 된다. 반면 B에서 각 저항의 양단에 걸리는 전압은 전체 전압과 같다. 따라서 각 저항 1개에 흐르는 전류의 세기는 B에서가 A에서의 2배이다.

(2) 소비 전력 $P=\dfrac{V^2}{R}$에서 A와 B의 전체 전압이 같으므로, 소비 전력은 A와 B의 합성 저항에 반비례한다. 저항 1개의 저항값을 R라고 하면, 직렬연결한 A의 합성 저항은 $2R$이고, 병렬연결한 B의 합성 저항은 $\dfrac{R}{2}$이다. 따라서 회로 전체에서 소모되는 전력은 B에서가 A에서의 4배이다.

모범 답안 (1) B에서가 A에서의 2배이다.
(2) B에서가 A에서의 4배이다.

채점 기준	배점(%)
(1), (2)를 모두 옳게 서술한 경우	100
(1), (2) 중 한 가지만 옳게 서술한 경우	50

개념 기본 문제 47쪽~48쪽

01 ㄱ, ㄴ, ㄷ **02** ㄷ **03** (1) 48 C (2) 3.0×10^{20}개 **04** $\dfrac{I_0}{4}$, $4I_0$

05 2 **06** R_1의 저항값만 증가시킬 때 **07** 해설 참조 **08** 2 : 1

09 ㄴ, ㄷ **10** ㄱ, ㄷ **11** $R_1 : R_2 = 4 : 3$, $V_1 : V_2 = 2 : 1$

01 ㄱ. 점전하에 가까이 갈수록 전위가 커지므로, 점전하는 (+)전하이다.

ㄴ. 전위-위치 그래프의 기울기는 전기장의 세기를 나타내므로, 전기장의 세기는 $x=d$인 지점에서가 $x=2d$인 지점에서보다 크다.

ㄷ. x축상에서 전기장의 방향은 $+x$ 방향이므로, $x=d$인 지점에 (+)전하를 가만히 놓으면 (+)전하에는 $+x$ 방향으로 전기력이 작용한다. 따라서 (+)전하의 속력은 계속 증가한다.

02 ㄷ. A가 p를 지나 q에서 정지하였으므로, p에서 A의 운동 에너지가 p와 q 사이의 전위차에 해당하는 전기력에 의한 퍼텐셜 에너지로 전환된다. 따라서 전하를 이동시키는 데 필요한 일 $W=qV=1$ C$\times3$ V$=3$ J이므로, A가 p를 지날 때 운동 에너지는 3 J이다.

바로 알기 ㄱ. $+x$ 방향으로 갈수록 전위가 높아지므로, 전기장의 방향은 $-x$ 방향이다. $+x$ 방향으로 운동하던 A가 q에서 정지하였다가 다시 p로 운동하므로, A는 $-x$ 방향으로 전기력을 받는다. 이때 전기장의 방향과 A가 받는 전기력의 방향이 같으므로, A는 (+)전하이다.

ㄴ. q에서 A에는 $-x$ 방향으로 전기력이 작용한다.

03 (1) 도선의 한 단면을 통과하는 전하량 $Q=It$이므로, 1분 동안 이 구리 도선의 한 단면을 통과하는 전하량 $Q=0.8$ A $\times60$ s$=48$ C이다.

(2) 1분 동안 구리 도선의 한 단면을 통과하는 전하량이 48 C이고 전자 1개의 전하량이 1.6×10^{-19} C이므로, 이때 통과하는 자유 전자의 수 $N=\dfrac{Q}{e}=\dfrac{48 \text{ C}}{1.6\times10^{-19}\text{ C}}=3.0\times10^{20}$개이다.

04 저항의 부피는 일정하게 유지하면서 길이가 2배가 되면 단면적은 $\dfrac{1}{2}$배가 되고, 길이가 $\dfrac{1}{2}$배가 되면 단면적이 2배가 된다. 처음의 저항 $R_0=\rho\dfrac{l}{S}$이라고 하면, 길이를 2배로 늘였을 때의 저항 $R_{2배}=\rho\dfrac{2l}{\dfrac{S}{2}}=4R_0$이고, 길이를 $\dfrac{1}{2}$배로 줄였을 때의 저항 $R_{\frac{1}{2}배}=\rho\dfrac{\dfrac{l}{2}}{2S}=\dfrac{R_0}{4}$이다. 전압이 일정할 때 저항에 흐르는 전류의 세기는 저항에 반비례하므로, 길이를 2배로 늘였을 때 저항에 흐르는 전류의 세기는 $\dfrac{I_0}{4}$이 되고, 길이를 $\dfrac{1}{2}$배로 줄였을 때 저항에 흐르는 전류의 세기는 $4I_0$이 된다.

05 전압-전류 그래프의 기울기는 저항을 나타내므로, A의 저항 $R_A=\dfrac{5 \text{ V}}{0.25 \text{ A}}=20 \ \Omega$이고, B의 저항 $R_B=\dfrac{5 \text{ V}}{0.5 \text{ A}}=10 \ \Omega$이다.

저항 $R=\rho\dfrac{l}{S}$에서 비저항 $\rho=\dfrac{RS}{l}$이므로, $\dfrac{\rho_A}{\rho_B}=\dfrac{\dfrac{20\times0.02}{2}}{\dfrac{10\times0.01}{1}}=2$이다.

06 ㆍR_1의 저항값만 증가시키면 병렬연결된 R와 R_1의 합성 저항이 증가하므로, R의 양단에 걸리는 전압은 증가한다. 따라서 R에 흐르는 전류의 세기는 증가한다.

ㆍR_2의 저항값만 증가시키면 R의 양단에 걸리는 전압은 감소한다. 따라서 R에 흐르는 전류의 세기는 감소한다.

ㆍR_3의 저항값의 변화는 R의 양단에 걸리는 전압과는 상관이 없다. 따라서 R에 흐르는 전류의 세기는 일정하다.

07 S가 열려 있을 때 a와 b 사이에는 2개의 저항이 병렬연결되어 있고, b와 c 사이에도 2개의 저항이 병렬연결되어 있다. 이때 b와 c 사이에는 전체 전압의 절반이 걸린다. S를 닫으면 b와 c 사이가 단락되어 b와 c 사이의 저항에는 전류가 흐르지 않는다. 즉, b와 c 사이의 전위차는 0이 된다. 또 전체 저항이 절반이 되므로, a에 흐르는 전류의 세기는 증가한다.

(모범 답안) a점에 흐르는 전류의 세기는 증가하고, b점과 c점 사이의 전위차는 감소한다(0이 된다).

채점 기준	배점(%)
a점에 흐르는 전류의 세기의 변화와 b점과 c점 사이의 전위차의 변화를 모두 옳게 서술한 경우	100
두 가지 중 한 가지만 옳게 서술한 경우	50

08 전원의 전압을 V라고 하면, (가)에서 병렬연결된 3 Ω과 3 Ω의 합성 저항은 $\frac{3}{2}$ Ω이므로, 6 Ω의 양단에 걸리는 전압은 $\frac{4}{5}V$이다. (나)에서 병렬연결된 3 Ω과 6 Ω의 합성 저항은 2 Ω이므로, 6 Ω의 양단에 걸리는 전압은 $\frac{2}{5}V$이다. 따라서 저항이 일정할 때 저항에 흐르는 전류의 세기는 저항의 양단에 걸리는 전압에 비례하므로, $I_{(가)}:I_{(나)}=2:1$이다.

09 ㄴ. 전체 전압이 일정할 때 저항을 병렬연결하면 합성 저항이 감소하므로, 전체 전류는 증가한다. 즉, 병렬연결하는 저항의 개수가 증가하면 전류계에 흐르는 전류의 세기는 증가한다.

ㄷ. 소비 전력 $P=VI$이므로, 병렬연결하는 저항의 개수가 증가하면 전체 전류의 세기가 증가하여, 회로 전체의 소비 전력은 증가한다.

(바로 알기) ㄱ. 저항의 병렬연결에서 전체 전압은 각 저항의 양단에 걸리는 전압과 같으므로, 병렬연결하는 저항의 개수가 증가하더라도 각 저항의 양단에 걸리는 전압은 일정하다.

10 (가)에서 전류가 연속해서 R_1과 R_2에 흐르므로, 두 저항은 직렬연결되어 있고, (나)에서 전류가 R_1과 R_2에 ❶과 ❷로

나누어져 흐르므로, 두 저항은 병렬연결되어 있다.

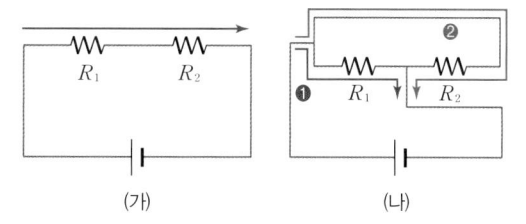

(가)   (나)

ㄱ. (나)에서 R_1과 R_2는 병렬연결되어 있으므로, 각 저항의 양단에 걸리는 전압은 같다.

ㄷ. R_2의 양단에 걸리는 전압은 (나)에서가 (가)에서보다 크다. 소비 전력 $P=\frac{V^2}{R}$이므로, R_2의 소비 전력은 (나)에서가 (가)에서보다 크다.

(바로 알기) ㄴ. 전압을 V라고 할 때, R_1에 흐르는 전류의 세기를 구하면 (가)에서는 $\frac{V}{R_1+R_2}$이고, (나)에서는 $\frac{V}{R_1}$이다. 따라서 R_1에 흐르는 전류의 세기는 (나)에서가 (가)에서보다 세다.

11 소비 전력 $P=\frac{V^2}{R}$이므로, A, B, C의 소비 전력은 각각 $\frac{V_1^2}{R_1}$, $\frac{V_2^2}{R_2}$, $\frac{V_2^2}{6\ \Omega}$이고, $V_1+V_2=18$ V이다. A, B, C의 소비 전력의 비가 6 : 2 : 1이므로, $\frac{V_2^2}{R_2}=2\times\frac{V_2^2}{6\ \Omega}$에서 $R_2=3$ Ω이고, $\frac{V_1^2}{R_1}=6\times\frac{V_2^2}{6\ \Omega}$에서 $R_1=\left(\frac{V_1}{V_2}\right)^2$이다. 병렬연결된 B와 C의 합성 저항은 2 Ω이고, 저항의 직렬연결에서 각 저항의 양단에 걸리는 전압은 각 저항에 비례하므로, $\frac{V_1}{V_2}=\frac{R_1}{2\ \Omega}$에서 $R_1=4$ Ω이다. 따라서 $R_1:R_2=4:3$이고, $V_1:V_2=2:1$이다.

개념 적용 문제   49쪽~53쪽

01 ④   **02** ③   **03** ⑤   **04** ③   **05** ①   **06** ④

07 ⑤   **08** ⑤   **09** ⑤   **10** ②

01 ㄱ. A와 B 모두 전위가 높은 쪽으로 전기력을 받으므로, A와 B는 모두 (−)전하이다.

ㄷ. 정지해 있던 전하가 운동할 때 전기력에 의한 퍼텐셜 에너지의 감소량이 운동 에너지로 전환된다. 따라서 A와 B의 전하량을 q, 충돌하는 지점의 전위를 V_0이라고 할 때, A와 B가 만나는 지점에서 A와 B의 운동 에너지는 qV_0으로 같다.

바로알기 ㄴ. 전위-위치 그래프의 기울기는 전기장의 세기를 나타내므로, 전기장의 세기는 $x=3d$인 지점에서가 $x=0$인 지점에서의 2배이다. 이때 A와 B는 전하량과 질량이 같으므로, A와 B에 작용하는 전기력의 크기는 B가 A의 2배이고, 가속도의 크기도 B가 A의 2배이다. 따라서 B가 $x=2d$인 지점을 통과할 때 A는 $x=\dfrac{d}{2}$인 지점을 통과한다.

02 대전 입자는 전기장 영역 Ⅰ에서 등가속도 직선 운동을 하고, 전기장 영역 Ⅱ에서 x 방향으로는 등속도 운동을, y 방향으로는 가속도 $a=\dfrac{qE}{m}$인 등가속도 운동을 한다. 대전 입자가 B를 통과할 때부터 C에 도달할 때까지 y 방향의 거리를 d라고 하면, 대전 입자가 B를 통과할 때의 운동 에너지가 qV이므로, C에 도달할 때의 운동 에너지는 $qV+qEd$이다.

대전 입자가 B를 통과할 때의 속력을 v, B를 통과한 후 C까지 운동하는 데 걸린 시간을 t라고 하면 $t=\dfrac{R}{v}$이다. 따라서 등가속도 직선 운동의 식인 $s=v_0t+\dfrac{1}{2}at^2$에서 $d=\dfrac{1}{2}at^2$ $=\dfrac{qE}{2m}\left(\dfrac{R}{v}\right)^2$이고, 대전 입자가 B를 통과할 때 운동 에너지 $\dfrac{1}{2}mv^2=qV$에서 $v=\sqrt{\dfrac{2qV}{m}}$이므로 $d=\dfrac{ER^2}{4V}$이다. 따라서 C에 도달하는 순간 대전 입자의 속력을 v'라고 하면 C에 도달할 때 운동 에너지 $\dfrac{1}{2}mv'^2=qV+qEd=qV+\dfrac{q(ER)^2}{4V}$에서 $v'=\sqrt{\dfrac{q(4V^2+E^2R^2)}{2mV}}$이다.

03 ㄱ. 저울접시에 물체를 올려놓으면 a점과 도체 막대의 접점이 아래로 내려가 도체 막대에서 전류가 흐르는 부분의 길이가 감소하므로, 도체 막대에 의한 저항이 감소한다. 따라서 b점과 c점 사이의 전위차는 증가한다.

ㄴ. 저항과 직렬연결된 도체 막대에 의한 저항이 감소하면 전체 저항이 감소하므로, 전류계에 흐르는 전류의 세기는 증가한다.

ㄷ. 소비 전력 $P=\dfrac{V^2}{R}$에서 저항의 양단에 걸리는 전압이 증가하므로, 저항의 소비 전력도 증가한다.

04 S_1을 닫고 S_2를 a에 연결하면 R_1과 R_2가 병렬연결되고, 전체 저항은 $\dfrac{14\ V}{2\ A}=7\ \Omega$이다. 또 S_1을 열고 S_2를 b에 연결하면 R_1과 R_2가 직렬연결되고, 전체 저항은 $\dfrac{14\ V}{1\ A}=14\ \Omega$이다.

즉, $5\ \Omega+\dfrac{R_1R_2}{R_1+R_2}=7\ \Omega$, $5\ \Omega+R_1+R_2=14\ \Omega$이므로, $R_1=6\ \Omega$이고, $R_2=3\ \Omega$이다. 따라서 S_1을 닫고 S_2를 a에 연결한 5초일 때, R_1에 흐르는 전류의 세기는 $\dfrac{2}{3}\ A$이다.

05 ㄱ. S를 a에 연결하고 전원 장치의 전압이 V_0일 때 전류계에 흐르는 전체 전류의 세기가 $2I_0$이므로, 전원 장치의 전압이 $2V_0$으로 2배가 되면 전류계에 흐르는 전체 전류의 세기도 2배가 된다. 따라서 (가)는 $4I_0$이다.

바로알기 ㄴ. A와 B의 저항값을 각각 R_A, R_B라고 하고, 전원 장치의 전압이 V_0일 때 C에 흐르는 전류의 세기를 I_C라고 하면 S를 a에 연결하였을 때 전체 전류 $2I_0=\dfrac{V_0}{R_A}+I_C$이고, S를 b에 연결하였을 때 전체 전류 $I_0=\dfrac{V_0}{R_B}+I_C$이다. 따라서 $R_A=\dfrac{V_0}{2I_0-I_C}$이고, $R_B=\dfrac{V_0}{I_0-I_C}$이다. 즉, 저항값은 B가 A의 2배가 아니다.

ㄷ. S를 a 또는 b에 연결하였을 때 A 또는 B가 C와 병렬연결되므로, 전원 장치의 전압이 일정하면 C에 흐르는 전류의 세기도 일정하다.

06 ㄴ. A의 저항값을 R라고 하면, p에 흐르는 전류의 세기가 B에 흐르는 전류의 세기의 2배이므로, A와 B의 합성 저항은 $2R$이다. 따라서 B의 저항값은 R로, A와 같다.

ㄷ. A와 B의 저항값이 같을 때, 저항 $R=\rho\dfrac{l}{S}$에서 길이는 B가 A의 2배이고 단면적은 A와 B가 같으므로, 비저항은 A가 B의 2배이다.

바로알기 ㄱ. 전원 장치의 전압이 4 V일 때 p에는 2 A의 전류가, q에는 3 A의 전류가 흐르므로, B에 흐르는 전류의 세기는 1 A이다. 따라서 B에 흐르는 전류의 세기는 p에 흐르는 전류의 세기보다 약하다.

07 ㄱ. A에 흐르는 전류의 세기가 D에 흐르는 전류의 세기의 10배이므로, C와 D의 합성 저항은 A와 B의 합성 저항의 10배이다. 이때 A와 B의 합성 저항이 600 Ω이므로, C와 D의 합성 저항은 6 kΩ이다. 따라서 $R=3$ kΩ이다.

ㄴ, ㄷ. 저항의 직렬연결에서 각 저항의 양단에 걸리는 전압은 각 저항에 비례한다. B의 양단에 걸리는 전압은 4 V이고 C의 양단에 걸리는 전압은 3 V이므로, p의 전위는 2 V이고 q의 전위는 3 V이다. 따라서 p와 q 사이의 전위차는 1 V이다.

08 ㄴ. S_1을 열고 S_2만 닫으면 6 Ω과 3 Ω은 병렬연결되므로, 합성 저항은 2 Ω이다. 이는 3 Ω인 R와 직렬연결되므로, 전체 합성 저항은 5 Ω이다.

ㄷ. S_1과 S_2를 모두 닫으면 R에는 전류가 흐르지 않으므로, 합성 저항은 2 Ω이다. 따라서 전원 장치의 전압이 6 V이면 전류계에 흐르는 전류의 세기는 3 A이다.

바로 알기 ㄱ. (나)에서 S_2를 열고 S_1만 닫았을 때 합성 저항이 3 Ω이므로, $\dfrac{1}{6\ \Omega}+\dfrac{1}{R+3\ \Omega}=\dfrac{1}{3\ \Omega}$에서 $R=3\ \Omega$이다.

09 실험 Ⅰ, Ⅱ, Ⅲ의 회로도를 그리면 다음과 같다.

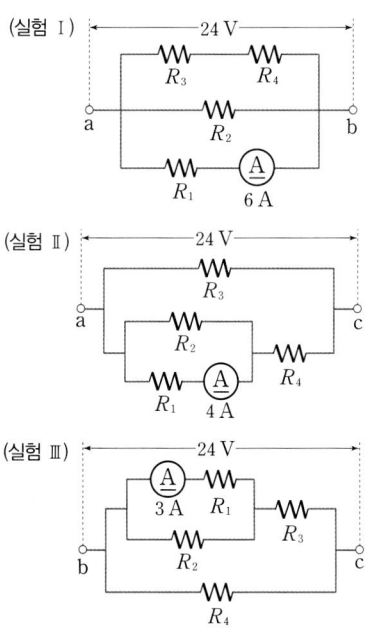

ㄱ. Ⅰ에서 a와 b를 연결하면 R_1의 양단에 걸리는 전압은 24 V이다. 따라서 24 V$=6$ A$\times R_1$에서 $R_1=4\ \Omega$이다.

ㄴ. Ⅱ에서 a와 c를 연결하면 R_1에 4 A의 전류가 흐르므로 4 Ω인 R_1의 양단에 걸리는 전압은 16 V이고, R_2에 흐르는 전류의 세기는 $\dfrac{16\ V}{R_2}$이다. 따라서 R_4의 양단에 걸리는 전압은 8 V이고, R_4에 흐르는 전류의 세기는 4 A$+\dfrac{16\ V}{R_2}$이다. 즉, 8 V$=\Big(4$ A$+\dfrac{16\ V}{R_2}\Big)\times R_4$이므로, $R_4=\dfrac{2\ V}{1\ A+\dfrac{4\ V}{R_2}}$이다.

Ⅲ에서 b와 c를 연결하면 R_1에 3 A의 전류가 흐르므로 R_1의 양단에 걸리는 전압은 12 V이고, R_2에 흐르는 전류의 세기는 $\dfrac{12\ V}{R_2}$이다. 따라서 R_3의 양단에 걸리는 전압은 12 V이

고, R_3에 흐르는 전류의 세기는 3 A$+\dfrac{12\ V}{R_2}$이다. 즉, 12 V$=\Big(3$ A$+\dfrac{12\ V}{R_2}\Big)\times R_3$이므로, $R_3=\dfrac{4\ V}{1\ A+\dfrac{4\ V}{R_2}}$이다. 따라서 $R_3=2R_4$이다.

ㄷ. 어느 두 단자를 연결하더라도 R_1과 R_2는 병렬연결되므로, R_1과 R_2의 양단에 걸리는 전압은 서로 같다.

10 소비 전력 $P=I^2R$에서 C와 D에 흐르는 전류의 세기를 I_0이라고 하면, 소비 전력은 C가 D의 2배이므로, $I_0^2R_C=2I_0^2R_D$에서 $R_C=2R_D$이다. 또 소비 전력 $P=\dfrac{V^2}{R}$에서 B와 C, D의 양단에 걸리는 전압을 V_0이라고 하면, B와 C, D의 소비 전력의 합이 같으므로, $\dfrac{V_0^2}{R_B}=\dfrac{V_0^2}{R_C+R_D}=\dfrac{V_0^2}{3R_D}$에서 $R_B=3R_D$이다. 이때 B에 흐르는 전류의 세기도 I_0이므로, A에 흐르는 전류의 세기는 $2I_0$이다. 소비 전력이 A가 D의 4배이므로, $(2I_0)^2R_A=4I_0^2R_D$에서 $R_A=R_D$이다.

따라서 $R_A:R_B:R_C:R_D=1:3:2:1$이다.

03 트랜지스터

01 트랜지스터를 이용한 회로에서 베이스와 이미터 사이에 순방향 바이어스가 걸려 베이스에 전류가 흐르면 컬렉터에도 전류가 흐르게 된다. 그러나 베이스와 이미터 사이에 역방향 바이어스가 걸리거나 문턱 전압보다 작은 전압이 걸려 베이스에 전류가 흐르지 않으면 컬렉터에도 전류가 흐르지 않는다. 이처럼 트랜지스터를 이용하여 회로에 전류의 흐름 여부를 조절하는 것을 트랜지스터의 스위칭 작용이라고 한다.

02 p-n-p형 트랜지스터에서 전류가 화살표 방향으로 흐르므로, A는 이미터, B는 베이스, C는 컬렉터이다. 베이스와 이미터 사이에 순방향 바이어스가 걸리면 이미터에서 베이스 쪽으로 전류가 흘러 컬렉터에도 전류가 흐른다. 이때 컬렉터와 베이스 사이에는 역방향 바이어스가 걸린다.

(모범 답안) A와 B 사이에는 순방향 바이어스가, B와 C 사이에는 역방향 바이어스가 걸린다. 이때 이미터에서 베이스로 이동한 양공은 대부분 컬렉터로 확산된다.

채점 기준	배점(%)
A와 B, B와 C 사이의 바이어스를 옳게 서술하고, 양공의 이동을 옳게 서술한 경우	100
양공의 이동만 옳게 서술한 경우	70
A와 B, B와 C 사이의 바이어스만 옳게 서술한 경우	30

03 p-n-p형 트랜지스터에서는 이미터에서 베이스로 이동한 양공이 대부분 컬렉터로 확산되며, 이때 흐르는 전류는 $I_E = I_B + I_C$이다.

04 ㄷ. 트랜지스터에서 $I_E = I_B + I_C$이므로, E에 흐르는 전류의 세기는 C에 흐르는 전류의 세기보다 세다.

(바로 알기) ㄱ. X는 n형 반도체이다. 전자는 전류의 방향과 반대 방향으로 이동하므로, X에서 전자는 베이스가 아니라 저항 쪽으로 이동한다.

ㄴ. 베이스와 컬렉터, 즉 B와 C 사이에는 역방향 바이어스가 걸린다.

05 저항을 이용한 전압 분할로 필요한 바이어스 전압을 얻을 수 있다. 저항 $5R$과 R이 직렬연결되어 있고 전압이 6 V이므로, 저항 R의 양단에 걸리는 전압은 1 V이다. 따라서 베이스와 이미터 사이의 바이어스 전압은 1 V이다.

개념 적용 문제   65쪽~69쪽

01 ⑤   **02** ⑤   **03** ②   **04** ⑤   **05** ②   **06** ①

07 ①   **08** ①   **09** ④   **10** ①

01 ㄴ. A는 이미터이고 B는 베이스이므로, A와 B 사이에는 순방향 바이어스가 걸린다.

ㄷ. 컬렉터 쪽으로 대부분의 전류가 흐르고 베이스 쪽으로 매우 작은 전류가 흐르므로, 저항에 흐르는 전류의 세기는 p점

에 흐르는 전류의 세기보다 크다.

(바로 알기) ㄱ. 전류가 A에서 B를 지나 C 방향으로 흐르므로, 이 트랜지스터는 p-n-p형 트랜지스터이다. 이때 C는 p형 반도체이므로, 양공이 주요 전하 나르개이다.

02 ㄴ. p형 반도체인 Y에는 전압이 V_2인 전원의 (−)극이, n형 반도체인 Z에는 (+)극이 연결되어 있으므로, Y와 Z 사이에는 역방향 바이어스가 걸린다.

ㄷ. X와 Y 사이에는 순방향 바이어스가 걸리므로, I_Y의 방향은 ㉠이다.

(바로 알기) ㄱ. 전압이 V_1인 전원의 (+)극에 Y가, (−)극에 X가 연결되어 있으므로 X는 n형 반도체, Y는 p형 반도체이다. 이미터인 X에서 베이스인 Y로 이동한 전자의 대부분은 Y를 지나 컬렉터인 Z로 확산된다.

03 ㄷ. LED에는 순방향 전압이 걸릴 때만 전류가 흐른다. 따라서 Y는 p형 반도체이다.

(바로 알기) ㄱ. 베이스와 이미터 사이에는 순방향 바이어스가 걸리는데, 이미터에 전원 장치의 (+)극이 연결되어 있으므로, 이 트랜지스터는 p-n-p형 트랜지스터이다. 이때 컬렉터와 베이스 사이에는 역방향 바이어스가 걸리므로, 전원 장치의 단자 X는 (−)극이다.

ㄴ. 이미터에서 베이스 쪽으로 전류가 흐르므로, a점에서 전류의 방향은 ㉡이다.

04 ㄴ. B는 베이스이고 C는 이미터이므로, B와 C 사이에는 순방향 바이어스가 걸린다.

ㄷ. I_1은 베이스 전류이고 I_2는 컬렉터 전류이므로, 전류의 세기는 I_2가 I_1보다 크다.

(바로 알기) ㄱ. B와 C 사이에는 순방향 바이어스가, A와 B 사이에는 역방향 바이어스가 걸린다. 이때 전압이 V_2인 전원의 (+)극에 A가 연결되어 있으므로, A는 n형 반도체이다.

05 ㄷ. 트랜지스터를 이용한 증폭 회로에서 베이스 쪽으로는 매우 작은 전류가 흐르고 컬렉터 쪽으로 대부분의 전류가 흐르므로, $I_B \ll I_C$이다.

(바로 알기) ㄱ. 베이스에서 이미터로 전류가 흐르므로, 베이스는 p형 반도체이다. 따라서 베이스는 양공이 주요 전하 나르개이다.

ㄴ. 컬렉터와 베이스 사이에는 역방향 바이어스가 걸리므로, n형 반도체인 컬렉터에 연결된 전원 장치의 단자 ⓐ는 (+)극이다.

06 ㄱ. 작은 세기의 베이스 전류로 큰 세기의 컬렉터 전류를 얻기 위해서는 V_2가 V_1보다 커야 한다.

바로 알기 ㄴ. 전류 증폭률이 β이므로, c점에는 세기가 βI_0인 전류가 흐른다. b점에 흐르는 전류의 세기는 a점과 c점에 흐르는 전류의 세기의 합이므로, b점에 흐르는 전류의 세기는 $(1+\beta)I_0$이다.

ㄷ. 이미터에서 베이스 쪽으로 이동한 전자의 대부분은 얇은 베이스를 지나 컬렉터로 확산된다.

07 ㄱ. LED에서 빛이 방출될 때 베이스와 이미터 사이에는 순방향 바이어스가 걸린다. 따라서 트랜지스터에는 B에서 E 방향으로 전류가 흐른다.

바로 알기 ㄴ. 트랜지스터가 증폭 작용을 할 때 컬렉터와 베이스 사이에는 역방향 바이어스가 걸린다.

ㄷ. 검류계에 흐르는 전류는 베이스 전류이고 전류계에 흐르는 전류는 컬렉터 전류이므로, 검류계에 흐르는 전류의 세기는 전류계에 흐르는 전류의 세기보다 작다.

08 전류 증폭률 $\beta=\dfrac{I_C}{I_B}$이므로, $\beta=\dfrac{2\ \text{mA}}{20\ \mu\text{A}}=100$이다. 그리고 $100\ \text{k}\Omega$인 저항에 세기가 $20\ \mu\text{A}$인 전류가 흐르므로, 바이어스 전압 $V_B=20\ \mu\text{A}\times100\ \text{k}\Omega+0.7\ \text{V}=2.7\ \text{V}$이다.

09 ㄱ. 이미터 전류는 베이스 전류와 컬렉터 전류의 합이므로, R_4인 저항에 흐르는 전류의 세기는 $I_1+100I_1=101I_1$이다.

ㄷ. n$-$p$-$n형 트랜지스터에서 이미터에서 베이스 쪽으로 이동한 전자의 대부분은 컬렉터 쪽으로 확산된다.

바로 알기 ㄴ. R_3인 저항의 양단에 걸리는 전압이 바이어스 전압이므로, 바이어스 전압 $V_B=\dfrac{R_3}{R_1+R_3}V_0=\dfrac{1}{3}V_0$에서 $R_1=2R_3$이다.

10 ㄴ. R_1과 R_3이 직렬연결되어 있으므로, 베이스와 이미터 사이의 바이어스 전압은 R_3의 양단에 걸리는 전압이다. 따라서 바이어스 전압은 $\dfrac{R_3}{R_1+R_3}V_0$이다.

바로 알기 ㄱ. 베이스 전류가 I_1이고 컬렉터 전류가 I_2이므로, 전류 증폭률은 $\dfrac{I_2}{I_1}$이다.

ㄷ. 이미터 전류는 베이스 전류와 컬렉터 전류의 합이므로, R_4인 저항에 흐르는 전류의 세기는 I_1+I_2이다. 따라서 R_4인 저항의 양단에 걸리는 전압은 $(I_1+I_2)R_4$이다.

04 축전기

집중 분석   82쪽

유제 ③

유제 축전기의 두 극판 사이에 유전체를 넣으면 전기 용량이 증가한다.

ㄱ. 축전기에 충전되는 전하량 $Q=CV$이므로, 두 극판 사이의 전압이 일정할 때 축전기에 충전되는 전하량은 전기 용량이 클수록 크다. 따라서 축전기에 충전된 전하량은 (나)에서가 (가)에서보다 크다.

ㄷ. 축전기에 저장되는 전기 에너지 $W=\dfrac{1}{2}CV^2$이므로, 두 극판 사이의 전압이 일정할 때 축전기에 저장되는 전기 에너지는 전기 용량이 클수록 크다. 따라서 축전기에 저장된 전기 에너지는 (나)에서가 (가)에서보다 크다.

바로 알기 ㄴ. 전기장의 세기 $E=\dfrac{V}{d}$에서 두 극판 사이의 간격과 전압이 일정하므로, 전기장의 세기도 일정하다.

개념 모아 정리하기   84쪽

❶ 축전기   ❷ 충전   ❸ 방전   ❹ 반비례
❺ 유전 분극   ❻ 유전율   ❼ 유전 상수   ❽ 증가
❾ 작아

개념 기본 문제   85쪽

01 ㄱ, ㄷ, ㄹ   **02** $10\ \mu\text{C}$ **03** $\dfrac{1}{2}CV^2$ **04** $2Q_0$, $2W_0$

05 1 : 4   **06** ㄴ, ㄷ

01 ㄱ. 축전기의 두 극판 사이의 전압은 가변 전원의 전압과 같으므로, 가변 전원의 전압이 증가할수록 두 극판 사이의 전압도 증가한다.

ㄷ. 전기 용량이 일정할 때 축전기에 충전된 전하량은 전압에 비례하므로, 가변 전원의 전압이 증가할수록 축전기에 충전된 전하량도 증가한다.

ㄹ. 축전기의 두 극판 사이의 전기장의 세기는 전압에 비례하므로, 가변 전원의 전압이 증가할수록 두 극판 사이의 전기장의 세기도 증가한다.

02 60 Ω인 저항 3개가 병렬연결되어 있으므로 합성 저항은 20 Ω이다. 이는 10 Ω인 저항과 직렬연결되어 있으므로, 10 Ω인 저항의 양단에 걸리는 전압은 $30 \text{ V} \times \dfrac{1}{3} = 10 \text{ V}$이다. 이때 10 Ω인 저항은 축전기와 병렬연결되어 있으므로, 축전기에 걸리는 전압은 10 V이다. 따라서 축전기에 충전된 전하량의 최댓값 $Q = 1 \text{ μF} \times 10 \text{ V} = 10 \text{ μC}$이다.

03 스위치를 연 채로 두 극판 사이의 간격을 $2d$로 늘이면 축전기에 충전된 전하량은 변하지 않고, 전기 용량이 $\dfrac{C}{2}$가 되므로, 축전기에 걸리는 전압은 $2V$가 된다. 두 극판 사이의 간격이 d일 때 축전기에 저장된 전기 에너지 $W = \dfrac{1}{2}CV^2$이므로, 두 극판 사이의 간격을 $2d$로 늘였을 때 축전기에 저장된 전기 에너지 $W' = \dfrac{1}{2}\left(\dfrac{C}{2}\right)(2V)^2 = CV^2 = 2W$이다. 즉, 축전기에 저장된 전기 에너지가 $\dfrac{1}{2}CV^2$만큼 증가한다. 따라서 스위치를 연 채로 두 극판 사이의 간격을 $2d$로 늘이기 위해서는 $\dfrac{1}{2}CV^2$의 일을 해 주어야 한다.

04 전기 용량 $C = \varepsilon\dfrac{S}{d}$이므로, 전기 용량은 B가 A의 2배이다. 전압이 일정할 때 축전기에 충전된 전하량은 전기 용량에 비례하므로, B에 충전된 전하량은 $2Q_0$이다. 또 전압이 일정할 때 축전기에 저장된 전기 에너지는 전기 용량에 비례하므로, B에 저장된 전기 에너지는 $2W_0$이다.

05 (가)에서 1개의 축전기에 걸리는 전압은 $\dfrac{V}{2}$이므로, $W_{(가)} = \dfrac{1}{2} \times C \times \left(\dfrac{V}{2}\right)^2 = \dfrac{1}{8}CV^2$이다. (나)에서 1개의 축전기에 걸리는 전압은 V이므로, $W_{(나)} = \dfrac{1}{2}CV^2$이다. 따라서 $W_{(가)} : W_{(나)} = 1 : 4$이다.

06 ㄴ. 축전기의 두 극판에 연결된 전원은 일정하므로, 두 극판 사이의 전압은 일정하다.
ㄷ. 두 극판 사이의 전압이 일정하고 전기 용량이 감소하므로, 축전기에 충전된 전하량은 감소한다.

01 ⑤	**02** ①	**03** ⑤	**04** ④	**05** ④	**06** ③
07 ③	**08** ②	**09** ③	**10** ③	**11** ⑤	**12** ③

01 ㄱ. 전하량-전압 그래프에서 기울기는 전기 용량을 나타낸다. 따라서 전기 용량은 A가 C의 4배이다.
ㄴ, ㄷ. 평행판 축전기의 전기 용량은 극판의 면적에 비례하고, 두 극판 사이의 간격에 반비례한다. 그래프를 통해 A, B, C의 전기 용량의 비를 구하면 $C_A : C_B : C_C = \dfrac{2S}{d} : \dfrac{(가)}{2d} : \dfrac{S}{(나)} = 4 : 2 : 1$이므로, (가)는 $2S$이고 (나)는 $2d$이다.

02 축전기의 두 극판 사이에 유전체를 밀어 넣으면 유전체가 있는 부분과 없는 부분이 병렬연결된다. 따라서 두 극판 사이의 간격을 d, 유전체의 유전 상수를 κ라고 하면 유전체를 x만큼 밀어 넣었을 때 전기 용량 $C = \kappa\varepsilon_0\dfrac{Lx}{d} + \varepsilon_0\dfrac{L(L-x)}{d} = \varepsilon_0\dfrac{L}{d}\{L + (\kappa-1)x\}$이다. 축전기에 충전되는 전하량 $Q = CV$이므로, 축전기에 충전되는 전하량 Q를 유전체를 밀어 넣은 거리 x에 따라 나타낸 그래프로 가장 적절한 것은 ①이다. 이때 $x=0$일 때 전하량 $Q_0 = \varepsilon_0\dfrac{L^2}{d}$이고, $x=L$일 때 전하량 $Q_L = \kappa\varepsilon_0\dfrac{L^2}{d}$이다.

03 ㄴ. 두 극판 사이에 유전 상수가 κ인 유전체를 넣으면 전기 용량이 κ배가 되므로, 축전기에 충전된 전하량이 일정할 때 두 극판 사이의 전압은 $\dfrac{1}{\kappa}$배가 된다. 이때 전기장의 세기는 전압에 비례하므로, 두 극판 사이의 전기장의 세기는 (가)에서가 (나)에서의 κ배이다.
ㄷ. 축전기에 저장된 전기 에너지 $W = \dfrac{1}{2}\dfrac{Q^2}{C}$에서 $\dfrac{1}{\kappa}$배로 감소하므로, 축전기에 저장된 전기 에너지는 (가)에서가 (나)에서의 κ배이다.

04 (나)는 2개의 축전기가 직렬연결한 것과 같으므로, (가)에서 축전기의 전기 용량을 C라고 할 때 (나)에서 축전기의

전기 용량 C'는 $\dfrac{1}{C'}=\dfrac{1}{C}+\dfrac{1}{2C}$에서 $C'=\dfrac{2}{3}C$이다. 스위치를 연 채로 두 극판 사이의 간격을 $2d$로 늘이면 축전기에 충전된 전하량은 일정하므로, (나)에서 두 극판 사이의 전압은 $\dfrac{3}{2}V$이다. 축전기의 직렬연결에서 각 축전기에 걸리는 전압은 각 축전기의 전기 용량에 반비례하므로, 진공 영역에서의 전압은 V이다.

(가)와 (나)에서 진공 영역에서의 전기장의 세기 $E=\dfrac{V}{d}$로 같으므로, (가)와 (나)에서 A가 운동할 때 x축에 수직인 방향의 가속도의 크기는 같다. 한편 A의 처음 속력이 (나)에서가 (가)에서의 2배이므로, 축전기에서 운동하는 데 걸리는 시간은 (가)에서가 (나)에서의 2배이다. 따라서 $d=\dfrac{1}{2}at^2$에서 $d_1=4d_2$이므로, $d_1:d_2=4:1$이다.

05 (가)에서 A와 B의 극판의 면적을 S, B의 두 극판 사이 간격을 d라고 하면 A와 B의 전기 용량은 각각 $C_A=\kappa\varepsilon_0\dfrac{S}{2d}$, $C_B=\varepsilon_0\dfrac{S}{d}$이다. (나)에서 전원 장치의 전압이 V_0일 때 A에 충전된 전하량이 B에 충전된 전하량의 2배이므로, $C_A=2C_B$이다. 따라서 $\kappa=4$이다.

06 ㄱ. S를 열면 전하의 이동이 불가능하므로, A에 충전된 전하량은 변하지 않는다.

ㄴ. B의 두 극판 사이에 유전 상수가 2인 유전체를 넣으면 B의 전기 용량은 $4C$가 된다. 이때 B에 충전된 전하량이 일정하므로, B에 걸리는 전압은 $\dfrac{1}{2}$배가 된다. 따라서 B에 걸리는 전압은 (가)에서가 (나)에서의 2배이다.

바로 알기 ㄷ. A는 충전된 전하량이 변하지 않고 전기 용량도 변하지 않으므로, (가)와 (나)에서 A에 저장된 전기 에너지는 같다. B는 충전된 전하량은 변하지 않지만 전기 용량이 2배가 되므로, B에 저장된 전기 에너지는 (나)에서가 (가)에서의 $\dfrac{1}{2}$배가 된다. 따라서 A와 B에 저장된 전기 에너지의 합은 (가)에서가 (나)에서보다 크다.

07 ㄱ. 3 Ω과 6 Ω이 병렬연결되어 있으므로, 합성 저항은 2 Ω이다. 이는 R와 직렬연결되어 있으므로, 6 Ω에 흐르는 전류의 세기는 1 A $\times\dfrac{1}{3}=\dfrac{1}{3}$ A이고, 6 Ω의 양단에 걸리는 전압은 $\dfrac{1}{3}$ A $\times 6$ Ω$=2$ V이다. 따라서 R의 양단에 걸리는 전압이 3 V-2 V$=1$ V이므로, $R=\dfrac{1\ \text{V}}{1\ \text{A}}=1$ Ω이다.

ㄴ. 축전기에 걸리는 전압은 R의 양단에 걸리는 전압과 같으므로, 축전기의 전기 용량 $C=\dfrac{5\ \mu\text{C}}{1\ \text{V}}=5\ \mu\text{F}$이다.

바로 알기 ㄷ. 축전기에 충전된 전하량이 5 μC이고 축전기에 걸리는 전압이 1 V이므로, 축전기에 저장된 전기 에너지 $W=\dfrac{1}{2}\times 5\ \mu\text{C}\times 1\ \text{V}=2.5\ \mu\text{J}$이다.

08 ㄴ. A에 걸리는 전압은 $\dfrac{2}{3}V_0$이므로, A에 충전된 전하량 $Q_A=\dfrac{6Q_0}{V_0}\times\dfrac{2}{3}V_0=4Q_0$이다.

바로 알기 ㄱ. 저항의 직렬연결에서 각 저항의 양단에 걸리는 전압은 각 저항에 비례하므로, B에 걸리는 전압은 $\dfrac{1}{3}V_0$이다. 따라서 B의 전기 용량 $C_B=\dfrac{3Q_0}{V_0}$이다. 이때 A와 B의 두 극판 사이의 간격이 같고 극판의 면적이 A가 B의 2배이므로, 전기 용량은 A가 B의 2배이다. 따라서 A의 전기 용량 $C_A=\dfrac{6Q_0}{V_0}$이다.

ㄷ. 축전기에 저장되는 전기 에너지 $W=\dfrac{1}{2}QV$에서 축전기에 충전된 전하량은 A가 B의 4배이고 축전기에 걸리는 전압은 A가 B의 2배이므로, 축전기에 저장된 전기 에너지는 A가 B의 8배이다.

09 (가)는 2개의 축전기가 병렬연결된 것과 같고, (나)는 2개의 축전기가 직렬연결된 것과 같다. 전기 용량 $C_0=\varepsilon\dfrac{S}{d}$라고 할 때, (가)에서 두 축전기의 전기 용량은 각각 $\dfrac{\kappa}{2}C_0$, $2\kappa C_0$이므로, 합성 전기 용량은 $\dfrac{5}{2}\kappa C_0$이다. (나)에서 두 축전기의 전기 용량은 각각 $2\kappa C_0$, $8\kappa C_0$이므로, 합성 전기 용량은 $\dfrac{8}{5}\kappa C_0$이다. (다)에서 전원의 전압을 V라고 하면 A에 걸리는 전압은 $\dfrac{R_2}{R_1+R_2}V$이고, B에 걸리는 전압은 V이다. 이때 A와 B에 저장된 전기 에너지가 같으므로, $\dfrac{5}{2}\kappa C_0\left(\dfrac{R_2}{R_1+R_2}V\right)^2=\dfrac{8}{5}\kappa C_0V^2$에서 $4R_1=R_2$이다. 따라서 $R_1:R_2=1:4$이다.

10 S_1만 닫아 A를 완전히 충전시키면 A에 충전된 전하량 $Q = 2~\mu F \times 60~V = 1.2 \times 10^{-4}~C$이다. S_1을 열고 S_2만 닫았을 때 A와 B에 충전된 전하량의 합은 변하지 않으므로, 병렬연결된 두 축전기의 합성 전기 용량을 C라고 하면 A와 B에 저장된 전기 에너지 $W = \dfrac{1}{2} \times \dfrac{(1.2 \times 10^{-4}~C)^2}{C} = 1.44 \times 10^{-3}~J$에서 $C = 5~\mu F$이다. 따라서 $C_2 = 3~\mu F$이다.

11 S를 b에 연결했을 때와 a에 연결했을 때 회로는 다음과 같다.

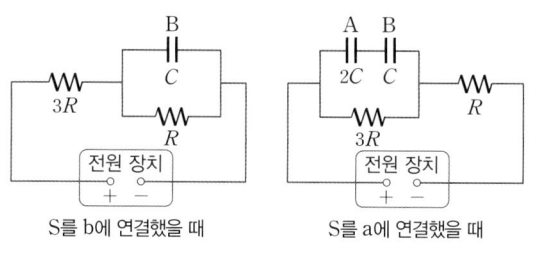

S를 b에 연결했을 때   S를 a에 연결했을 때

전원 장치의 전압을 V라고 하면 S를 b에 연결했을 때 R의 양단에 걸리는 전압은 $\dfrac{1}{4}V$이므로, B에 걸리는 전압도 $\dfrac{1}{4}V$이다. 이때 B의 전기 용량이 C이므로, B에 충전된 전하량 $Q_0 = \dfrac{1}{4}CV$이고, B에 저장된 전기 에너지 $W_0 = \dfrac{1}{2}C\left(\dfrac{1}{4}V\right)^2 = \dfrac{1}{32}CV^2$이다.

S를 a에 연결했을 때 $3R$의 양단에 걸리는 전압은 $\dfrac{3}{4}V$이고, 축전기의 직렬연결에서 각 축전기에 걸리는 전압은 각 축전기의 전기 용량에 반비례하므로, A와 B에 걸리는 전압은 각각 $\dfrac{1}{4}V$, $\dfrac{1}{2}V$이다. 따라서 A에 충전된 전하량 $Q_A = 2C \times \dfrac{1}{4}V = \dfrac{1}{2}CV = 2Q_0$이고, B에 저장된 전기 에너지 $W_B = \dfrac{1}{2}C\left(\dfrac{1}{2}V\right)^2 = \dfrac{1}{8}CV^2 = 4W_0$이다.

12 ㄱ. 글자판을 누르면 A의 두 극판 사이의 간격이 감소하므로, A의 전기 용량은 증가한다.

ㄴ. 글자판을 누르는 동안 A와 B의 합성 전기 용량이 증가하므로, 충전이 일어난다. 따라서 전원 장치에서 A 쪽으로 전류가 흐른다.

바로 알기 ㄷ. 글자판을 누르면 A와 B의 합성 전기 용량이 증가하므로, B에도 충전이 일어난다. 따라서 B에 충전된 전하량은 증가한다.

---

2. 자기장

01 전류에 의한 자기장

▶ 탐구 확인 문제   103쪽

01 (1) 해설 참조 (2) 해설 참조   **02** ②

01 (1) 솔레노이드 내부에서 자기장의 방향은 오른손의 네 손가락을 솔레노이드에 흐르는 전류의 방향으로 감아쥘 때 엄지 손가락이 가리키는 방향이다.

(2) 솔레노이드 내부에서 자기장의 세기 $B = k'' nI$이다.

모범 답안 (1) 솔레노이드에 흐르는 전류의 방향을 바꾼다.

(2) 솔레노이드에 흐르는 전류의 세기를 바꾼다. 또는 단위 길이당 도선의 감은 수가 다른 솔레노이드를 사용한다.

채점 기준	배점(%)
(1), (2)를 모두 옳게 서술한 경우	100
(1), (2) 중 한 가지만 옳게 서술한 경우	50

02 ② 스위치를 닫으면 솔레노이드 내부에서 자기장의 방향이 동쪽(b 쪽)이므로, 자침은 북동쪽으로 회전한다.

바로 알기 ① 스위치를 닫기 전 나침반 자침은 북쪽을 가리킨다.

③ 전류의 세기를 증가시키면 솔레노이드 내부에서 자기장의 세기는 증가한다. 따라서 자침의 회전각은 증가한다.

④ 닫았던 스위치를 열면 솔레노이드에 흐르는 전류에 의한 자기장이 사라지므로, 자침은 다시 북쪽을 가리킨다.

⑤ 전원 장치의 (+)극과 (−)극을 바꾸어 연결하면 전류의 방향이 반대가 되므로, 솔레노이드 내부에서 자기장의 방향이 서쪽이 된다. 따라서 자침은 북서쪽으로 회전한다.

개념 모아 정리하기   106쪽

❶ 자기력   ❷ N   ❸ 자기장   ❹ 자기 선속
❺ 동심원   ❻ 비례   ❼ 반지름   ❽ 평행

개념 기본 문제   107쪽~108쪽

01 ㄱ, ㄴ   **02** ㄱ, ㄴ   **03** ㄱ, ㄹ   **04** $4 \times 10^{-6}~T$
05 $2\pi \times 10^{-11}~T$ **06** 1 : 1   **07** (1) $+y$ 방향 (2) 10 cm
08 $+y$ 방향, $\dfrac{3}{2}I_0$ **09** 0   **10** 2 : 3   **11** $\dfrac{3}{2}$

01 ㄱ. 전자석 내부에도 자기장이 존재한다.

ㄴ. 자기력선이 조밀할수록 그 위치에서 자기장의 세기가 세다.

바로 알기 ㄷ. 솔레노이드 내부의 자기력선은 서로 거의 평행하고 균일하게 분포되어 있다.

02 ㄱ. 자기력선이 P 쪽에서 나오므로, P 쪽에 자석의 N극이 있다.

ㄴ. 자기력선의 밀도가 a점에서가 b점에서보다 크므로, 자기장의 세기는 a점에서가 b점에서보다 세다.

바로 알기 ㄷ. 자기력선 위의 한 점에서 그은 접선 방향이 그 지점에서 자기장의 방향이다. 따라서 c점에서 자기장의 방향은 ㉠이다.

03 직선 도선에 흐르는 전류에 의한 자기장의 방향은 오른손의 엄지손가락을 전류의 방향으로 향하게 할 때 나머지 네 손가락이 도선을 감아쥐는 방향이다. 평행한 두 직선 도선에 같은 세기의 전류가 같은 방향으로 흐르면 두 직선 도선 사이에서는 각 전류에 의한 자기장의 방향이 서로 반대 방향이므로, 상쇄되어 합성 자기장의 세기가 약해진다. 평행한 두 직선 도선에 같은 세기의 전류가 반대 방향으로 흐르면 두 직선 도선 사이에서는 각 전류에 의한 자기장의 방향이 서로 같은 방향이므로, 합쳐져서 합성 자기장의 세기가 세진다.

04 지면에서 직선 도선에 흐르는 전류에 의한 자기장의 세기 $B=k\dfrac{I}{r}=2\times10^{-7}\,\text{T·m/A}\times\dfrac{100\,\text{A}}{5\,\text{m}}=4\times10^{-6}\,\text{T}$이다.

05 전하량이 2×10^{-8} C인 전하가 1초에 100번 회전하므로, 전류의 세기 $I=\dfrac{100\times2\times10^{-8}\,\text{C}}{1\,\text{s}}=2\times10^{-6}\,\text{A}$이다.

원형 도선에 흐르는 전류에 의한 자기장의 세기 $B=k'\dfrac{I}{r}$이므로, 고리 중심에서 자기장의 세기

$B=2\pi\times10^{-7}\,\text{T·m/A}\times\dfrac{2\times10^{-6}\,\text{A}}{0.02\,\text{m}}=2\pi\times10^{-11}\,\text{T}$이다.

06 솔레노이드의 길이가 l이고, 도선의 감은 수가 N일 때 단위 길이당 도선의 감은 수 $n=\dfrac{N}{l}$이고, 솔레노이드에 흐르는 전류에 의한 자기장의 세기는 전류의 세기와 단위 길이당 도선의 감은 수의 곱에 비례한다. 따라서 (가)와 (나)의 솔레노이드 내부에서 자기장의 세기의 비는

(가) : (나) $=\left(2I\times\dfrac{N}{l}\right):\left(I\times\dfrac{4N}{2l}\right)=1:1$이다.

07 (1) P에서 자기장이 0이 되기 위해서는 P에서 A와 B에 흐르는 전류에 의한 자기장의 방향이 반대 방향이어야 한다. 따라서 B에 흐르는 전류의 방향은 $+y$ 방향이다.

(2) P에서 A와 B에 흐르는 전류에 의한 자기장의 세기가 같아야 하므로, P에서 B까지의 거리를 r라고 할 때

$k\dfrac{4\,\text{A}}{0.08\,\text{m}}=k\dfrac{1\,\text{A}}{r}$에서 $r=2$ cm이다. 따라서 A와 B 사이의 거리는 8 cm $+$ 2 cm $=$ 10 cm이다.

08 $x=3$인 점에서 A와 B에 흐르는 전류에 의한 자기장의 방향이 종이면에 수직으로 들어가는 방향이므로, C에 흐르는 전류에 의한 자기장의 방향은 종이면에서 수직으로 나오는 방향이어야 한다. 따라서 C에 흐르는 전류의 방향은 $+y$ 방향이다. 이때 C에 흐르는 전류의 세기를 I_C라고 하면 $x=3$인 점에서 자기장의 세기 $B=k\dfrac{I_0}{2}+k\dfrac{I_0}{1}-k\dfrac{I_C}{1}=0$이므로,

$I_C=\dfrac{3}{2}I_0$이다.

09 직선 도선에 흐르는 전류의 방향과 직선 도선 위의 한 점에서 O까지의 위치 벡터가 이루는 각이 0이므로, O에서 직선 도선에 흐르는 전류에 의한 자기장은 0이다. 또 원형 도선의 위쪽 부분과 아래쪽 부분에는 각각 세기가 $0.5I$인 전류가 흐르므로, O에서 원형 도선의 위쪽 부분에 흐르는 전류에 의한 자기장의 방향과 아래쪽 부분에 흐르는 전류에 의한 자기장의 방향이 서로 반대 방향이다. 따라서 O에서 자기장은 0이다.

10 종이면에 수직으로 들어가는 방향의 자기장을 ($+$)로 나타내면, (가)의 원형 도선의 중심에서 자기장의 세기 $B=k'\dfrac{I_1}{2r}$ $+k'\dfrac{I_2}{r}$이고, (나)의 원형 도선의 중심에서 자기장의 세기 $-\dfrac{1}{2}B=k'\dfrac{I_1}{2r}-k'\dfrac{I_2}{r}$이다. 따라서 $I_1:I_2=2:3$이다.

11 원형 도선 중심에서 자기장의 세기가 최대가 될 때는 A와 B에 흐르는 전류의 방향이 같은 방향일 때이고, 자기장의 세기가 최소가 될 때는 A와 B에 흐르는 전류의 방향이 반대 방향일 때이다. 이때 I_1이 I_2보다 세므로, $k'\dfrac{I_1}{r}+k'\dfrac{I_2}{2r}=$ $2\left(k'\dfrac{I_1}{r}-k'\dfrac{I_2}{2r}\right)$에서 $I_1=\dfrac{3}{2}I_2$이다. 따라서 $\dfrac{I_1}{I_2}=\dfrac{3}{2}$이다.

01 ⑤	02 ③	03 ③	04 ③	05 ④	06 ⑤
07 ②	08 ⑤	09 ⑤	10 ③		

01 ㄱ. 자기력선이 A에서 나오고 있으므로, A는 자석의 N극이다.

ㄴ. 작은 자석이 오른쪽으로 운동하므로, P는 자석의 N극이다.

ㄷ. 작은 자석이 운동 방향으로 자기력을 계속 받으므로, 자석의 속력은 점점 증가한다. 다만, 자기력의 크기는 감소한다.

02 ㄱ. P와 Q에서 직선 도선에 흐르는 전류에 의한 자기장의 방향은 P와 Q를 잇는 직선에 수직인 방향이며, P와 Q에서 서로 반대 방향이다. 이때 지구 자기장의 방향이 그림과 같은 방향이어야만 P와 Q에서 직선 도선에 흐르는 전류에 의한 자기장과 지구 자기장의 벡터 합이 각각 $-x$ 방향, $+y$ 방향을 가리킬 수 있다.

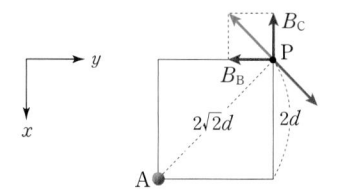

따라서 지구 자기장의 방향은 y축과 45°를 이룬다.

ㄴ. P와 Q의 자침의 회전각이 45°로 같으므로, P와 Q에서 직선 도선에 흐르는 전류에 의한 자기장의 세기가 같다. 따라서 직선 도선으로부터 P와 Q까지의 거리는 같다.

바로 알기 ㄷ. 직선 도선에 흐르는 전류에 의한 자기장의 방향이 반시계 방향이므로, 직선 도선에 흐르는 전류의 방향은 xy 평면에서 수직으로 나오는 방향이다.

03 ㄱ. (나)의 $x=-2d$인 점과 $x=2d$인 점에서 자기장이 모두 $(-)$이므로, 자기장의 방향은 같다.

ㄴ. A와 B 사이에 자기장이 0인 지점이 있으므로, A와 B에 흐르는 전류의 방향은 같다.

바로 알기 ㄷ. $x=d$인 점에서 자기장이 0이므로, 도선에 흐르는 전류의 세기는 B가 A의 2배이다.

04 (가)에서 A에 흐르는 전류의 세기를 I_0, A로부터 Q까지의 거리를 r라고 하면, A로부터 P와 R까지의 거리는 각각 $2r$이고, 자기장의 세기 $B_0=k\dfrac{I_0}{2r}$이다. (나)의 P에서 자기장이 0이므로, B에는 $-y$ 방향으로 세기가 $\dfrac{I_0}{2}$인 전류가 흐른다.

따라서 R에서 자기장의 세기 $B_R=k\dfrac{\frac{I_0}{2}}{3r}-k\dfrac{I_0}{2r}=-k\dfrac{I_0}{3r}$

이다. 즉, R에서 자기장의 세기는 $\dfrac{2}{3}B_0$이다.

05 정육면체의 한 변의 길이를 $2d$라고 하면, P에서 B에 흐르는 전류에 의한 자기장 B_B는 $-y$ 방향으로 $k\dfrac{I_0}{d}$이고, C에 흐르는 전류에 의한 자기장 B_C는 $-x$ 방향으로 $k\dfrac{I_0}{d}$이다. P를 포함한 xy 평면과 나란한 면에서 B와 C에 흐르는 전류에 의한 합성 자기장을 나타내면 다음 그림의 초록색 화살표와 같다.

P에서 자기장이 0이기 위해서는 A에 흐르는 전류에 의한 자기장이 파란색 화살표와 같아야 하며, 그 크기는 $\sqrt{2}k\dfrac{I_0}{d}$이어야 한다. 따라서 A에 흐르는 전류의 방향은 $-z$ 방향이다. 또 A에 흐르는 전류의 세기를 I_A라고 하면 A에서 P까지의 거리가 $2\sqrt{2}d$이므로, $\sqrt{2}k\dfrac{I_0}{d}=k\dfrac{I_A}{2\sqrt{2}d}$에서 $I_A=4I_0$이다.

06 ㄱ. (가)의 P에서 A에 의한 자기장은 종이면에 수직으로 들어가는 방향으로 2×10^{-7} T·m/A$\times\dfrac{10\ A}{0.01\ m}=2\times10^{-4}$ T이고, B에 의한 자기장은 종이면에서 수직으로 나오는 방향으로 2×10^{-7} T·m/A$\times\dfrac{40\ A}{0.02\ m}=4\times10^{-4}$ T이다. 따라서 (가)의 P에서 자기장은 종이면에서 수직으로 나오는 방향으로 2×10^{-4} T이다. 즉, $B_0=2\times10^{-4}$ T이다.

ㄴ. (나)의 Q에서 직선 도선에 의한 자기장은 종이면에 수직으로 들어가는 방향으로 2×10^{-7} T·m/A$\times\dfrac{10\ A}{0.01\ m}=2\times10^{-4}$ T이고, 원형 도선에 의한 자기장은 종이면에 수직으로 들어가는 방향으로 $2\pi\times10^{-7}$ T·m/A$\times\dfrac{10\ A}{0.01\ m}=6\times10^{-4}$ T이다. 따라서 (나)의 Q에서 자기장은 종이면에 수직으로 들어가는 방향으로 8×10^{-4} T이다. 즉, Q에서 자기장의 세기는 $4B_0$이다.

ㄷ. (가)에서 A에 흐르는 전류의 방향을 반대로 하면 P에서 자기장은 종이면에서 수직으로 나오는 방향으로 6×10^{-4} T가 되므로, P에서 자기장의 세기는 $3B_0$이 된다.

07 직선 도선에 흐르는 전류의 방향과 직선 도선 위의 한 점에서 O까지의 위치 벡터가 이루는 각이 0이므로, O에서 직선 도선에 흐르는 전류에 의한 자기장은 0이다. 따라서 반원형 도선에 흐르는 전류에 의한 자기장만 고려하면 된다. 반지름이 r인 원형 도선에 세기가 I인 전류가 흐를 때 원형 도선의 중심에서 자기장의 세기 $B=k'\dfrac{I}{r}$이므로, 반원형 도선의 중심에서 자기장의 세기 $B'=k'\dfrac{I}{2r}$이다. (가)에서는 두 반원형 도선에 흐르는 전류에 의한 자기장의 방향이 반대 방향이고, (나)에서는 같은 방향이다. 따라서 (가)와 (나)의 O에서 자기장의 세기를 구하면 $B_{(가)}=k'\left(\dfrac{I}{4r}-\dfrac{I}{2r}\right)=-k'\dfrac{I}{4r}$이고,

$B_{(나)}=k'\left(\dfrac{I}{4r}+\dfrac{I}{2r}\right)=k'\dfrac{3I}{4r}$이다.

따라서 $B_{(가)}:B_{(나)}=1:3$이다.

08 ㄱ. (가)와 (나)에서 저항의 저항값이 같으므로, 솔레노이드에 흐르는 전류의 세기는 (가)와 (나)에서가 같다.

ㄴ. (가)와 (나)에서 솔레노이드에 흐르는 전류의 방향이 같으므로, 솔레노이드 내부에서 자기장의 방향도 같다.

ㄷ. 솔레노이드 내부에서 자기장의 세기는 단위 길이당 도선의 감은 수에 비례한다. 이때 도선의 감은 수는 같지만 도선의 길이가 (나)에서가 (가)에서의 2배이므로, 자기장의 세기는 (가)에서가 (나)에서의 2배이다.

09 ㄱ. 솔레노이드 내부에서 자기장의 세기는 전류의 세기에 비례하고, 단위 길이당 도선의 감은 수에 비례한다. A와 B 내부에서 자기장의 세기는 같고 단위 길이당 도선의 감은 수는 B가 A의 2배이므로, 전류의 세기는 I_1이 I_2의 2배이다.

ㄴ. A와 B 내부에서 자기장의 방향은 왼쪽이므로, P와 Q에서 자기장의 방향도 왼쪽이다.

ㄷ. A의 오른쪽은 S극이 되고 B의 왼쪽은 N극이 되므로, A와 B 사이에는 서로 끌어당기는 자기력이 작용한다.

10 ㄱ. 솔레노이드에 흐르는 전류의 방향이 전원 장치 → 검류계 → 솔레노이드 방향이므로, 솔레노이드의 위쪽은 S극이 된다.

ㄴ. 전압이 2배가 되면 솔레노이드에 흐르는 전류의 세기가 2배가 되므로, 내부에서 자기장의 세기도 2배가 된다.

바로 알기 ㄷ. 솔레노이드가 자석에 작용하는 자기력의 크기와 자석에 작용하는 중력의 크기의 합은 용수철이 자석에 작용하는 힘의 크기와 같다.

02 전자기 유도

집중 분석   125쪽

유제 ⑤

유제 ㄱ. 균일한 자기장 내에서 운동하는 도선에 발생하는 유도 기전력 $V=-Blv$이다. $4t_0$일 때 도체 막대의 속력 $v=\dfrac{x_0}{2t_0}$이므로, 유도 기전력 $V=-\dfrac{Blx_0}{2t_0}$이다. 즉, 유도 기전력의 크기는 $\dfrac{Blx_0}{2t_0}$이다.

ㄴ. t_0일 때와 $7t_0$일 때 도체 막대의 속력이 같으므로, 유도 기전력의 크기가 같고 유도 전류의 세기도 같다.

ㄷ. $3t_0$일 때와 $5t_0$일 때 모두 도체 막대가 $-x$ 방향으로 운동하므로, ㄷ자형 도선과 도체 막대로 이루어진 회로를 지나는 자기 선속이 모두 감소한다. 따라서 $3t_0$일 때와 $5t_0$일 때 모두 도선에는 유도 전류가 시계 방향으로 흐른다.

개념 모아 정리하기   126쪽

❶ 자기 선속 ❷ 유도 기전력 ❸ 유도 전류 ❹ 방해
❺ 빠를수록 ❻ 비례 ❼ 발전기 ❽ 교류

개념 기본 문제   127쪽

01 (1) 4×10^{-6} A, 반시계 방향 (2) 2×10^{-6} A, 시계 방향

02 (1) Blv (2) b → a 방향   **03** B: 반시계 방향, C: 반시계 방향

04 ㄴ   **05** (1) $f=\dfrac{\omega}{2\pi}$ (2) 최대: 90°, 최소: 0°

01 (1) 0초~2초 동안 도선에 유도되는 기전력 $V=-N\dfrac{\Delta\Phi}{\Delta t}=$

$-1\times\dfrac{8\times10^{-3}\text{ T}\times(0.1\text{ m})^2}{2\text{ s}}=-4\times10^{-5}$ V이므로, 유도

전류의 세기 $I=\dfrac{4\times10^{-5}\text{ V}}{10\text{ }\Omega}=4\times10^{-6}$ A이다. 또 1초일 때 종이면에 수직으로 들어가는 방향의 자기장의 세기가 증가하므로, 도선에는 유도 전류가 반시계 방향으로 흐른다.

(2) 2초~6초 동안 도선에 유도되는 기전력

$V=-1\times\dfrac{8\times10^{-3}\text{ T}\times(0.1\text{ m})^2}{4\text{ s}}=-2\times10^{-5}$ V이므로,

유도 전류의 세기 $I=\dfrac{2\times10^{-5}\,\text{V}}{10\,\Omega}=2\times10^{-6}\,\text{A}$이다. 또 4초일 때 종이면에 수직으로 들어가는 방향의 자기장의 세기가 감소하므로, 도선에는 유도 전류가 시계 방향으로 흐른다.

02 (1) 유도 기전력 $V=-N\dfrac{\Delta(BS)}{\Delta t}=-\dfrac{B\Delta S}{\Delta t}=-Blv$이다. 따라서 유도 기전력의 크기는 Blv이다.

(2) 도선이 오른쪽으로 운동하므로, 도선을 지나는 자기 선속이 감소한다. 따라서 도선에는 유도 전류가 시계 방향으로 흐른다. 즉, 유도 전류는 b → a 방향으로 흐른다.

03 A에 흐르는 전류에 의한 자기장의 방향이 A의 오른쪽에서는 종이면에 수직으로 들어가는 방향이고, 왼쪽에서는 종이면에서 수직으로 나오는 방향이다. 또 자기장의 세기는 A로부터의 거리에 반비례한다. 따라서 B가 A의 오른쪽에서 운동할 때는 종이면에 수직으로 들어가는 방향의 자기장이 증가하므로, B에는 유도 전류가 반시계 방향으로 흐른다. 그리고 C가 A의 왼쪽에서 운동할 때는 종이면에서 수직으로 나오는 방향의 자기장이 감소하므로, C에는 유도 전류가 반시계 방향으로 흐른다.

04 ㄴ. 도체 막대가 운동할 때 유도 기전력은 도체 막대의 속력에 비례하므로, 도체 막대를 빨리 움직일수록 a와 b 사이에 흐르는 유도 전류의 세기는 증가한다.

바로 알기 ㄱ. 도체 막대가 운동할 때 전자기 유도에 의해 도체 막대의 운동을 방해하는 방향으로 유도 전류가 흐른다. 따라서 도체 막대를 한번 잡아당기면 도체 막대는 운동하다가 멈춘다.

ㄷ. 도체 막대를 오른쪽으로 잡아당기면 사각형 abcd를 지나는 자기 선속이 증가한다. 따라서 도선에는 유도 전류가 시계 방향으로 흐르므로, 도체 막대에서는 유도 전류가 d → c 방향으로 흐른다.

05 (1) 코일이 1회전을 하는 데 걸리는 시간을 T라고 하면, $\omega=\dfrac{\theta}{t}$ $=\dfrac{2\pi}{T}$이므로, 진동수 $f=\dfrac{1}{T}=\dfrac{\omega}{2\pi}$이다.

(2) 자기 선속 $\varPhi=BS\cos\theta=BS\cos\omega t$이므로, 유도 기전력 $V=-N\dfrac{\Delta\varPhi}{\Delta t}=NBS\omega\sin\omega t$이다. 따라서 V가 최대일 때는 θ가 90°일 때이고, V가 최소일 때는 θ가 0°일 때이다.

개념 적용 문제   128쪽~133쪽

01 ⑤	**02** ③	**03** ①	**04** ③	**05** ⑤	**06** ①
07 ③	**08** ①	**09** ③	**10** ④	**11** ②	**12** ③

01 ㄱ. 자석이 P를 속력 v로 운동할 때보다 속력 $2v$로 운동할 때 코일을 지나는 자기 선속의 시간 변화율이 크다. 따라서 실험 Ⅰ에서 검류계 바늘의 회전각은 θ보다 크다.

ㄴ. 자석의 극이 반대로 바뀌면 자기력선의 방향만 반대로 바뀔 뿐, 자기 선속의 크기는 같다. 따라서 실험 Ⅰ과 Ⅱ에서 자극만 다르고 속력과 운동 방향은 같으므로, 검류계 바늘의 회전각의 크기는 같다.

ㄷ. 자석의 N극이 아래쪽 방향으로 운동할 때는 코일의 위쪽이 N극이 되도록 유도 전류가 흐르고, 자석의 S극이 위쪽 방향으로 운동할 때는 코일의 위쪽이 N극이 되도록 유도 전류가 흐른다. 따라서 실험 Ⅰ과 Ⅲ에서 유도 전류의 방향이 같으므로, 검류계 바늘의 회전 방향도 같다.

02 ㄱ. 도선의 단면적이 일정하므로, 유도 기전력의 크기는 자기장의 세기의 시간 변화율에 비례한다. 자기장의 세기의 시간 변화율이 1초일 때가 5초일 때의 2배이므로, 유도 기전력의 크기도 1초일 때가 5초일 때의 2배이다.

ㄴ. 1초일 때 종이면에 수직으로 들어가는 방향의 자기장의 세기가 증가하므로, 도선에는 유도 전류가 반시계 방향으로 흐른다. 즉, 유도 전류는 b → 저항 → a 방향으로 흐른다.

바로 알기 ㄷ. 3초일 때 자기장의 세기가 일정하므로, 유도 전류는 흐르지 않는다.

03 ㄱ. t일 때 도선이 자기장 영역에 들어가고 있으므로, 도선을 지나는 자기 선속이 증가한다. 따라서 도선에는 유도 전류가 반시계 방향으로 흐른다.

바로 알기 ㄴ. 도선이 정삼각형 모양이므로, 단위 시간당 자기장 영역에 들어가는 면적 변화율이 $1.5t$일 때가 $0.5t$일 때보다 크다. 따라서 유도 기전력의 크기는 $1.5t$일 때가 $0.5t$일 때보다 크다.

ㄷ. t일 때 도선의 앞쪽 부분이 $\dfrac{L}{2}$만큼 자기장 영역에 들어가 있고, $5t$일 때는 도선의 뒤쪽 부분이 $\dfrac{L}{2}$만큼 자기장 영역에 들어가 있다. 따라서 도선을 지나는 자기 선속은 면적에 비례하므로, $5t$일 때가 t일 때의 3배이다.

04 ㄱ. 도선의 앞쪽이 6초 동안 $3d$의 거리를 이동하였으므로, 도선의 속력 $v=\dfrac{d}{2}$이다. 유도 기전력 $V=-N\dfrac{\Delta\Phi}{\Delta t}=-\dfrac{\Delta(BS)}{\Delta t}$이므로, 1초일 때 유도 기전력의 크기 $V_{1초}=2B\times\dfrac{d^2}{2}=Bd^2$이고, 3초일 때 유도 기전력의 크기 $V_{3초}=\dfrac{2B}{1}\times d^2=2Bd^2$이다. 따라서 유도 기전력의 크기는 3초일 때가 1초일 때의 2배이다.

ㄴ. 1초일 때 도선이 종이면에서 수직으로 나오는 방향의 자기장 영역에 들어가고 있으므로, 도선에는 유도 전류가 시계 방향으로 흐른다. 5초일 때 도선이 종이면에 수직으로 들어가는 방향의 자기장 영역에서 빠져나오고 있으므로, 도선에는 유도 전류가 시계 방향으로 흐른다. 따라서 유도 전류의 방향은 1초일 때와 5초일 때가 같다.

바로 알기 ㄷ. 도선의 속력이 2배가 되면 도선이 자기장 영역을 완전히 빠져나오는 데 걸리는 시간은 3초이다. 따라서 3.5초일 때는 도선이 자기장 영역을 완전히 빠져나와 있으므로, 유도 전류가 흐르지 않는다.

05 ㄴ. 3초일 때와 5초일 때 도선에 흐르는 유도 전류의 세기가 같으므로, Ⅰ과 Ⅱ에서 자기장의 세기는 같다. 따라서 Ⅱ에서 자기장의 세기는 B_0이다.

ㄷ. Ⅰ에서 자기장의 방향이 종이면에서 수직으로 나오는 방향이고, 1초일 때 도선이 Ⅰ에 들어가고 있으므로 도선에는 유도 전류가 시계 방향으로 흐른다.

바로 알기 ㄱ. 3초일 때와 5초일 때 도선의 위치는 다음과 같다.

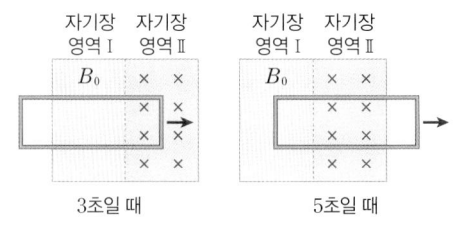

3초일 때는 도선을 지나는 자기 선속 중 Ⅰ에 의한 자기 선속은 일정하고, Ⅱ에 의한 자기 선속이 증가하므로, 도선에는 유도 전류가 반시계 방향으로 흐른다. 5초일 때는 도선을 지나는 자기 선속 중 Ⅱ에 의한 자기 선속은 일정하고, Ⅰ에 의한 자기 선속이 감소한다. 이때 3초일 때와 5초일 때 도선에 흐르는 유도 전류의 방향이 같다고 하였으므로, 5초일 때 도선에는 유도 전류가 반시계 방향으로 흐른다. 따라서 Ⅰ에서의 자기장의 방향은 종이면에서 수직으로 나오는 방향이다. 즉, Ⅰ과 Ⅱ에서 자기장의 방향은 반대이다.

06 ㄱ. LED에는 순방향 바이어스가 걸릴 때에만 전류가 흐른다. 즉, $x=0$에서 $x=d$까지와 $x=2d$에서 $x=3d$까지 도선에 흐르는 유도 전류의 방향은 모두 시계 방향이다. 도선이 Ⅰ에 들어갈 때 유도 전류가 시계 방향으로 흐르므로, Ⅰ에서 자기장의 방향은 종이면에서 수직으로 나오는 방향이다. 또 도선이 Ⅱ에 들어갈 때 유도 전류가 시계 방향으로 흐르므로, Ⅱ에서 자기장의 방향은 종이면에서 수직으로 나오는 방향이다. 따라서 자기장의 방향은 Ⅰ과 Ⅱ에서 같다.

바로 알기 ㄴ. 도선이 Ⅰ에 들어갈 때의 유도 전류가 Ⅱ에 들어갈 때의 유도 전류의 2배이므로, 자기장의 세기의 변화가 Ⅰ에 들어갈 때가 Ⅱ에 들어갈 때의 2배이다. 이때 Ⅰ과 Ⅱ에서 자기장의 방향이 같으므로, Ⅰ에서 자기장의 세기를 $2B$라고 하면 Ⅱ에서 자기장의 세기는 $3B$가 되어야 한다.

ㄷ. p가 $x=4.5d$를 지날 때 종이면에서 수직으로 나오는 방향의 자기 선속이 감소하므로, 도선에는 유도 기전력이 반시계 방향으로 발생한다. 그런데 LED에는 역방향 바이어스가 걸릴 때 전류가 흐르지 않으므로, p가 $x=4.5d$를 지날 때 유도 전류는 흐르지 않는다.

07 균일한 자기장 내에서 운동하는 도선에 발생하는 유도 기전력 $V=-Blv$이다. 도선의 저항을 R라고 할 때, (가)에서 유도 전류 $I_0=\dfrac{Bdv}{R}$이고, 이때 유도 전류의 방향은 반시계 방향이다. (나)에서 A가 $+x$ 방향으로 운동할 때 A에는 $-2I_0$의 유도 전류가 흐르고, $+y$ 방향으로 운동할 때 A에는 $+2I_0$의 유도 전류가 흐른다. Ⅰ, Ⅱ, Ⅲ에서 자기장의 세기를 각각 B_1, B_2, B_3이라고 하면 다음과 같이 나타낼 수 있다.

- A가 $+x$ 방향으로 운동할 때: $-2I_0=\dfrac{dv}{2R}(-B_1+B_2-B_3)$
- A가 $+y$ 방향으로 운동할 때: $+2I_0=\dfrac{dv}{2R}(B_1+B_2-B_3)$

두 식을 정리하면 $B_2=B_3$이고, $B_1=\dfrac{4RI_0}{dv}$이다.

따라서 A가 $-y$ 방향으로 속력 v로 운동할 때 흐르는 유도 전류 $I=\dfrac{dv}{2R}(-B_1-B_2+B_3)=-2I_0$이다. 즉, A에는 세기가 $2I_0$인 전류가 시계 방향으로 흐른다.

08 ㄱ. 유도 기전력의 크기가 ⓒ에서가 ㉠에서보다 크므로, 코일에 들어갈 때 자석의 속력이 ⓒ에서가 ㉠에서보다 빠르다. 따라서 자석의 처음 높이는 ⓒ에서가 ㉠에서보다 크다.

바로 알기 ㄴ. ⓒ에서 유도 기전력이 ㉠과 같이 먼저 (+)방향으로 발생하고 나중에 (−)방향으로 발생하므로, ⓒ은 자석의 N극을 아래로 하여 떨어뜨린 경우이다.

ㄷ. 자석의 역학적 에너지는 일부가 전자기 유도에 의해 전기 에너지로 전환되므로, 보존되지 않는다.

09 ㄱ. 균일한 자기장 내에서 운동하는 도선에 발생하는 유도 기전력 $V=-N\dfrac{\Delta\Phi}{\Delta t}=-Blv$이다. ㄷ자형 도선에서 ab의 폭을 d라고 하면, t_0일 때 도체 막대의 속력 $v=\dfrac{L}{2t_0}$이므로, 유도 기전력의 크기 $V_1=\dfrac{2B_0dL}{2t_0}=\dfrac{B_0dL}{t_0}$이다. $3t_0$일 때 ㄷ자형 도선과 도체 막대로 이루어진 사각형의 면적은 $2dL$이고, 자기장의 세기의 시간 변화율이 $\dfrac{B_0}{2t_0}$이므로, 유도 기전력의 크기 $V_3=\dfrac{B_0}{2t_0}\times2dL=\dfrac{B_0dL}{t_0}$이다. 따라서 $V_1=V_3$이므로, t_0일 때와 $3t_0$일 때 저항에 흐르는 전류의 세기는 같다.

ㄴ. $3t_0$일 때 종이면에 수직으로 들어가는 방향의 자기 선속이 감소하므로, 도선에는 유도 전류가 b → 저항 → a 방향으로 흐른다. $5t_0$일 때 도체 막대가 왼쪽으로 운동하여 종이면에 수직으로 들어가는 방향의 자기 선속이 감소하므로, 도선에는 유도 전류가 b → 저항 → a 방향으로 흐른다. 따라서 $3t_0$일 때와 $5t_0$일 때 저항에 흐르는 전류의 방향은 같다.

바로 알기 ㄷ. $5t_0$일 때 유도 기전력의 크기 $V_5=\dfrac{B_0dL}{2t_0}=\dfrac{1}{2}V_1$이므로, t_0일 때 저항에 흐르는 유도 전류의 세기를 I_0이라고 하면, $5t_0$일 때 저항에 흐르는 유도 전류의 세기는 $\dfrac{1}{2}I_0$이다. 따라서 t_0일 때 도체 막대에 작용하는 자기력의 크기 $F_1=2B_0\times I_0\times d$이고, $5t_0$일 때 도체 막대에 작용하는 자기력의 크기 $F_5=B_0\times\dfrac{I_0}{2}\times d$이므로, t_0일 때가 $5t_0$일 때의 4배이다.

10 도선에 발생하는 유도 기전력 $V=-N\dfrac{\Delta\Phi}{\Delta t}=-Blv$이다. 자기장의 세기와 ㄷ자형 도선의 폭이 일정하므로, 유도 기전력의 크기는 속력에 비례한다. 중력에 의해 도체 막대에 경사면 아래쪽으로 작용하는 힘을 F_0이라고 하자. 막대가 위쪽으로 운동하는 동안에는 F_0과 렌츠 법칙에 의해 작용하는 자기력의 방향이 모두 막대의 운동 방향과 반대이다. 따라서 막대의 속력은 점점 감소하고, 이에 따라 자기력의 크기도 감소한다. 그리고 막대가 정지하면 자기력이 0이므로, 막대에는 F_0만 작용한다. 이후 막대가 아래쪽으로 운동하는 동안에는

F_0과 렌츠 법칙에 의해 작용하는 자기력의 방향이 반대이다. 이때 F_0이 자기력보다 크므로, 막대의 속력은 점점 증가하고 이에 따라 자기력의 크기도 증가한다. 자기력의 크기가 증가하다가 F_0과 같아지는 순간부터 막대는 등속도 운동을 한다.

막대의 속력을 시간에 따라 나타내면 오른쪽 그림과 같다. 따라서 유도 전류의 세기를 시간에 따라 나타낸 그래프로 가장 적절한 것은 ④이다.

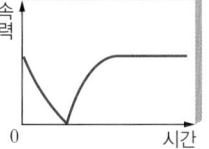

11 ㄷ. 유도 기전력 $V=-\dfrac{\Delta(BS_0\sin\omega t)}{\Delta t}=-BS_0\omega\cos\omega t$이므로, 코일의 각속도 ω가 증가하면 유도 기전력의 크기가 증가한다. 즉, 코일의 각속도가 증가하면 전구에 걸리는 전압의 최댓값이 증가한다.

바로 알기 ㄱ. 코일의 면적을 S_0이라고 하면 자기장에 수직인 단면적 $S=S_0\sin\theta=S_0\sin\omega t$이다. 유도 기전력 $V=-N\dfrac{\Delta\Phi}{\Delta t}$이므로, 코일이 회전하는 동안 유도 기전력의 크기 $V=V_0\sin\omega t$이다. 따라서 코일이 1회전 하는 동안 유도 전류의 세기가 변하므로, 전구의 밝기는 일정하지 않다.

ㄴ. 코일이 1회전 하는 동안 전구에는 교류 전류가 흐르므로, 전구에 흐르는 전류의 방향은 시간에 따라 주기적으로 변한다.

12 도선에 전류가 b → c 방향으로 흐를 때 저항에 전류가 화살표 방향으로 흐른다. 도선의 회전각에 따라 유도 전류의 방향과 유도 전류에 의한 자기장의 방향을 표시하면 다음과 같다.

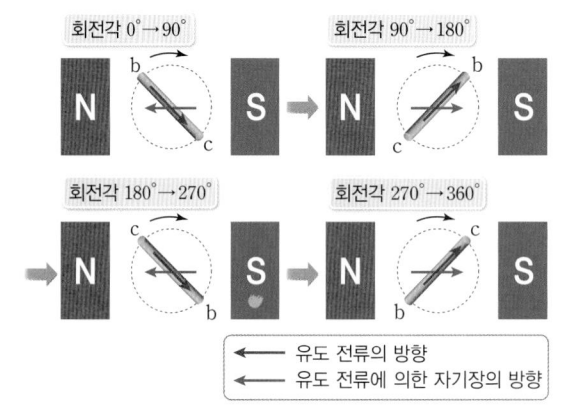

도선이 0°~90° 회전하는 동안 저항에는 (+)전류가 흐르고, 90°~270° 회전하는 동안 저항에는 (−)전류가 흐른다. 또 270°~360° 회전하는 동안 저항에는 (+)전류가 흐른다. 따라서 도선이 한 바퀴 회전하는 동안 저항에 흐르는 전류를 나타낸 것으로 가장 적절한 것은 ③이다.

03 상호유도

탐구 확인 문제   141쪽

01 해설 참조   **02** ⑤

01 (1) 1차 코일에 흐르는 전류의 세기가 변할 때 검류계에 유도 전류가 흐른다.

(2) 2차 코일에 흐르는 전류의 세기를 증가시키려면 자기 선속의 시간 변화율을 증가시키거나 2차 코일의 감은 수를 증가시켜야 한다.

모범 답안 (1) 가변 저항기의 저항값을 변화시킨다.

(2) 가변 저항기의 저항값을 더 빠르게 변화시킨다. 전원 장치의 전압을 더 크게 한다. 1차 코일에 철심을 넣는다. 감은 수가 더 큰 2차 코일을 사용한다.

채점 기준	배점(%)
(1), (2)를 모두 옳게 서술한 경우	100
(1), (2) 중 한 가지만 옳게 서술한 경우	50

02 ⑤ A의 감은 수만 증가시키면 $\dfrac{V_A}{N_A}=\dfrac{V_B}{N_B}$에서 B에 발생하는 상호유도 기전력은 감소한다.

바로 알기 ① A에 흐르는 전류의 세기가 일정하게 증가하면 B를 지나는 자기 선속이 일정하게 증가하므로, B에는 유도 전류가 흐른다.

② A에 교류가 흐르면 B를 지나는 자기 선속이 시간에 따라 계속 변하므로, B에는 시간에 따라 주기적으로 변하는 유도 전류가 흐른다.

③ 2차 코일에 유도되는 기전력은 1차 코일에 흐르는 전류의 세기와는 관계가 없고, 전류의 시간 변화율에 비례한다. 따라서 A에 직류가 흐르면 B에는 유도 전류가 흐르지 않는다.

④ B에 발생하는 상호유도 기전력 $V_B=-N_B\dfrac{\Delta\Phi_B}{\Delta t}$이므로, B의 감은 수만 증가시키면 상호유도 기전력은 증가한다.

개념 모아 정리하기   145쪽

❶ 상호유도   ❷ 방해   ❸ 반대   ❹ 같은

❺ 변압기   ❻ 철심   ❼ 반비례   ❽ 방전

개념 기본 문제   146쪽~147쪽

01 ㄴ   **02** ㄱ, ㄷ   **03** 해설 참조   **04** ㄱ   **05** $\dfrac{VI}{2}$

06 ㄴ   **07** ㄴ, ㄷ   **08** (1) 1×10^4 V, 0.044 A (2) 440 W

09 해설 참조   **10** ㄴ

01 ㄴ. 전동 칫솔을 무선 충전기 위에 올려놓았을 때 발생하는 무선 충전은 칫솔 속의 코일과 무선 충전기 속의 코일 사이에서 발생하는 상호유도에 의한 현상이다.

바로 알기 ㄱ. 코일 주위에서 자석을 움직일 때 코일에 유도 전류가 흐르는 현상은 전자기 유도 현상이다.

ㄷ. 전류가 흐르는 도선 주위에 나침반을 놓았을 때 나침반의 자침이 회전하는 것은 전류에 의한 자기 작용이다.

02 ㄱ. 스위치를 닫는 순간 1차 코일에서 자기장이 발생하므로 상호유도에 의해 검류계에 전류가 흐른다.

ㄷ. 스위치를 여는 순간 1차 코일에 형성되어 있던 자기장이 사라지므로, 상호유도에 의해 검류계에 전류가 흐른다.

바로 알기 ㄴ. 스위치를 닫고 있으면 1차 코일에 발생하는 자기장이 일정하므로, 검류계에 전류가 흐르지 않는다.

ㄹ. 스위치를 열고 있으면 1차 코일에 전류가 흐르지 않으므로, 자기장이 0이다. 따라서 검류계에 전류가 흐르지 않는다.

03 1차 코일에 흐르는 전류에 따라 원형 철심에 발생하는 자기장의 방향과 세기의 변화, 유도 전류에 의한 자기장의 방향과 유도 전류의 방향을 시간에 따라 나타내면 다음과 같다.

시간	$0\sim t_0$	$t_0\sim 2t_0$	$2t_0\sim 3t_0$	$3t_0\sim 4t_0$
자기장의 방향	왼쪽	오른쪽	오른쪽	왼쪽
자기장의 세기의 변화	감소	증가	감소	증가
유도 전류에 의한 자기장의 방향	왼쪽	왼쪽	오른쪽	오른쪽
유도 전류의 방향	a → ⓖ → b	a → ⓖ → b	b → ⓖ → a	b → ⓖ → a

1차 코일에 흐르는 전류의 시간 변화율은 일정하므로, 검류계에 흐르는 전류의 세기는 일정하고, 방향만 변한다. 따라서 검류계에 흐르는 전류 $I_ⓖ$를 시간 t에 따라 나타내면 오른쪽 그림과 같다.

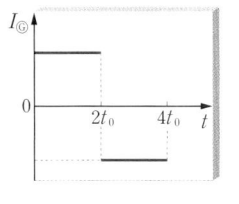

04 ㄱ. S를 닫는 순간 A에 흐르는 전류에 의해 원형 철심 내부에는 시계 방향으로 자기장이 발생한다. 상호유도에 의해 B에는 반시계 방향으로 자기장이 발생하도록 유도 전류가 흐르므로, 검류계에는 전류가 a → ⓖ → b 방향으로 흐른다.

바로 알기 ㄴ. S를 닫고 있는 동안 B 내부의 자기장이 일정하므로, 검류계에는 전류가 흐르지 않는다.

ㄷ. S를 여는 순간 A에 흐르는 전류에 의한 자기장은 0이 되지만, 상호유도에 의해 B에는 자기장이 발생하므로, 원형 철심 내부의 자기장은 즉시 0이 되지는 않는다.

05 변압기에서 $\dfrac{V_1}{V_2}=\dfrac{N_1}{N_2}$이다. 1차 코일과 2차 코일의 감은 수의 비가 2 : 1이므로, 2차 코일의 양단에 걸리는 전압은 $\dfrac{V}{2}$이다. 전력 $P=VI$이므로 2차 코일에 유도되는 전력은 $\dfrac{VI}{2}$이다. 따라서 1차 코일에 공급되는 전력도 $\dfrac{VI}{2}$이다.

06 ㄴ. 코일에 흐르는 전류의 세기는 코일의 감은 수에 반비례하므로, 코일에 흐르는 전류의 세기는 1차 코일에서가 2차 코일에서보다 크다.

바로 알기 ㄱ. 코일의 양단에 걸리는 전압은 코일의 감은 수에 비례하므로, 코일의 양단에 걸리는 전압은 2차 코일에서가 1차 코일에서보다 크다.

ㄷ. 코일을 지나는 자기 선속은 1차 코일과 2차 코일에서 같다.

07 ㄴ. 저항의 병렬연결에서 전체 전류는 각 저항에 흐르는 전류의 합과 같다. 따라서 2차 코일에 연결된 저항의 개수가 증가할수록 2차 코일에 흐르는 전류의 세기는 증가한다.

ㄷ. 회로에서 병렬연결한 저항의 개수가 증가할수록 합성 저항은 작아진다. 이때 회로 전체에 걸리는 전압은 일정하므로, 회로에 흐르는 전류의 세기는 증가한다. 따라서 전체 소비 전력은 증가한다. 즉, 2차 코일에 연결된 저항의 개수가 증가할수록 소비 전력이 증가하므로, 1차 코일에서 2차 코일로 전달하는 전력은 증가한다.

바로 알기 ㄱ. 저항의 병렬연결에서 전체 전압은 각 저항의 양단에 걸리는 전압과 같다. 따라서 2차 코일에 연결된 저항의 개수가 증가하더라도 2차 코일의 양단에 걸리는 전압이 변하지 않으므로, 1차 코일의 양단에 걸리는 전압도 일정하다.

08 (1) 변압기에서 $\dfrac{V_1}{V_2}=\dfrac{N_1}{N_2}$이다. 1차 코일과 2차 코일의 감은 수의 비가 10000 : 220이므로, 1차 코일의 양단에 걸리는 전압 $V=1\times10^4$ V이다. 1차 코일에 공급되는 전력과 2차 코일에 유도되는 전력이 같으므로,

1×10^4 V$\times I=220$ V$\times2$ A$=440$ W에서 1차 코일에 흐르는 전류의 세기 $I=0.044$ A이다.

(2) 전력 $P=VI$이므로, 1차 코일에서 2차 코일로 전달하는 전력은 440 W이다.

09 변압기에서 코일의 양단에 걸리는 전압은 코일의 감은 수에 비례한다. 즉, $\dfrac{V_1}{V_2}=\dfrac{N_1}{N_2}$이다.

모범 답안 승압 변압기는 2차 코일의 감은 수가 1차 코일의 감은 수보다 크고, 강압 변압기는 2차 코일의 감은 수가 1차 코일의 감은 수보다 작다.

채점 기준	배점(%)
승압 변압기와 강압 변압기의 코일의 감은 수의 차이를 비교하여 옳게 서술한 경우	100
승압 변압기와 강압 변압기 중 한 가지만 옳게 서술한 경우	50

10 ㄴ. 냄비에는 코일에 흐르는 교류에 의해 발생하는 자기장의 변화를 방해하는 방향으로 유도 전류가 흐른다.

바로 알기 ㄱ. 인덕션 레인지 내부의 코일에는 교류가 흐르므로, 자기장의 세기와 방향이 시간에 따라 계속 변한다.

ㄷ. 절연체 냄비를 사용하면 전자기 유도가 일어나지 않으므로, 음식물을 익힐 수 없다.

개념 적용 문제   148쪽~151쪽

01 ⑤   **02** ③   **03** ②   **04** ⑤   **05** ③   **06** ⑤
07 ④   **08** ①

01 ㄴ. 2차 코일에 흐르는 전류의 세기가 일정하면 상호유도 기전력도 일정하므로, $\dfrac{\varDelta\phi}{\varDelta t}$가 일정하다.

ㄷ. B_1의 세기가 감소하므로, I_1이 감소한다.

바로 알기 ㄱ. 2차 코일에 전류가 b → ⓖ → a 방향으로 흐르면 유도 전류에 의한 자기장의 방향은 오른쪽이다. 1차 코일에 흐르는 전류에 의한 자기장 B_1의 방향이 오른쪽이므로, 2차 코일에 오른쪽 방향의 자기장이 발생하기 위해서는 B_1의 세기가 감소해야 한다.

02 a에 흐르는 전류의 시간 변화율이 (+)인 구간과 (−)인 구간에서 b에 흐르는 전류의 방향은 반대 방향이다. 따라서 A와 D 구간에서 b에 흐르는 전류의 방향이 같고, B와 C 구간에서 b에 흐르는 전류의 방향이 같다.

03 ㄴ. 0초일 때 L_1에 전류가 흐르지 않으므로, 1초일 때 L_1에 흐르는 전류의 세기는 일정하게 증가한다. 이때 L_2에 흐르는 유도 전류에 의한 자기장의 방향이 왼쪽이므로, L_1에서는 오른쪽으로 자기장이 발생하여야 한다. 따라서 1초일 때 L_1에는 전류가 b → L_1 → a 방향으로 흐른다.

바로 알기 ㄱ. 2차 코일에 발생하는 상호유도 기전력 $V_2 = -N_2\dfrac{\Delta\Phi_2}{\Delta t} = -M\dfrac{\Delta I_1}{\Delta t}$이다. 0초부터 2초까지 L_2에 일정한 세기의 전류가 흐르므로, 이 동안에는 L_1에 흐르는 전류의 시간 변화율 $\dfrac{\Delta I_1}{\Delta t}$이 일정하다.

ㄷ. 1차 코일의 전류 변화량은 2차 코일에 흐르는 전류를 시간에 따라 나타낸 그래프에서 그래프 아랫부분의 넓이에 비례한다. (나)에서 0초부터 3초까지의 넓이가 $2I_0 - 3I_0 = -I_0$이므로, 3초일 때 L_1에 흐르는 전류의 세기는 0이 아니다.

04 ㄱ. (나)에서 Q에 흐르는 유도 전류 $I_2 = I_0\sin\omega t$이다. P에 흐르는 전류를 I_1, 상호유도 계수를 M이라고 할 때 Q에 발생하는 상호유도 기전력 $V_2 = -M\dfrac{\Delta I_1}{\Delta t}$에서 $I_1 = -\dfrac{1}{M}\int V_2 dt$이므로, $I_1 = -\dfrac{I_0 R}{M}\int \sin\omega t\, dt = \dfrac{I_0 R}{\omega M}\cos\omega t$이다. 즉, P에 흐르는 전류를 시간에 따라 나타내면 다음과 같다.

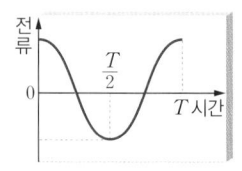

따라서 $0 \sim T$ 동안 P에 흐르는 전류의 방향은 $\dfrac{T}{4}$, $\dfrac{3T}{4}$일 때 2번 바뀐다.

ㄴ. P에 흐르는 전류의 세기는 $\dfrac{T}{2}$일 때 최대이고, $\dfrac{T}{4}$일 때 0이다. 따라서 전류의 세기는 $\dfrac{T}{2}$일 때가 $\dfrac{T}{4}$일 때보다 크다.

ㄷ. $\dfrac{T}{8}$일 때는 P에 흐르는 전류가 (+)이므로, 시계 방향으로 전류가 흐른다.

05 ㄱ. 2차 코일에 발생하는 상호유도 기전력 $V_2 = -M\dfrac{dI_1}{dt}$ $= -M\dfrac{d}{dt}\left(\dfrac{V_0}{R}\sin\omega t\right) = -\dfrac{\omega M V_0}{R}\cos\omega t$이다. 따라서 2차 코일에 발생하는 상호유도 기전력의 최댓값은 $\dfrac{\omega M V_0}{R}$이다.

ㄴ. 1차 코일에서 교류 전원의 진동수는 $2\pi f = \omega$에서 $f = \dfrac{\omega}{2\pi}$이다. 이때 1차 코일과 2차 코일의 진동수는 같으므로, 2차 코일에 발생하는 상호유도 기전력의 진동수는 $\dfrac{\omega}{2\pi}$이다.

바로 알기 ㄷ. 1차 코일에 흐르는 전류의 방향이 일정하더라도 전류의 세기가 증가할 때와 감소할 때 2차 코일에 흐르는 유도 전류의 방향은 반대 방향이다.

06 ㄱ. 전원의 전압이 일정하고 변압기에서 $\dfrac{V_1}{V_2} = \dfrac{N_1}{N_2}$이므로, N_1만 증가시키면 2차 코일의 양단에 걸리는 전압 V_2가 감소한다. 따라서 저항의 소비 전력은 감소한다.

ㄴ. N_2만 증가시키면 2차 코일의 양단에 걸리는 전압 V_2가 증가하여 2차 코일에 흐르는 전류의 세기가 증가한다. 따라서 변압기에서 입력되는 전력이 증가하므로, 1차 회로에 흐르는 전류의 세기는 증가한다.

ㄷ. N_1과 N_2를 모두 2배로 증가시키면 2차 코일의 양단에 걸리는 전압 V_2는 변하지 않는다. 그런데 2차 코일에 발생하는 유도 기전력 $V_2 = -N_2\dfrac{\Delta\Phi}{\Delta t}$이므로, N_2가 2배가 되면 코일을 지나는 자기 선속의 시간 변화율 $\dfrac{\Delta\Phi}{\Delta t}$는 $\dfrac{1}{2}$배가 된다.

07 변압기에서 $\dfrac{V_1}{V_2} = \dfrac{N_1}{N_2} = \dfrac{I_2}{I_1}$이므로, S_1만 닫았을 때 2차 코일에 흐르는 전류의 세기를 I_0이라고 하면 1차 코일에 흐르는 전류의 세기는 $\dfrac{N_2}{N_1}I_0$이고, 2차 코일에 연결된 저항과 1차 코일에 연결된 송전선에서 소비되는 전력은 각각 $I_0^{\,2}R_0$, $\left(\dfrac{N_2}{N_1}I_0\right)^2 \times 25R_0$이다. 이때 교류 전원에서 공급하는 전력 $P_1 = I_0^{\,2}R_0\left\{1 + \left(\dfrac{5N_2}{N_1}\right)^2\right\}$이다.

또 S_1과 S_2를 모두 닫았을 때 2차 코일에 흐르는 전류의 세기는 $2I_0$이므로, 1차 코일에 흐르는 전류의 세기는 $\dfrac{2N_2}{N_1}I_0$이고, 2차 코일에 연결된 저항과 1차 코일에 연결된 송전선에서 소비되는 전력은 각각 $2I_0^{\,2}R_0$, $\left(\dfrac{2N_2}{N_1}\right)^2 \times 25R_0$이다.

이때 교류 전원에서 공급하는 전력 $P_2 = I_0{}^2 R_0 \left\{ 2 + \left(\dfrac{10N_2}{N_1} \right)^2 \right\}$

이다. 그런데 $P_2 = 3P_1$이므로, 계산하면 $\dfrac{N_1}{N_2} = 5$이다.

08 ㄱ. 교류 전류의 진동수가 60 Hz이므로, 이 전류에 의해 발생하는 자기장의 진동수도 60 Hz이다.

바로 알기 ㄴ. 교류 전류에 의한 상호유도가 일어날 때 유도 전류의 방향과 세기는 시간에 따라 계속 변한다.

ㄷ. 수전용 코일에 흐르는 전류의 세기는 송전용 코일에 흐르는 전류의 시간 변화율에 비례하므로, 송전용 코일에 흐르는 전류의 세기가 최대일 때 수전용 코일에 흐르는 전류의 세기는 0이다.

통합 실전 문제　　　　　　　　　152쪽~155쪽

01 ⑤	**02** ④	**03** ②	**04** ①	**05** ③	**06** ⑤
07 ①	**08** ④				

01 (나)에서 전기력선이 A와 B로 모두 들어가고 있으므로, A와 B는 모두 (−)전하를 띤다. 즉, (가)에서 두 전하의 알짜 전하량은 (−)이다. 이때 $q_A > q_B$이므로, A는 (−)전하를, B는 (+)전하를 띤다. 따라서 (가) 상태에서 A와 B 주위의 전기력선은 B에서 나오고 A로 들어가며, 전하량이 클수록 나오거나 들어가는 전기력선의 수가 많으므로 전기력선의 수는 A가 B보다 많다.

02 ㄴ. A와 접촉한 후 B의 전하량은 $\dfrac{q}{2}$이고, C의 전하량은

$-\dfrac{q}{4}$이므로, 전하량의 크기는 B가 C보다 크다.

ㄷ. 두 금속구의 전하량이 (가)에서가 (나)에서보다 크므로, 두 금속구 사이에 작용하는 전기력의 크기도 (가)에서가 (나)에서보다 크다. 따라서 θ_1은 θ_2보다 크다.

바로 알기 ㄱ. (가)에서 대전된 A에 대전되지 않은 B를 가까이 가져가면 B에서 정전기 유도가 일어나 A와 B 사이에는 서로 끌어당기는 전기력이 작용한다. B와 접촉하기 전 A의 전하량을 q라고 하면, A와 B가 접촉한 후 전하량은 각각 $\dfrac{q}{2}$가 된다. (나)에서 (가) 상태의 대전된 A에 대전된 C를 가까이 가져갔을 때 A가 C에 끌려왔으므로, A와 C는 서로 다른 종류의 전하를 띤다. 이때 (가)에서 B와 접촉하기 전 A와

(나)에서 A와 접촉하기 전 C의 전하량의 크기가 같으므로, C의 전하량은 $-q$가 된다. $\dfrac{q}{2}$인 A와 $-q$인 C가 접촉한 후 전하량은 각각 $-\dfrac{q}{4}$가 되므로, (가)에서 B와 접촉한 후 A의 전하량은 $\dfrac{q}{2}$이고, (나)에서 C와 접촉한 후 A의 전하량은 $-\dfrac{q}{4}$이다. 즉, (가)와 (나)에서 A는 서로 다른 종류의 전하를 띤다.

03 주어진 회로의 등가 회로는 오른쪽 그림과 같다. 10 Ω인 저항의 양쪽이 대칭적이므로, 10 Ω인 저항의 양단에서 전위차는 0이다. 따라서 10 Ω인 저항에는 전류가 흐르지 않으므로, a와 b 사이의 합성 저항은 4 Ω이다.

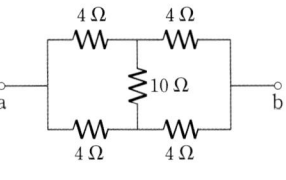

04 ㄴ. 축전기에 직류 전원을 연결하면 전류는 축전기를 충전시키는 동안에만 흐르고, 축전기의 충전이 완료되면 더 이상 흐르지 않는다. 따라서 A는 직류 성분은 차단하고, 교류 성분만 통과시킨다.

바로 알기 ㄱ. 회로 전체에 걸리는 전압을 V라고 할 때 바이어스 전압은 $\dfrac{R_2}{R_1 + R_2} V$이므로, R_1을 증가시키면 바이어스 전압은 감소한다.

ㄷ. R_1을 증가시키면 바이어스 전압이 감소하므로, 베이스 전류가 감소하여 컬렉터 전류도 감소한다.

05 R인 저항 5개를 왼쪽부터 A, B, C, D, E라고 하고, 주어진 회로의 등가 회로를 나타내면 다음과 같다.

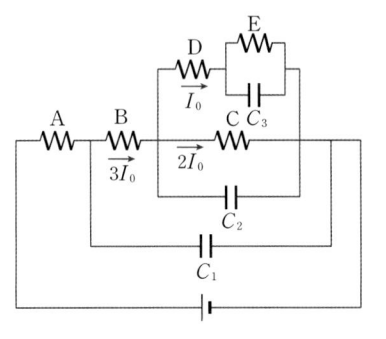

E에 흐르는 전류의 세기를 I_0, E의 양단에 걸리는 전압을

V_0이라고 하면 C에 흐르는 전류의 세기와 C의 양단에 걸리는 전압은 각각 $2I_0$, $2V_0$이므로, B에 흐르는 전류의 세기는 $3I_0$이고, B의 양단에 걸리는 전압은 $3V_0$이다. 따라서 C_1, C_2, C_3인 축전기에 걸리는 전압은 각각 $5V_0$, $2V_0$, V_0이다. 이때 C_1, C_2인 축전기에 충전된 전하량이 같으므로, $5C_1V_0=2C_2V_0$에서 $C_1:C_2=2:5$이다. 또 C_1인 축전기에 저장된 전기 에너지가 C_3인 축전기에 저장된 전기 에너지의 5배이므로, $\frac{1}{2}\times C_1\times(5V_0)^2=\frac{5}{2}\times C_3\times V_0{}^2$에서 $C_1:C_3$ $=1:5$이다. 따라서 $C_1:C_2:C_3=2:5:10$이다.

06 ㄱ. A와 B의 길이와 단면적이 같고 비저항이 B가 A의 3배이므로, 도체 막대에 흐르는 전류의 세기는 A가 B의 3배이다. 따라서 P와 Q에서 자기장의 방향은 모두 종이면에 수직으로 들어가는 방향이다.

ㄴ. B에 흐르는 전류의 세기를 I라고 하면 P에서 자기장의 세기 $B_P=k\frac{3I}{d}-k\frac{I}{d}=k\frac{2I}{d}$이고, Q에서 자기장의 세기 $B_Q=$ $k\frac{3I}{3d}+k\frac{I}{d}=k\frac{2I}{d}$이므로, P와 Q에서 자기장의 세기는 같다.

ㄷ. A와 B의 위치를 바꾸면 P에서의 자기장의 방향은 반대로 바뀌지만, 자기장의 세기는 변하지 않는다.

07 ㄱ. 1초일 때 Ⅰ에서의 자기장의 세기는 감소하고, Ⅱ에서의 자기장의 세기는 일정하므로, 1초일 때 도선에는 종이면에 수직으로 들어가는 방향의 자기장이 발생하도록 유도 전류가 시계 방향으로 흐른다.

바로 알기 ㄴ. 3초일 때 Ⅰ에서의 자기장의 세기는 증가하고, Ⅱ에서의 자기장의 세기는 감소한다. 이때 자기장의 세기의 시간 변화율은 같으나 면적이 Ⅱ에서가 Ⅰ에서의 2배이므로, 자기 선속의 시간 변화율은 Ⅱ에서가 Ⅰ에서의 2배이다. 따라서 3초일 때 도선을 지나는 자기 선속이 감소하므로, 도선에는 종이면에 수직으로 들어가는 방향의 자기장이 발생하도록 유도 전류가 시계 방향으로 흐른다.

ㄷ. 5초일 때 Ⅰ에서의 자기장의 세기는 증가하고, Ⅱ에서의 자기장의 세기는 감소한다. 이때 자기장의 세기의 시간 변화율은 Ⅰ에서가 Ⅱ에서의 2배이고 면적은 Ⅱ에서가 Ⅰ에서의 2배이므로, 자기 선속의 시간 변화율은 Ⅰ과 Ⅱ에서가 같다. 따라서 5초일 때 도선을 지나는 자기 선속이 변하지 않으므로, 도선에는 유도 전류가 흐르지 않는다.

08 0초부터 1초까지 2차 코일에 걸리는 전압이 일정하므로,

1차 코일에는 세기가 일정하게 변하는 전류가 흘러야 한다. 0초부터 1초까지 2차 코일에 걸리는 전압이 (+)이므로, 2차 코일에는 유도 전류가 화살표 방향으로 흐른다. 이때 1차 코일에는 화살표 방향으로 흐르는 전류가 감소하거나 화살표 반대 방향으로 흐르는 전류가 증가해야 한다. 즉, 1차 코일에 흐르는 전류를 $I(t)$라고 하면 $\frac{dI}{dt}<0$이다. 마찬가지로 3초부터 4초까지도 $\frac{dI}{dt}<0$이다. 그리고 1초부터 3초까지 2차 코일에 걸리는 전압이 (−)이므로, 2차 코일에는 유도 전류가 화살표 반대 방향으로 흐른다. 즉, $\frac{dI}{dt}>0$이다. 따라서 1차 코일에 흐르는 전류를 시간에 따라 나타낸 그래프로 가장 적절한 것은 ④이다.

사고력 확장 문제 156쪽~159쪽

01 **모범 답안** (1) A에서는 전기장이 0이고, B에서는 중심에 있는 $+Q_0$인 점전하에 의해 발생하는 전기장과 같은 모양이다.

(2) 중심에 있는 $+Q_0$인 점전하에 의해 도체 껍질에 정전기 유도가 일어나 도체 껍질의 안쪽 표면에는 $-Q_0$인 (−)전하가 분포하고 바깥쪽 표면에는 $+Q_0$인 (+)전하가 분포하므로, 안쪽 방향의 전기장이 발생한다. 이는 중심에 있는 점전하에 의한 전기장과 서로 상쇄되므로, A에서의 전기장은 0이다.

| → | 중심에 있는 전하량이 $+Q_0$인 점전하에 의한 전기장 |
| → | 도체 껍질의 전하 분포에 의한 전기장 |

	채점 기준	배점(%)
(1)	A와 B에서의 전기장의 모양을 모두 옳게 서술한 경우	50
	두 가지 중 한 가지만 옳게 서술한 경우	25
(2)	도체 껍질의 안쪽 표면과 바깥쪽 표면에서의 전하 분포를 설명하고, 두 전기장이 서로 상쇄됨을 서술한 경우	50
	도체 껍질의 안쪽 표면과 바깥쪽 표면에서의 전하 분포만 서술한 경우	30

02 (1) (+)전하로 대전된 금속구가 A 쪽으로 끌려가므로, A는 (−)전하를 띤다. 따라서 B는 (+)전하를 띠므로, 정전기 유도에 의해 금속판은 (−)전하, 금속박은 (+)전하를 띠게 된다.

모범 답안 (1) B, 금속박은 (+)전하를, A, 금속판은 (−)전하를 띤다.

(2) B는 (+)전하를 띠므로, B와 금속구 사이에는 서로 밀어내는 전기력이 작용한다. 따라서 금속구는 B로부터 멀어진다.

채점 기준	배점(%)
(1) 물체가 띠는 전하의 종류를 모두 옳게 쓴 경우	50
전하의 종류를 명시하지 않고, 같은 전하를 띠는 물체끼리 분류만 한 경우	20
(2) 정답이 옳은 경우	50

03 (1) A와 C는 병렬연결되어 있다. 따라서 A의 퓨즈가 끊어져도 C에는 전류가 흐르므로, C는 계속 작동한다. 또 A에 상관없이 C에는 220 V의 일정한 전압이 걸린다.

(2) A와 B는 직렬연결되어 있다. 따라서 A의 퓨즈가 끊어지면 B에는 전류가 흐르지 않는다. 또 전압 분할로 A와 B에 필요한 정격 전압을 얻을 수 있다.

모범 답안 (1) 하나의 전기 기구가 끊어져도 다른 전기 기구에는 전류가 흐른다. 전기 기구에 항상 일정한 전압이 걸린다.

(2) 하나의 전기 기구를 이용하여 전체 전원을 차단할 수 있다. 전압 분할로 각 전기 기구에 필요한 전압을 얻을 수 있다.

채점 기준	배점(%)
(1) 저항의 병렬연결의 장점을 2가지 모두 서술한 경우	50
저항의 병렬연결의 장점을 1가지만 서술한 경우	25
(2) 저항의 직렬연결의 장점을 2가지 모두 서술한 경우	50
저항의 직렬연결의 장점을 1가지만 서술한 경우	25

04 (1) A를 완전히 충전시키면 A에 충전되는 전하량 $Q_A = C_1 V_0$이다. 전원을 차단하고 S를 a에 연결하면 A와 B에 걸리는 전압이 같아질 때까지 전하가 A에서 B로 이동한다. 이때 A와 B에 충전되는 전하량의 합은 항상 일정하고, 합성 전기 용량 $C = C_1 + C_2$이다. A와 B에 걸리는 전압을 V_1이라고 하면 $Q_A = C_1 V_0 = (C_1 + C_2) V_1$에서 $V_1 = \dfrac{C_1}{C_1 + C_2} V_0$이다.

따라서 B에 충전되는 전하량 $Q_B = C_2 V_1 = \dfrac{C_1 C_2}{C_1 + C_2} V_0$이다.

모범 답안 (1) $\dfrac{C_1 C_2}{C_1 + C_2} V_0$

(2) 과정 (다)에서 A에 걸리는 전압을 V_1이라고 하면 $V_1 = \dfrac{C_1}{C_1 + C_2} V_0$이므로, 과정 (다)와 (라)를 2번 반복하면 A에 걸리는 전압 $V_2 = \dfrac{C_1}{C_1 + C_2} V_1 = \left(\dfrac{C_1}{C_1 + C_2} \right)^2 V_0$이다. 같은 방법으로 n번 반복하면 A에 걸리는 전압 $V_n = \left(\dfrac{C_1}{C_1 + C_2} \right)^n V_0$이다.

채점 기준	배점(%)
(1) 정답이 옳은 경우	50
(2) 풀이 과정과 정답이 모두 옳은 경우	50
정답만 옳은 경우	25

05 (1) [회로 1]에서는 두 트랜지스터가 직렬연결되어 있고, [회로 2]에서는 두 트랜지스터가 병렬연결되어 있다.

모범 답안 (1)

[회로 1]			[회로 2]		
입력		출력	입력		출력
A	B	LED	A	B	LED
0	0	0	0	0	0
0	1	0	0	1	1
1	0	0	1	0	1
1	1	1	1	1	1

(2) A는 '1', B는 '0'일 때, [회로 1]에서 위쪽 트랜지스터는 베이스 전류가 흘러 ON 상태가 되고, 아래쪽 트랜지스터는 베이스 전류가 흐르지 않아 OFF 상태가 된다. 이때 두 트랜지스터는 직렬연결되어 있으므로, LED에서 빛이 방출되지 않는다. [회로 2]에서 위쪽 트랜지스터는 베이스 전류가 흘러 ON 상태가 되고 아래쪽 트랜지스터는 베이스 전류가 흐르지 않아 OFF 상태가 된다. 이때 두 트랜지스터는 병렬연결되어 있으므로, LED에서 빛이 방출된다.

채점 기준	배점(%)
(1) 정답이 옳은 경우	50
(2) [회로 1]과 [회로 2]에서 전류의 흐름을 트랜지스터의 동작과 관련지어 모두 옳게 서술한 경우	50
[회로 1]과 [회로 2] 중 한 가지만 옳게 서술한 경우	25

06 **모범 답안** y축 위의 직선 도선을 A, y축과 평행한 직선 도선을 B라고 하자. P에서 원형 도선에 흐르는 전류에 의한 자기장 B_0은 $-x$ 방향으로 $2\pi \times 10^{-7}\ \text{T·m/A} \times \dfrac{1\ \text{A}}{1\ \text{m}} = 2\pi \times 10^{-7}\ \text{T}$이고, A에 흐르는 전류에 의한 자기장 B_A는 $-x$ 방향으로 $2 \times 10^{-7}\ \text{T·m/A} \times \dfrac{1\ \text{A}}{1\ \text{m}} = 2 \times 10^{-7}\ \text{T}$이다. 또 P에서 B에 흐르는 전류에 의한 자기장 B_B는 $2 \times 10^{-7}\ \text{T·m/A} \times \dfrac{1\ \text{A}}{\sqrt{2}\ \text{m}} = \sqrt{2} \times 10^{-7}\ \text{T}$이다. 이때 B_B를 B_1과 B_2로 분해하면 B_1은 $+x$ 방향, B_2는 $+z$ 방향으로 $B_1 = B_2 = B_B \cos 45° = \sqrt{2} \times 10^{-7}\ \text{T} \times \dfrac{1}{\sqrt{2}} = 1 \times 10^{-7}\ \text{T}$이다. 따라서 P에서의 합성 자기장의 세기 B는 다음과 같다.

$B = \sqrt{B_2^2 + (B_A + B_0 - B_1)^2} = \sqrt{(1 \times 10^{-7}\ \text{T})^2 + \{(2\pi + 1) \times 10^{-7}\ \text{T}\}^2}$
$= \sqrt{1 + (2\pi + 1)^2} \times 10^{-7}\ \text{T} ≒ 7.3 \times 10^{-7}\ \text{T}$

채점 기준	배점(%)
풀이 과정과 정답이 모두 옳은 경우	100
정답만 옳은 경우	50

07 (1) 교류 전원에 연결되는 코일의 감은 수 N에 따라 R, $2R$인 저항에 연결되는 코일의 감은 수는 다음과 같다.

N	R	$2R$
N_1	N_2	N_3
N_3	N_1	N_2
N_2	N_3	N_1

변압기 원리에 의해 $\dfrac{2V_0}{V_0}=\dfrac{N_2}{N_1}$에서 $N_2=2N_1$이고, $\dfrac{0.1V_0}{V_0}$ $=\dfrac{N_1}{N_3}$에서 $N_3=10N_1$이므로, $N_1:N_2:N_3=1:2:10$이다.

(2) 교류 전원에 연결되는 코일의 감은 수 N에 따라 R, $2R$인 저항의 양단에 걸리는 전압과 소비 전력은 다음과 같다.

N	R		$2R$	
	전압	소비 전력	전압	소비 전력
N_1	$2V_0$	$\dfrac{4V_0^2}{R}$	$10V_0$	$\dfrac{50V_0^2}{R}$
N_3	$0.1V_0$	$\dfrac{0.01V_0^2}{R}$	$0.2V_0$	$\dfrac{0.02V_0^2}{R}$
N_2	$5V_0$	$\dfrac{25V_0^2}{R}$	$0.5V_0$	$\dfrac{0.125V_0^2}{R}$

모범 답안 (1) $N=N_1$일 때, R, $2R$인 저항의 양단에 걸리는 전압은 각각 $2V_0$, $10V_0$이므로, 저항에서 소모하는 전력은 각각 $\dfrac{4V_0^2}{R}$, $\dfrac{50V_0^2}{R}$이다. 따라서 교류 전원에서 공급하는 전력 $\dfrac{4V_0^2}{R}+\dfrac{50V_0^2}{R}$ $=\dfrac{54V_0^2}{R}$이다.

(2) $P_{max}=\dfrac{54V_0^2}{R}$이고, $P_{min}=\dfrac{0.03V_0^2}{R}$이므로, $\dfrac{P_{max}}{P_{min}}=1800$이다.

	채점 기준	배점(%)
(1)	풀이 과정과 정답이 모두 옳은 경우	50
	정답만 옳은 경우	25
(2)	정답이 옳은 경우	50

실전문제 1

예시 답안 (1) 그림에서 변위 s와 시간 t의 관계는 $s=-0.02t(t-1)=$ $0.02t-\dfrac{1}{2}\times0.04t^2$인 2차 함수로 나타난다. 이때 가속도의 크기는 0.04 m/s^{2}이므로, $F=ma$에서 힘의 크기 $F=1$ kg$\times0.04$ m/s$^2=0.04$ N이다. 따라서 전기장의 세기 $E=\dfrac{F}{q}=\dfrac{0.04\text{ N}}{1\text{ C}}=0.04$ N/C이다.

(2) 변위 s와 시간 t의 관계식을 시간에 대해 미분하여 속도 v와 시간 t의 관계를 구하면 $v=0.02-0.04t$이므로, 0초일 때 물체의 속도의 크기는 0.02 m/s이고 방향은 전기장의 방향과 반대이다. 또 $+2$ C인 물체에 작용하는 힘의 크기는 $F=qE$에서 0.08 N이고 물체의 질량이 2 kg이므로, 물체의 가속도는 -0.04 m/s^{2}이다. $v=0.02-0.04t$에서 $t_0=0.5$초일 때 물체는 정지하고, $4t_0=2$초일 때 물체의 속력은 0.06 m/s이다. t_0일 때 물체의 속력이 0이므로, $0\sim t_0$ 동안 전기력이 물체에 한 일의 크기는 0초일 때 물체의 운동 에너지와 같고, $t_0\sim4t_0$ 동안 전기력이 물체에 한 일의 크기는 $4t_0$일 때 물체의 운동 에너지와 같다. 따라서 $W_1:W_2=0.02^2:0.06^2=1:9$이다.

실전문제 2

예시 답안 (1) 전기 용량 $C=\varepsilon\dfrac{S}{d}$이므로, A의 두 극판 사이의 거리를 3배로 증가시키면 전기 용량은 $\dfrac{1}{3}$배가 된다. 따라서 병렬연결된 A, B의 합성 전기 용량 $C'=C+\dfrac{1}{3}C=\dfrac{4}{3}C$가 된다. 이때 A, B의 두 극판 사이의 전위차를 V'라고 하면 A, B에 충전된 전하량의 합은 $2Q$이므로, $2Q=\dfrac{4}{3}CV'$에서 $V'=\dfrac{3Q}{2C}$이다. A, B를 연결하기 전의 전기 에너지 $U_0=2\times\left(\dfrac{1}{2}\dfrac{Q^2}{C}\right)=\dfrac{Q^2}{C}$이고, A, B를 연결했을 때 전기 에너지 $U=\dfrac{1}{2}\times\left(\dfrac{4}{3}C\right)\times\left(\dfrac{3Q}{2C}\right)^2=\dfrac{3}{2}\dfrac{Q^2}{C}$이다. 따라서 필요한 일 $W=U-U_0=\dfrac{1}{2}\dfrac{Q^2}{C}$이다.

(2) 직렬연결된 R와 가변 저항의 양단에는 각각 $\dfrac{1}{n+1}V_0$, $\dfrac{n}{n+1}V_0$의 전압이 걸리므로, 각 저항과 병렬연결된 A와 B에도 각각 $\dfrac{1}{n+1}V_0$, $\dfrac{n}{n+1}V_0$의 전압이 걸린다. 따라서 A와 B에 저장되는 전기 에너지는 각각 $U_A=\dfrac{1}{2(n+1)^2}C_AV_0^2$, $U_B=\dfrac{n^2}{2(n+1)^2}C_BV_0^2$이다.

또 가변 저항이 끊어졌을 때 R에는 전류가 흐르지 않으므로 R의 양단에 걸리는 전압은 0이 된다. 따라서 A에 걸리는 전압은 0이고 B에 걸리는 전압은 V_0이므로, $U_A=0$, $U_B=\dfrac{1}{2}C_BV_0^2$이다. 즉, 가변 저항이 끊어진 것은 B에 병렬연결된 저항의 저항값이 ∞인 경우이다.